文學新象 102

光之石四部曲 II

智慧的女人

THE STONE OF LIGHT:
Volume 2, The Wise Woman

克里斯提昂・賈克◎著
劉美玲◎譯

高寶書版集團

文學新象 102

光之石四部曲Ⅱ：智慧的女人

THE STONE OF LIGHT: Volume 2, The Wise Woman

作　　者：克里斯提昂・賈克（Christian Jacq）
譯　　者：劉美玲
總 編 輯：林秀禎
編　　輯：蘇芳毓
出 版 者：英屬維京群島商高寶國際有限公司台灣分公司
Global Group Holdings, Ltd.
地　　址：台北市內湖區洲子街88號3樓
網　　址：gobooks.com.tw
電　　話：(02) 27992788
E-mail：readers@gobooks.com.tw（讀者服務部）
pr@gobooks.com.tw（公關諮詢部）
電　　傳：出版部（02）27990909　　行銷部（02）27993088
郵政劃撥：19394552
戶　　名：英屬維京群島商高寶國際有限公司台灣分公司
發　　行：希代多媒體書版股份有限公司/Printed in Taiwan
二版日期：2008 年5 月
版　　次：二版一刷

國家圖書館出版品預行編目資料

光之石四部曲. 二, 智慧的女人/克里斯提昂・賈克(Christian Jacq)著 ; 劉美玲譯 -- 二版. -- 臺北市：希代多媒體發行, 2008.05
面； 公分.—(文學新象； TN102)
譯自：THE STONE OF LIGHT: Volume 2, The Wise Woman

ISBN 978-986-185-157-0(平裝)

876.57　　97002199

在深處於如山丘般袤廣無垠的上埃及沙漠裡，
有一座不為人知的禁城，城內有一群人盡心護
衛著法老王最珍貴的祕密，那就是可將大麥變
成黃金、物質幻化成光的「光之石」……

1

危機縈繞在四周，揮之不去。

拉美西斯大帝在位統治六十七年後與世長辭，從此真理村的居民便活在焦慮的情緒之中。這個神秘而封閉的工匠村位於底比斯城西，主要的任務是負責建造國王和皇后的陵墓，而現在村子的命運卻前途未卜。

已故的法老一旦完成了七十天的木乃伊化過程，六十五歲的新法老梅仁達將會做何決定？拉美西斯的兒子梅仁達被認為專制、正直而嚴厲，他是否能粉碎那些無可避免的野心家陰謀、擺脫一心想要坐上寶座、霸占上下埃及的野心份子？

拉美西斯大帝始終是支持真理村和工匠行會的守護者，他們直接隸屬於國王和首相，擁有自己的法庭，並且每天有專人補給所需的糧食，因此可專心致力於其作品之中，無任何的後顧之憂，而他們的創作正是國家生存的精神命脈。

村子不允許有任何閒雜人等進入，由索貝克負責真理村的安全。他了無睡意，身上帶著一把劍及弓箭等利器，不斷地在他所負責的區域與走來走去，而且每天都會巡察好幾回所部署的監視系統。

村子正門的兩名警衛仍按平日的習慣執行勤務，一名自清晨四點到下午四點，另一名則自下午四點到清晨四點；他們身強力壯，精於使用棍棒等武器，一般老百姓不准進入真理村。此外還有「五道牆」，這五道關卡是通往村子的道路。

雖然如此，索貝克對這些平常的安全措施仍嫌不足。他命令屬下在四周的山丘上一天二十四小時輪流站崗，以監視通往拉美西斯百萬年大神廟、國王及皇后谷地的山徑。

傳言工匠們有能力製造大量的財富，甚至能將大麥變成黃金，若是發生嚴重的動亂，鬧事者勢必會來攻擊真理村。村子裡有三十二名工匠，大家用同舟共濟的精神來分工合作，並將之分為「左隊」和「右隊」；失去了法老的保護，這個小小的團體會有何種命運？索貝克也許是他們最後的守護者，他不但不會逃跑，而且一定會堅持到底。

索貝克雖然身為「村外人」，但也逐漸喜歡上大部份他所保護的村民；儘管他本身並非工匠，也不知道他們的秘密，卻對他們的工作有一份參與感，也無法想像離開他們的日子。

正因為如此，他不斷地為另一件事情所困擾著：兇手是否藏身於行會之中，正威脅著尼菲寡言的生命安全？尼菲曾經遭受一封匿名信的指控，聲稱尼菲殺害了一名警衛，但最後尼菲還是獲得了清白。索貝克始終無法查出真正的兇手和寫黑函的人，心想會不會是尼菲的同事因為嫉妒他的快速晉升而嫁罪於他。不過索貝克尚有另一條線索要查，他懷疑底比斯西岸總督阿布利可能牽涉到一樁欲摧毀真理村的陰謀。麻煩的是，拉美西斯大帝的去世很可能會使得局勢變得很混亂，甚至無法控制。

尼菲身為右隊的隊長，有責任「在光明之處做光明之事」、擬定計劃、和按照每個人的能力來分配工作。而左隊隊長卡拉不幸與世長辭，由缺乏經驗的徒弟海伊繼任職位。他非常敬佩尼菲，視尼菲為行會的真正領袖。尼菲肩上的重擔卻因此而更沉重。老陵寢書記肯伊是中央政府的代表，負責適當地管理行會。他很尊敬尼菲，認為尼菲是一位傑出的工匠首長，有與生俱來的權威性。

但是尼菲是否有能力對抗暗中攻擊真理村的力量？他身為「村內人」的工匠首長，是否意識到事情的嚴重性，又是否能迎戰這項挑戰？尼菲根據前任者所執行的規定來努力完成使命，或許已忘了村外世界的殘暴與貪婪。他個人的智慧是否足以化解這個劫難？

索貝克在村子外牆的一處壁龕前站住，壁龕裡有一尊瑪亞特女神的雕像，祂是村子的至尊女神，頭上有一根真理之羽，讓鳥類得以找到正確的方向。瑪亞特女神是行會理念的象徵，他們所追求的和諧與正直，是藝術創作不可或缺的要素。真理村的名言正是「發揮瑪亞特的精神就是做上帝所喜歡的事情。」

索貝克感到呼吸困難，悶熱的空氣越來越教人產生窒息的壓迫感，災難的腳步已接近。他凝望著西峰和它金字塔形的山頂，試圖讓自己冷靜下來。傳說中行會的第一批石匠為了模仿南部的金字塔，而在北方將西峰的山岩鑿成金字塔形狀。

眾所皆知，這座聖峰藏有一條可怕的母蛇，而且性喜寧靜，因此一般老百姓更是不敢越過層層障礙來打擾牠。母蛇守護著法老們的陵寢，同時也是村民的精神寄託。

四百五十公尺高的西峰與法老的神廟形成一直線，如此國王的能量「卡」才能照耀四方；西峰的四周有許多神呈扇形圍繞著它，向它表示永恒的敬意。

每當太陽西沉，黑暗籠罩著沙漠、農田和尼羅河時，索貝克喜歡凝視著它；此時只有西峰矗立在光芒之中，彷彿連黑夜也無法掩蓋住它。

一名警衛打著手勢，另一名則大聲嚇阻。

索貝克立即跑向第一座堡壘，那兒已經亂成一團；警衛們團團圍住十來個早已嚇得魂不附體的趕驢人，他們用手護著頭部，以免遭棍棒擊中，而牲畜也慌張失措地向四方逃竄。

「住手！」索貝克喝令道，「他們是助理工。」

警衛們發現弄錯了，於是立即停止毆打。

「我們嚇了一跳，隊長，原以為這些人們要強行闖關。」其中一名警衛抱歉地說道。

這些助理工和往常般為村民帶來所需的水、魚類、新鮮的蔬菜、橄欖油，以及其他的糧食。受傷較輕的工人趕忙去追回驢子，其他傷重的人則不斷地呻吟或怨聲載道。索貝克得為這樁意外事件寫上一大篇報告向上級解釋，還得為他部下的魯莽行為辯護。

「快照料那些傷患。」他命令道，「把驢子上的貨卸下來。」

隊伍來到村子的大門前，工匠們的妻子自半開的大門走出來。她們是哈托爾女神的女祭司，同時也是家庭主婦。她們默不作聲地接過了食物。

拉美西斯大帝去世之前，她們彼此間常常為了能分到較好的一塊肉、一些水果或乳酪而討價還價、相互笑鬧、甚至故作爭吵。自從國王駕崩之後，連孩童都變得沉默不語，母親們也不想與他們嬉笑玩耍。她們蹲在地上揉麵團，準備用來做麵包和啤酒。這種簡單的日常工作是全家團圓聚餐的準備事項，然而這種快樂時光還能持續多久？

一名警衛跑向索貝克。

「隊長，隊長！又有其他的人來了！」

「其他的助理工？」

「不是……是帶著弓箭的士兵！」

2

底比斯總司庫莫希在其豪宅大廳內來回踱著方步。莫希非常精於數字、不但是個卓越的金融家，而且是底比斯省的幕後主子。他身兼軍隊總司令，常常大方地給部隊不少好處，因此很受官兵的愛戴。

莫希有張圓圓的臉、烏黑的頭髮平貼在腦袋上、深褐色的眼精、厚厚的雙唇、四肢肥胖、胸膛寬闊而強壯，他對自己的魅力信心十足。莫希無藥可救地想完成一個幾乎無法達成的目的：將真理村龐大的寶藏據為己有。他知道工匠在金坊製造相當可觀的巨大財富，而且他曾在國王谷地親眼目睹工匠們進入昏暗的陵寢時，利用一塊發光的石頭來照亮四周。

為了不讓自己的身份曝光，莫希殺了一名警衛，並且寄了一封匿名信給索貝克，企圖嫁禍於尼菲寡言，可惜的是這封信並未達到他所預期的效果，因為真理村的智女在最後一刻出面干涉，使得法庭終究仍是還了尼菲寡言的清白。不過莫希始終逍遙法外，非但如此，為了繼續爭權奪位，他很有技巧地謀殺了岳父，甚至與他可愛的妻子賽克塔聯手合作，賽克塔是一個和毒蠍一樣狠毒、野心勃勃、貪得無厭、冷酷無情不下於他的女人。

莫希既有錢又有勢，而且聲名遠播。他耐心而謹慎地暗中進行他的陰謀。莫希永遠不會忘記過去自己申請入會、而遭到真理村評審委員拒絕的奇恥大辱；除了報復之外，他企圖將執著於傳統與信仰的老埃及改造成先進而強大的國家。他的朋友達克泰熱衷於各種新發明，他的科學將會使沉睡中的社會有一場驚天動地的變化。

這項偉大的計畫首先需要揭發行會的秘密，但是世世代代的法老為了獨享一切，因此嚴密地保護著真理村。拉美西斯大帝原是莫希最主要的對手，他曾破壞法老的座車，想藉此除掉法老，卻終告失敗。莫希不得不承認老國王的運氣好得超乎自然，他只得想辦法將那名動法老座車手腳的可憐蟲滅口，以免事跡敗露。莫希當時唯一能做的是期待拉美西斯的去世，同時暗中在真理村四周佈下天羅地網。

莫希最後終於擺脫了真理村的大恩人！沒有拉美西斯做靠山，工匠們一定會亂了陣腳；而即位的新國王梅仁達，不見得會像拉美西斯一樣，讓行會享受如此良好的待遇。不過莫希始終無法自梅仁達登基的首都比拉美西斯獲得進一步資料。傳說中的梅仁達很保守，完全沒有進行改革的傾向，而且決意走拉美西斯大帝的路線；然而一旦掌有最高的政權，他的性格會不會因此而改變？

莫希打算趁此時刻策動更多的陰謀。短暫的過渡統治期有利於新世界的誕生，有些人則是順勢而為。只要能夠擁有真理村的秘密，莫希在新世界中必定會扮演重要的角色。

在拉美西斯遺體木乃伊化的漫長過程中，許多不預期的事都有可能會發生，例如若梅仁達猝逝，勢必會引發一場王位之爭。莫希並不樂見這種情形發生，因為他尚未做好參與這種鬥爭的準備。他所夢想的是國王只是一個舞台前的傀儡，而他才是幕後真正的掌權者。莫希與底比斯市長的關係正是如此，若照這種模式用於最高政權，有何不可？

死氣沉沉的梅仁達抱著過時的原則食古不化、絲毫無法洞察國家的發展趨向，這位平庸的法老能不能成為他最好的盟友？

為了要考驗工匠的心理狀態及防衛能力，莫希說服他的盟友阿布利，亦即底比斯西岸總督，派一組士兵連同一名稅務稽查員到真理村。

他們若能成功闖入村子，莫希便跟著衝入缺口，將行會的特權一掃而光。

這一回情勢變得相當緊張。

隊長索貝克發現來者是軍隊，其中大部份是中年精壯漢子。自從他當上真理村的安全警衛隊隊長以來，首次與部隊直接正面交鋒。

排成兩列的步兵在第一個堡壘前止步。警衛隊的努比亞警察，絕大多數都是訓練有素的壯丁，他們視索貝克為真正的族長，無論他下何種命令，他們都會服從到底。

索貝克上前一步。

「誰是你們的指揮官？」

「是我！」一名老戰士回答道，索貝克強健的體格、銳利的眼神令他為之震懾。「不過我得聽從稅務稽查員的命令。」

原本一直藏在士兵背後的胖傢伙，這時從行列中走出來，用他細弱卻很尖銳的聲音向索貝克說話。

「我受西岸總督之託來調查登記村裡的牲口數量，以便計算應納的稅額。由於前幾年都沒有登記申報，因此到時一定需要補繳稅款。你身為公家警察代表，應該要合作，協助我完成任務。」

索貝克未料到面臨的是這種的攻擊。

「你是否打算……進入村子？」

「這是必然的。」

「我的命令很明確：只有經過登記而獲得我批准的工匠或其家屬才能進入村子，其他閒雜人等不得進入。」

「您怎麼不講道理？我可是政府的代表。」

「就我剛剛所提到的規定，只有法老和首相才得以例外，而您既非法老、也非首相。」

「您不能不服從稅務局的命令！去把陵寢書記找來，他會向您說明法律條文。」

索貝克顯得有點猶豫。這個提議畢竟是一個不錯的解決之道；很明顯的，稅務稽查員並不了解嘮叨的肯伊。

「可以，但所有的士兵不得輕舉妄動！如果他們膽敢越雷池一步，我的部下會毫不客氣地將他們擊退。」

「我不喜歡您這種口氣，我的部隊比您的警衛來得人多勢眾，再說，我在法律上站得住腳。」

「如果您繼續堅持這種態度，那我誰都不去找，咱們就在這兒用我的方法來解決。」

所有的努比亞警衛不等索貝克的命令便高舉木棍。他們比對手來得更年輕敏捷，就算一個對付二、三個也不足畏懼。

「大家火氣不要這麼大。」稅務查員提議道：「我來這兒是為了要執行命令，您也是。」

「我接到的命令非常嚴格，絲毫不得有差錯。」

「快去把陵寢書記給找來！」

「再次警告你們不可輕舉妄動！」

稽查員肌肉緊繃，不再答腔。雖然他事前已知道這項任務並不容易，卻也沒料到會遭到如此激烈的抗爭。不但如此，這名高大的黑人警官讓他感到害怕；萬一雙方打了起來，他會不會被痛毆一頓？識時務者為俊傑，還是先與陵寢書記談談，讓他面對現實。

索貝克不慌不忙地穿過堡壘。這群二流的士兵根本不是他部下的對手，若正面交鋒，他們只有挨打的份兒；不過下一回，阿布利或許會派更多強悍的士兵來助陣。

除了西岸總督阿布利，還會有誰派他們來?索貝克在他整理的線索中，又再一次出現了這個人。阿布利曾經試圖收買索貝克，接著設法將他調任，雖然未能成功，但這種作法不禁讓人懷疑他蓄意要排除這名礙事的警察，深怕自己會被牽連到之前索貝克念念不忘的謀殺案。

這已經是阿布利第三次攻擊他，甚至直接對付真理村。

他這種行為必定其來有自，是否意味著他涉嫌重大，而且極力想排除可能告發他的人？

然而當前的問題是那名稅務官，看來免不了有一場衝突，因為肯伊一定應付不了，再說陵寢書記也不見得會出面。

3

「千萬不要打掃我的書房！」陵寢書記叮嚀著女佣牛妞。「待會兒我自己來整理。」

年輕的女佣無所謂地聳聳肩。每天早上聽到的都是同樣的話。

陵寢書記肯伊已經六十二歲，比一隻孤獨的老公羊還要毛躁。僅管他身軀肥胖，動作顯得有點笨拙，但任何小細節都逃不過他銳利的眼睛。

拉美西斯大帝的駕崩讓他失眠了好一陣子，幸虧他喝了曼德拉草藥才解決了失眠的問題。肯伊很清楚真理村在這段過渡期會面臨很大的危機，而如果法老對於這個小團體的生活方式有微詞，真理村就無法繼續生存下去，僅管如此，他仍然當作一切不會有所改變，照舊執行他的工作。

他首先要確定的是行會的水源供應問題：一處是自哈托爾神廟東北方六十公尺處的一口深井，另一個則是由外面驢隊送來的水。水井本身是個藝術傑作，垂直的內壁挖成直角，舖蓋著石灰岩板，並且有極佳的階梯供負責儀式的人汲取儀典用的聖水。可是井水不足以供應家庭的日常所需，尤其真理村民非常重視衛生，因此陵寢書記每天早晨耐心地等待驢隊送水到村子，他們用粉紅色的大陶甕來裝水，水甕的外表塗有一層淡黃或深紅色的釉。這些大水甕放在村內的巷子陰涼處，讓珍貴的水保持清涼。有些水甕上刻有阿孟霍特普一世、圖特摩斯三世或女法老哈特謝普蘇特的名字，以銘誌國王對真理村無微不至的關照恩情。

村子裡的規定相當嚴格；挑水夫每天數次將清水倒入村子南、北兩處的儲水槽內。村民再拿自己的水甕汲水，用於日常飲水、浴沐、做菜。自從行會成立以來供水一直相當充裕，但這個位於沙漠的小團體不但不浪費，反而非常珍惜過剩的水。

肯伊是經過法老批准，由首相任命的陵寢書記，工作負擔很沉重。他必須要維持村子的繁榮。在兩位工匠隊長之間居中協調。定時付工人的工資，在陵寢日誌上細心地記載調度人員及其理由，收發調配工程所需的物資，並繼續完成上一任留下的工作，僅管工作的內容沉重而繁瑣，肯伊仍舊能夠抽空做他最愛的消遣：寫作。

肯伊是拉默的養子，後者擁有「瑪亞特之書記」的殊榮，肯伊繼承了他漂亮的大房子、辦公室以及收藏了所有偉大著作的書房。他還將這些著作用他潦草且難以辨認的字跡全數重新抄寫。肯伊是個史詩的愛好者，他寫了一首「卡得士戰役」的新詩篇，內容描述拉美西斯打敗希太族，光明戰勝黑暗的事蹟，除此之外，他已著手寫一本著名的第十八王朝的歷史小說，等他好不容易退休之後，將致力完成嘔心瀝血的《夢之鑰》，為他的寫作畫下句點。

「有一名工匠要求見您。」牛妞前來通知他。

「妳沒看見我正在忙嗎？我什麼時候才能有一刻的清靜？」

「您要不要見他？」

「叫他進來。」肯伊嘀咕道。

伊普伊是右隊的雕匠，身材瘦長而且神經質，但卻很有本事，他能讓頑石點頭，也從不對任何困難低頭。

「有什麼事讓你心煩嗎？」

「一個噩夢。」伊普伊承認道。「我需要向您請教。」

「說來聽聽。」

「首先，在我的夢中出現羊頭神克嫩，牠對我說：『我用雙手保護著你，我將山腹內所蘊育的石堆交給你，讓你建造神廟。』這個夢令人感到害怕……」

「你錯了，這反而是一個好預兆，克嫩神是創造精力的化身，祂不僅創造了人類，同時給予工匠控制它的能力。然後呢？」

「然後，我就不方便說了。」

「我沒有時間可以浪費，伊普伊，你不想說的話就離開。」

伊普伊顯得很尷尬。

「我夢見和一個女人作愛……而那個女人卻不是我的妻子。」

「這很糟糕！只有一個辦法：你明天清晨跳到水溝裡，清涼的水會讓你冷靜下來。不過，你先告訴我……為什麼你不和其他的工匠到國王谷地去工作，卻留在村子裡？」

「我帶祭品到我父親的墳上祭拜，而且我內人身體不舒服。」

肯伊在陵寢日誌上記下這兩個被認可的事由。伊普伊不應該被冠上「懶惰」這兩個字，否則會受到嚴厲的處罰。不過陵寢書記還是得核對事實，因為曾經有名工匠用姨媽過世為缺席的理由，問題是這個姨媽已經是第二次過世，自此以後他再也不相信任何人的話。

伊普伊前腳才踏出肯伊的書房，後腳便跟著走進狄弟亞。狄弟亞是個細木匠，身材高大、動作緩慢。

「隊長交代我在工作室裡做一件事，並且要我提醒您，明天早上應該要發工資。」

發工資……每二十八天就要來一次，連錯過都不可能！陵寢書記以及兩名工匠隊長可以得到五袋小麥和兩袋大麥，其他每名工匠則分到四袋小麥和一袋大麥，此外再加上肉類、衣服和涼鞋。肯伊每十天就得監視橄欖油、香膏和香精的分配，每個村民每日可分到五公斤的麵包和糕餅、三百公克的魚、幾種青菜及水果、牛奶和啤酒。他們可將多餘的東西拿到市集以物易物。

「需要我再重覆一遍該做的事嗎？狄弟亞。」

「這段時間很教人心慌意亂，許多人不斷地揣測每天例行的糧食補給會不會出問題。」

「萬一發生這種情形，我會是第一個通知你們的人！明天工資會照常發放，一粒穀子也不會少給你們！」

狄弟亞放下了心上的大石頭，於是便告退離開。

肯伊無法告訴他，其實他的顧慮合情合理。假使新法老從未踏入村子一步，因為沒了某種壓力而讓步，所有物資補給可能便因此而中斷。只有屬於行會地窖裡的糧食能夠讓他們暫時生存，但未來的日子又該做何打算？

陵寢書記永遠不會改變他愛發牢騷的脾氣，他總是抱怨工作繁重，並常提到他在底比斯原本可以有很好的發展，但實際上他愛真理村遠勝於他自己的生命。儘管他不停地抱怨每個人每件事，他卻很清楚自己和拉默塞一樣，將在此地終老一生，因為他視真理村為埃及的心臟，聚集在此的人都很單純，每個人都有他們的長處和缺點，而他們每天盡心盡力地完成偉大的工作，為諸神服務。

唯一麻煩的是如何讓他們彼此和平相處，避免太大的衝突，如果可以，肯伊願意一個人承擔所有的煩憂！

「房子打掃完了。」牛妞說道。「我來準備午餐。」

「不要黃瓜，我對黃瓜消化不良，還有魚不要加太多香料。」

他早就該把這個霸佔他房子的小鬼靈精給炒魷魚，不過她做事勤快，而且對他的壞脾氣又很有耐性。

「又有人想見您。」牛妞說道。

「到底有完沒完？告訴他晚一點再來。」

「不過好像很重要，而且很緊急。」

「好吧……」

右隊帕依的妻子出現在陵寢書記的房子面前，一臉驚慌失措的模樣。

「又來了，準是夫妻之間的麻煩事。」肯伊心裡嘀咕道。「他背著她亂來，她要提出告訴，然後讓村子的法庭來審判。」

「安全警衛隊隊長派人送口信過來……事情鬧大了！」

「妳先冷靜下來再告訴我內容。」

「那些士兵聚集在第一座堡壘前……他們要強行闖入村子裡！」

4

村子的大門開啟讓陵寢書記通過，隊長索貝克一見到他，立刻朝他走過來。

「到底發生了什麼事？」肯伊問道。

「稅務稽查員連同軍隊來找我們麻煩。所有的人都在第一堡壘前等您出面。」

肯伊的步伐很吃力，與其要他走在沙地上，他寧可留在安靜的書房裡。然而他還是很英勇地邁步前進，迎向怒氣沖沖的稅務稽查員。

「您就是陵寢書記？」

「有何貴幹？」

「村子一直未繳納牲畜稅，我必需進入村子，查辦那些逃漏稅的人，並裁定該罰的款項。」

「您指的是那些牲畜？」肯伊反問道。

「那些牛、羊、還有……」

陵寢書記爆出一陣大笑。

「法律是開不得玩笑的！」稅務稽查員抗議道。

「法律當然不是玩笑，不過您卻是一個大笑話！您無能到這種程度，實在不配勝任這個職務，我會寫一封公文給首相，請他解除您的職務。」

稅務稽查員完全被搞迷糊了。

「我不了解您的意思，我……」

「您對真理村一無所知，還敢來大聲嚷嚷！在村子裡面，只有家畜之類的動物，像貓啊、狗啊和一些小猴子，所有其他的牲畜都因為衛生關係而不准進入村子，在村外的工匠屬地裡，您可以看到一些驢子、牛、羊和豬隻。當然啦，這些牲口早已向稅務局登記過了。您簡直是平白無故地打擾我，而我最痛恨人家來騷擾我。」

稅務稽查看到肯伊兩眼冒火，心想最好三十六計走為上策，並且快快讓他忘掉自己這次的輕舉妄動。萬一地位重要的陵寢書記告發他，他只有吃不了兜著走。

「這些寄生蟲什麼時候才會消聲匿跡？」肯伊望著落慌而逃的稅務稽查員咕噥道。

「我還未向您提起一件令人不安的問題……」

「那就提吧！」

「罪證都在我的辦公桌上。」

兩人一起來到索貝克的指揮所，索貝克拿出數塊石灰給肯伊過目，上面畫滿了一些令人不可思議的圖案。

石片上畫的是一隻貓送花給一隻老鼠、一隻母猴正在為一隻穿裙子的母鼠梳頭、還有一隻吹著雙笛的狐狸、一隻跳舞的山羊、一隻用尾巴站立彈著曼陀林的鱷魚、一隻燕子爬著梯子企圖攀向高掛在一棵樹上的河馬、另外有一隻大老鼠駕著馬車、衝向帶著盾牌的老鼠軍團，並且不斷地向牠們射箭，還有一隻猴子坐在一堆小麥上。

這些漫畫栩栩如生，但肯伊卻一點都不覺得有趣，因為他從線條中可以認出是行會的幾名成員！更甚的是射箭的老鼠無疑是與敵人作戰的法老。而那隻猴子和陵寢書記簡直非常神似！

「是誰拿給你這些下流的東西？」

「有人趁我不在時把它們放在這兒。」

「馬上把它們給毀掉。」

「萬一嫌犯又再來一次呢……」

「絕對不會有下一次，相信我！」

肯伊很清楚誰是嫌犯。

無論是風格、精確度、獨創性、揮灑自如的筆法……在在都顯示只有帕尼泊阿當能畫得出來。

肯伊當初就知道帕尼泊不怎麼守紀律，但還是非常贊成他加入行會。真理村不能排斥一個像帕尼泊這麼有才華的年輕人，然而這次他實在是不像話到極點！

索貝克無法掩飾自己想笑的眼神。

「這種下三濫的玩笑一點兒也不好笑，索貝克！他完全不尊重真理村認真和嚴肅的原則。」

「我完全同意您的看法，而且我相信您會照章處理。可是還有一件事比這個更嚴重。西岸總督阿布利派了稅務稽查員來查辦我們，而且他曾經試圖收買我並調任我的職務。」

「你始終懷疑他參與對付真理村的陰謀。」

「我現在對他的懷疑更甚於從前。」

肯伊沉下了臉。

「我多麼希望你的判斷是錯的……但我也調查了有關他的一些事情，阿布利顯然是任何壞事都幹得出來的野心份子。依目前的情況而言，不可能深入調查下去。我們無法預測新法老會如何對待他。要撤他職、要給他升官，還是要讓他保持現有的地位，這些都是未知數。」

「雖然他這回未能得逞，但我相信他是不會放棄的！既然他威脅到村子的安全，我非對付他不可，不管他職位的高低。」

「你要沉得住氣，索貝克！看梅仁達初期的命令，我們就會知道該怎麼做。在這段時間裡，你千萬不要掉以輕心。」

雖然怕嚇壞了村民，他卻不得不承認他的確越來越感到憂心。若是朝廷發生政變，或是像阿布利這種野心份子獲得更多的權力，真理村將只剩幾個星期苟延殘喘。

肯伊朝村子的大門走去，這時所有的助理工全自他們的工坊和屋內走出來，團團圍住他，帶有威脅的意味。

鐵匠、屠夫、洗衣工、鞋匠、麵包師父、織布工、漁夫、樵夫和園丁，所有的人全都情緒高漲。陶匠貝肯是助理隊長，他首先發難。

「我們雖是助理工，可是有權利知道我們未來的命運是兇是吉！」

「目前一切都沒有改變。」

「我們搞不好會成為軍隊的箭靶。」

「那是一場可笑的行政錯誤。這件事情擺平了。」

「村子會不會遭到封閉？」

「這都是一些沒有意義的害怕。」

「您這麼說是為了讓我們放心！」

「所有的工資都會照常發放，也不會有人被解雇……你們還想獲得什麼更好的保證？」

肯伊的一番話令助理工逐漸冷靜下來。

「大夥兒都回去幹活。」陶匠命令著。

鐵匠模糊不清的抗議聲浪終於被眾人四散的腳步聲淹沒。陵寢書記一回到村子裡，便立即遭到帕依的妻子糾纏，她顯得相當驚慌失措。

「我的小貓咪失蹤了！我百分之百確定是我的鄰居把牠藏在她家……她因為我的小貓有一身烏黑漆亮的毛而嫉妒我，所以想辦法把牠偷走！一定要搜查她家，而且要懲罰她！」

「我還有別的事要煩呢！我……」

「要不然我就一狀告到村子的法庭！」

肯伊嘆了一口氣。

「好好好，我們走吧。」

肯伊已經開始想像她們兩人潑婦罵街的情景，但為了維持工匠家屬之間的和諧，連這種芝麻蒜皮的問題他都不得不管。

幸好那隻蹺家的小貓從屋頂上跳下來，跑到牠女主人的腳下。後者緊緊地抱著牠、親遍牠全身，同時溫柔地責備牠。

肯伊驚奇地望著女人這種三百六十度的大轉變，最後寧可不發一語、獨自走開。在這個倒楣的一天，他還有多少罪要受？

「午餐已經準備好了。」肯伊一回到家，牛妞便對他宣佈道。「您的點心是蜜棗糕點。」

「它應該會鬆軟可口吧？」

「您嚐了就知道。」

這個蠻妞居然膽敢對他如此出言不遜，總有一天，他會好好教訓她一頓。不過眼前有其他的事足夠讓他操心的。

工匠首長尼菲寡言是否能按照要求，如期完成拉美西斯大帝的陵寢？僅管他有過人的長處，但這畢竟是他第一次執行的大工程，或許他就缺這麼一點天份將工程順利如期完工。

萬一尼菲失敗，真理村勢必也將跟著消失無蹤。

5

帕尼泊阿當從未感到如此幸福。

二十六歲的他從小就希望有一天能成為畫匠，終於在十年前被接受加入真理村的行會。這條路走得很艱辛，但他從未氣餒過，他的體內有股熊熊的火焰燃燒著，沒有任何人能夠將它熄滅。

現在他的天堂就是國王谷地，一個被烈日酷曬的沙漠谷地，一般的老百姓不得進入。狀如金字塔的西峰保護著國王谷地，新王朝以來的所有偉大法老都長眠於此，每天早晨他們的靈魂就在陵寢內再度誕生。

幾乎所有的埃及人都知道，要進入這個「偉大的谷地」是一個不可能實現的夢想。而帕尼泊能夠獲得這種殊榮，是因為他擇善固執，克服了種種的障礙，最後終於成了工匠右隊的成員之一。

有誰能夠想像，身材高大、體格壯碩的帕尼泊居然能以他那巨大的雙手畫出如此細膩、教人驚嘆的圖案？他將力與美做出最巧妙的結合，而他還只不過是一個學徒，未來尚有許多的東西要學習。

學習永遠讓帕尼泊感到興奮，他從未挑剔任何工作。自從拉美西斯大帝的陵寢完工以來，他的畫匠及彩繪匠同事要他搬運顏料塊、畫筆、毛刷及其他工具，這些重量對他而言輕如羽毛。帕尼泊非常喜歡在搬運的路途中欣賞山谷四周峻峭的岩石所形成的高牆。在這個禁地裡，只有高熱的石塊才得以生存。赭紅色的懸崖峭壁在澄藍的天空下顯得十分的鮮艷，中午時分，酷熱的陽光毫無保留地照耀在這塊生死交織、變化多端的神秘聖地上。

帕尼泊極為喜愛烈日高照的炎炎夏日。特別是連輕風都缺席的大熱天。在這個寧靜詳和的礦物世界裡，他完全尋回了自己。

「你在做白日夢嗎，帕尼泊？」

問他的不是別人，正是右隊隊長、行會的工匠師父尼菲寡言。尼菲身材瘦長、褐色的頭髮、灰藍色的眼珠、前額很飽滿，臉部的表情非常嚴肅，聲音卻很平和。不到十年的時間，他已成了眾人擁戴的工匠首長，而他從未處心積慮求得這個職位。

帕尼泊和尼菲兩人早於進入真理村之前就已認識彼此，尼菲永遠不會忘記當初帕尼泊是如何英勇地救了他一命。尼菲從雕匠晉升到行會的最高階層，接著獲准進入金坊，自然知道許多與偉大使命有關的重要秘密，而現在他將這個秘密轉化表現於物質上。

「從孩童時代起，我一直追求一個完美的世界，然而總是很快地與其他人發生衝突，好像與他不可能有休兵的時候，時時刻刻都要互相搏鬥。只要你有示弱的行為，他們就會踐踏你。但今天，我知道美好的世界是存在的，我們的行會在這個谷地裡挖掘建造和裝飾法老的陵寢，對我而言正是美好世界。這是個不屬於活人的地方，我們只是個過客，我喜歡這樣，只有沉默之火是這裡的主宰。我得感謝你讓我有機會認識這一切。」

「你不需要感謝我。雖然你是我的朋友，但身為工匠首長的我不會給你任何的特權。我之所以命令你來谷地工作，是因為你有這個能力。」

直到目前，帕尼泊僅止於扮演搬運工和拉美西斯大帝陵寢看守者的角色，他尚未獲准進入內部。聽尼菲的口氣，他覺得情況將會有所進展。

「今天會是漫長而辛苦的一天。」尼菲說道。「我們所剩的時間不多，必需依照拉美西斯生前的指示，將最後的裝飾部份完成。待會兒傑德會交代你一項非常重要的新工作。」

傑德是隊上的彩繪匠，也是畫匠們的組長，始終一直都很輕視帕尼泊。有好幾年的時間，他完全忽視帕尼泊的存在，好讓他了解他不把帕尼泊放在眼裡。不過帕尼泊強壓下自尊，忍氣吞聲，深信既然他被行會指定彩繪皇室的陵寢，必定是一位才能卓越、無與倫比的師傅。

「你似乎心事重重，尼菲。」

「是有一點，七十天的木乃伊化過程似乎顯得很長，但對我們而言卻太短了。」

「我不懂……拉美西斯的陵寢不是早已完成了嗎？」

「基本上是。不過按照規定，必須等到國王去世了才能進行牆壁的彩繪工作，最後畫上文字與圖案，將國王的光明之體的長眠陵寢竣工。這一切都不能出一點差錯，不但急不得，也不能浪費時間。」

「你一當上工匠首長，就負責如此重要的工程，命運待你真不薄！沒有其他的法老比拉美西斯大帝來得更偉大了……不過我們大家對你有信心。」

「我心裡很明白這關係著真理村的未來。如果新法老不滿意他父親的陵寢，很可能會決定解散我們的村子。」

「傳說中的梅仁達是怎麼樣的一個人？」

「不要聽信任何謠言，只需專心完成我們的工作。若是我們繼續認真苦幹，有什麼好擔心害怕的？」

以三十六歲之齡而言，尼菲顯得非常成熟，他在行使權力時雖然溫和，但卻一點兒也不馬虎。只要他在場，不須提高音量便能保持行會內部不可或缺的團結力量，同時促使工匠們做出最大的努力。他所下的命令都是為了讓工作盡善盡美、讓團體和諧一致。連向來討厭遵守紀律的帕尼泊都很佩服他的威嚴，而且很慶幸行會有這樣的首長。只要有他，貪污行賄與不公正的事情皆不存在。

「假設梅仁達決定撤除真理村，你會有什麼反應？」

「我會向他證明那是一項致命的錯誤，甚至會威脅到埃及的興盛昌榮。」

「萬一他聽不進去呢？」

「那麼他就不是一位法老，而是一名暴君，同時我們的偉大文明也將走到盡頭。」

卡烏、烏奈士和帕依等三個畫匠將一大堆顏色鮮艷的顏料塊，以及陶土和銅做成的容器放在帕尼泊的跟前。

「我該如何處理它們？」

「傑德會告訴你的。太陽好烈……你為什麼不到蔭涼處？」帕依問道。他實在難以忍受國王谷的酷熱。

「因為我不想感冒著涼！」他打趣著。

三個畫匠慢步走向拉美西斯大帝的陵寢入口處。連平常笑口常開，喜歡說笑的帕依也顯得很嚴肅。他和其他的同事一樣，滿腦子只想該完成的工作。

「你呢，帕尼泊，你會做何反應？」尼菲問他。

「如果文的不成，我就來武的。」

「對法老、軍隊和警察用武？」

「只要誰試圖摧毀村子，我就對付誰。雖然當初大家並不接受我，而且這十年來我的路也走得很辛苦，事實上它已成為我靈魂的一部份。」

尼菲臉上露出笑容。

「天將降大任於斯人也，必先苦其心志、勞其筋骨。聽你這麼說，使得我幾乎相信你有高人一等的能耐。」

「你可不要介意我的問題，有時你是不是在嘲弄我？」

「這怎麼可能？它有失我的身份地位。」

傑德的到來打斷了兩人的對話。

傑德的頭髮和小鬍子梳得非常整齊、高尚，有一對淡灰色的眼珠、高挺的鼻子及薄薄的雙唇。他用譏諷的眼神瞄了帕尼泊一眼，然後轉向尼菲。

「我的畫匠們開始工作了嗎？」

「他們剛進入陵寢內。」

「完工的時間怕不夠……」

「我們絕對不能有所延誤，傑德。因此我調帕尼泊來讓你分派。」

傑德露出不耐煩的表情。

「叫一名什麼都還不會的學徒來幫忙？」

「你要與我配合，好好教他。」

尼菲說完便走進拉美西大帝的陵墓。傑德拿起一種紅色的磚頭。

「你知道這個是什麼嗎？帕尼泊！」

「這是顏料……一種不能用這個形體使用的硬顏料塊。」

傑德露出不敢置信的表情。

「這正是我所擔心的事……你的眼睛根本不管用。」

6

帕尼泊竭盡全力勉強讓自己保持平靜，如果傑德要侮辱他，就讓他侮辱吧！

「顏色不光是一種物質。」傑德說道。「『顏色』這個字是『存在』、『皮膚』和『頭髮』的同義詞。色彩可以揭露神秘的生命，整個大自然也因此被賦予生命，譬如一向被視為無動於衷的礦物，或是有時過於活蹦亂跳的人類。你可曾真正發自內心去觀察沙子的赭紅、棕樹的光綠、春田裡的淡綠、天空的湛藍、尼羅河迷人的水藍或太陽的金黃？它們其實蘊藏著許多秘密，但沒有人去理會這些。為何法老親自叫人將顏料送到真理村？因為只有他明白原因及如何讓畫匠筆下的圖案充滿生命力。畫匠的守護神是『舒』，祂是光氣的化身，可使萬物展現它們的美。也許我的職業令我比較主觀，但有什麼東西比顏色來得更重要？」

帕尼泊換另一種角度來看攤在傑德面前的這些東西。後者從未用這種方式與他說話。

「在成為彩繪匠之前，你必需要先製造顏料。而你得具備許多的才幹，小子！若是平常，我們有的是時間，要幾個月、甚至幾年都可以，而現在拉美西斯大帝要求他陵墓內的繪畫必須栩栩如生，因此我們需要許多上好的顏料。我現在教你怎麼做，在我繪畫的同時，你得不斷地給我準備顏料。如果你做不來，就是耽誤我們工程的罪魁禍首，也會害了我們。現在收拾這些東西跟我來。」

「我們要去哪裡？」

「到我私人的工作室。」

傑德在一塊大岩石的凹處置了些木板、支架及一個小鍋。用銅鑿粗糙挖掘而成的兩壁之間掛著一塊白布，裡面放有式各樣、大大小小的瓶罐與坩堝。

「你坐在那張三角凳上給我張大耳朵聽著，帕尼泊。我所用的顏料來自於礦石，而且磨得越細越好。一旦成為石粉，必需要與摻有強效粘合劑的水混合，這就是製造顏料的主要秘密。你得用對冷、熱水都沒有反應的蛋白，而且顏料務必要能塞滿石頭的微孔。魚膠是另一種品質不錯粘合劑，與這裡所用的膠一樣。」

傑德邊說邊將提到的原料瓶蓋打開，宛如一個廚師準備品嚐自己所做的美味佳餚。

「我配的膠完全無缺！我先將大骨、軟骨、肌腱與皮混合熬煮，再將汁液倒入模子裡，冷卻之後便結成密實的硬塊。要記得加上與鈣粉混合的樹脂。你看這個傑作！」

他將一個長方形的陶土小坩堝蓋轉開。

「這是我融膠用的上等蜂蠟，我將它塗在完成的畫上，以便保護牆面。沒有經驗的人一定會將赭紅色直接塗在石膏上，只有知道使用粘合劑才配稱做行家。現在我要給你看我最喜歡、而且是最好用的黏合劑：洋槐樹膠。」

傑德慢條斯理地打開一個雪花石瓶子。

「洋槐樹膠能夠讓畫永久保存……時間不會在畫上留下痕跡，它能保持各種材質的穩定性，而且不受溫度影響。『洋槐刺』這個字也含有『精確、聰明』的意思，太陽賦予這種植物生命，讓它展現出強烈的光明力量。也許有一天你會領悟洋槐的奧妙。」

傑德有那麼一刻思緒飄向遠方塵封已久的記憶。

「我說到哪裡了……喔，對了，黏合劑！你已有了一些基本概念……我們來談談顏色的本身。」

帕尼泊簡直無法想像這個外表冷淡、驕傲的傑德居然內心如此熱情澎湃。他的眼睛閃閃發光，雙手不停地忙來忙去，似乎很高興將他彩繪世界的大門敞開，而帕尼泊全然地沉醉其中。

「黑色是最容易取得顏色；你可自廚房用的容器外層或黏在油燈上的炭黑取得煙炱。木炭粉所提供的黑色很漂亮，不過我也收集西奈山的錳。你對這個顏色要非常謹慎；代表黑色的這個字有『完成、全部』的意義，意味著黑色是所有顏色的總計。當奧塞利斯以黑色出現時，表示祂是復生力量的化身。」

「『Kemet』這個字代表『全部』，不正也是埃及的別名？」

「完全正確，因為黑色的土壤和尼羅河的河泥含有一切生命與復生的潛能。白色代表快樂、純潔與光輝，可研碎本地所產的石灰而取得。若將石膏混合木炭或煙炱便產生灰色。至於褐色，你可在黑色加上一層紅色，或將石膏與氧化鐵混合便成。最好的赭褐色要屬大克累綠洲所產的，我有收集一點。」

「那麼紅色呢？」帕尼泊問道。

「說到紅色，它是令人又愛又怕的顏色……舉凡沙漠、暴力、傳達生命的血、天上的火、將靈魂送到冥間的帆船，都是紅色，這種紅色塗在門四周，可以阻擋惡鬼進入。還有當塞特與艾伯非斯鬥爭時點燃塞特眼睛的的紅色……它不正是你最喜愛的紅嗎？我們國家產有大量的氧化鐵紅赭石或是將黃赭石燒成紅色。黃赭石為一種含水的氧化鐵，也處處隨手可得，比如在西部沙漠中的綠洲，在山丘上則呈石頭狀。我也用雌黃，是一種自然產生的砷硫酸酯，呈礦石的面貌，不具毒性，產地在小亞細亞和紅海上的小島。雌黃正是在牆上展現金黃色及諸神亮麗膚色的大功臣。」

傑德將毛筆沾上一種令帕尼泊驚異不已的顏色，然後在一塊石灰岩上畫出一隻非常美麗的蝴蝶。

「這是一種粉紅色。」傑德解釋道：「用石膏和紅赭石混合而成，它可以完全地詮釋女人的清秀或馬兒的優雅。你滿意了嗎？」

「不完全。」帕尼泊回答道，「為什麼我們沒有談到藍色及綠色？」

「你也許沒有我想像中的愚蠢……這兩色象徵天神之奧秘和生命之活力，有些人仍然以為只要將礦石顏料磨碎即可，實際上，身為真理村的彩繪匠，絕不能使用這種方式。」

傑德在鍋底下點燃火焰。

「大自然賜予我們這種顏料，而彩繪匠必需先讓顏色穩定才是藝術。至於藍色和綠色，它們的製做過程較為複雜。注意看我動作，並且牢記在心上。」

傑德將石英砂、孔雀石、青金石、天然碳酸鈉和植物粉末一齊放入一個模子裡混合攪拌。

「我要用八百五十到一千一百度的高溫來烤這個模子，你要調整火力才能改變溫度，而由於溫度的變化才能產生從青綠色到天青石等不同的藍。你也要留意顏料的研磨過程；粒度越小、顏色越淡。如果將密實的粉末顏料燒第二次，則顏色會變得更深。」

「那綠色呢？」

「用同樣的顏料，但比例不同，鈣要增加、銅要減少。藍色會讓你意識到抽象的事物，而綠色使你體會到精神上的生命力。至於彩色顏料，你可將這些彩色粉末凝結成長方形或圓形，每次我需要時就切一部份摻水攪和。這就是我們畫匠的初步技巧，帕尼泊；倘若你懂得藝術，就能深入我們行會的中心。」

傑德全神貫注於顏料的提煉過程，彷彿自己的身體正在感受模子裡顏料的變化。他教帕尼泊如何自深藍色轉變到嫩綠色。

「你覺得你可以製造顏料了嗎?帕尼泊。」

「我毫無選擇的餘地。」

「我今天下午需要紅色，明天需要藍色。希望原料還足夠，因為新法老還不一定會答應供應我們原料，沒有色料就沒有繪畫……」

「不可能的！」

「這不是你我可以做決定的事，小子。我總覺得情勢並不樂觀。」

帕尼泊開始興致勃勃地使用瓶瓶罐罐裡的粘劑和洋槐膠。

「您的態度讓我驚訝萬分……直到目前為止，您始終很輕視我，但今天您卻為我揭開了許多專業的秘密！為什麼您突然變得這麼好心？」

「既然首長下令要我教你，我就聽他的。反正你也不會成功。」

7

紅棕色的粗尾沙漠狐狸筋疲力竭地躲在岩石洞穴深處，希望能夠逃開追殺他的獵人。

莫希帶領一隊窮兇惡極的獵人拚命地追趕，他們比這隻肉食動物還要殘忍。莫希在沙漠裡追逐這隻狐狸的蹤跡已經好幾個小時。

由於始終無法獲知新法老的動向，莫希非常不高興，因此神經緊繃、殺氣騰騰。

獵殺鵪鶉與麻雀已無法滿足他嗜血的個性，於是他來到底比斯西邊，企圖找到更多有趣的獵物。

喘著氣的狐狸看見持著弓箭的獵人衝向牠狹窄的臨時棲身地。四面的岩壁太陡，使得牠無法往上攀爬，牠驚慌地四處張望，卻找不到任何可以逃生的出口。

莫希興奮地拉開弓，他在這個惡劣的環境中汗沒有白流，而且又再一次證明了他的強悍。

狐狸原本可以朝他的敵人撲過去，但牠寧可平靜地面對自己的死亡，並且勇敢地直視著莫希而聽天由命。許多的獵人在面對這種眼神時，會因為欽佩對手的勇氣以致不忍屠殺。但莫希是個不折不扣的殺手，他的箭穿過沙漠炎熱的空氣、深深地插入這個不幸小動物的胸膛裡。

「給我拿喝的來。」莫希走進他豪華的大別墅，一邊吩咐道。「把這個拿去處理。」

狐狸血淋淋的屍體被扔在地上，一個僕人趕緊將它抬走，而另一個僕人則立刻為莫希送來清涼的啤酒。

「夫人在那裡？」

「在水池邊。」

賽克塔躺在蔓藤花棚下的墊子上。她染了一頭的金髮，淡藍色的眼睛，身材略顯肥胖，胸部非常豐滿，身上披著一件薄薄的麻紗，以避免自己曬得太黑而像個鄉下的村姑。

莫希一把抓住她胸前的一對乳房。

「你弄痛我了，親愛的！」

僅管他在床笫之間不是那麼的雄糾糾、氣昂昂，賽克塔依然欣賞他的暴力、他那狂妄的野心與貪心。由於他對數字與管理的天份與生俱來，因此財富不斷地增加。和他一樣貪婪與殘酷的賽克塔首曾經一度想擺脫莫希，因為她認為自己總有一天會被他除掉；不過事情最後演變到兩人聯手胡作非為，共犯的事實與對權力的渴望使他們緊密結合在一起。

「你打獵還玩得愉快嗎？」

「很愉快。首府有沒有傳來什麼消息？」

「很不幸的，沒有。不過我倒有一些不錯的情報。」

莫希在他妻子的身邊躺下。這個女人具有毒蠍的魅力和毒蛇的魔力。

「我們那位背叛他行會的可愛線民，剛剛才透過特漢貝送來一封信。」

特漢貝是個是平庸卻很聽話的無恥之徒，真理村的叛徒與他互相勾結，私下販賣高級家具，從中獲取非法的利益。為了能夠繼續這種非法的勾當，特漢貝聽命於莫希和負責連絡的賽克塔，事實上他沒有其他的選擇，只能對他們百依百順。

「妳最好趕快告訴我，賽克塔，否則我就強暴妳……」

她親吻丈夫的膝蓋。

「有何不可，親愛的？不過你先聽聽這個：尼菲首長由於缺乏經驗，因此面臨著極大的麻煩。拉美西斯大帝的陵寢尚未完成，看來似乎無法如期完工。」

「有意思……換句話說，行會將會因此而被冠上無能的罪名，它的首長也將會被免職！這可是空前絕後的大事，而且是無比轟動的大醜聞。我們的朋友阿布利趁機發表一項正式的抗議，真理村的所有物質補給將會被中斷。我看真理村可能很快就要完蛋了，賽克塔！要取得它的秘密或許比我想像中的還要簡單。那些工匠選擇尼菲當首長是他們的一大錯誤。」

賽克塔掀開麻紗，仍舊小心翼翼地避免陽光照射。莫希露出不懷好意意的眼神，準備向他的妻子一展身手。

由於目前的情況告急，工匠整隊人馬不再每天回村子，而是在星空下、草蓆上、離拉美西斯大帝陵寢不遠處就地而眠。

尼菲懷疑岩石不夠堅硬，因而要求石匠費奈德、卡沙、卡洛和奈克特進行檢驗，幸好沒有發現任何的異常現象。四名石匠因此繼續工作，盡力趕上進度。

雕匠組長歐塞哈特以及他的兩名助手，伊普伊和雷努貝，合力完成國王的木雕及石雕像，以及在冥間工作人員的小塑像「回話者」這些都將放在國王的陵寢內。

細木工狄弟亞將喪葬的臥床做最後的完工，再由珠寶匠徒弟覆上層金泊，同時間三名畫匠卡烏、烏奈士和帕依則完成象形文字的描繪工作，其內容屬於一種密語，復生者必需要說出它們才能跟入天國的大門，並自由自在地行走於優美的永生之路。

而傑德仍舊從容不迫地進行彩繪的工作，彷彿還有數個月的時間可以完成。他的才華如此洋溢、畫作如此出色，尼菲幾乎不好意思提醒他葬禮的日期已迫在眉睫。

值得慶幸的是，帕尼泊並沒有失敗。

傑德所教他配顏料的技巧留給他很深刻的印象，連任何一個細節都不放過，並且日夜埋頭苦幹。他的手完全忠實地重覆師傅所教他的所有動作，然而帕尼泊很快便發現這種方法雖然行得通，卻仍有美中不足的地方。

他根據傑德的基本技巧，在製造顏料的每一個步驟上都做了一些改進。他使用幾種不同的搗槌來進行不同的研磨，並且依照所需的顏色來調整粘合劑的添加比例。正如傑德所言，洋槐膠的確是最好的粘合劑。

他雖然曾經有過幾次失敗，但卻從分析失敗中學到不少東西，並且避免再犯下同樣的錯誤。第一天，傑德一看到紅色顏料，便做出一種厭惡的表情，不過還是接受了。帕尼泊在一旁不動聲色，實際上開心得幾乎發狂！經過了這麼多年的忍耐與煎熬，他不但玩起顏色，而且還會製造它們，他的作品甚至可以滿足負責拉美西斯大帝陵寢的壁畫師傅！

帕尼泊終於實現了兒時的夢想，甚至比當時的夢境更美；他進入了一個多彩多姿的世界、開始學習繪畫的基本原理，不久之後將會輪到他利用這些原理來實際作畫。

當他用火候提煉藍色和綠色的顏料時碰到了一些挫折，僅管他在材料的比例上都遵照傑德的指示，最後仍然弄成一團不倫不類的色料。

因此他再度投入工作，直到完全掌握了溫度的變化。同樣地，他憑自己的直覺找到新的方法，與傑德方式不盡相同。

帕尼泊一直工作到清晨時分才完成了淡藍、中藍、以及如青金石一般的深藍色塊，他很想事先檢查它們的品質，但傑德已出現在他面前，仍是一貫的優雅、頭髮梳得服服貼貼，身上擦香水，宛如剛從村子家中的浴室出來。

「我的藍色顏料準備好了沒？」

帕尼泊將色塊遞到他面前。

「給我一個陶土盤子與一杯水。」

帕尼泊照做了。

他把一小塊顏料放在盤子裡，將水一滴一滴地倒入調和，然後用一枝極細的畫筆沾上青金石藍，在一片石灰岩上畫出賦予法老思想如天際般遼闊的光環。

帕尼泊緊張的心情不下於第一天進入行會時所接受的考驗。依目前的情況，他知道如果自己搞砸了，傑德將不會給他第二次機會，屆時連尼菲也不得不同意傑德的決定。

幾秒鐘的時間恍如一個世紀般漫長。傑德讓光線照在光環上，同時用幾個不同的角度檢視它。

「你犯了一個非常嚴重的錯誤。」他下結論道。「你的色塊至少有二十五公分長，而我所用色塊不多不少，正好十九公分。至於其他的，我只好將就用了。」

8

他們一共有四個人，三個女人和一個男人，在帕尼泊面前站住。

其中一個中等身材的男人看起來微不足道，留著黑色的小鬍子，眼睛有點斜視，名叫伊姆尼，是左隊的隊員。伊姆尼總愛吹噓自己有文學素養，常常對陵寢書記拍馬屁，奉承他是個傑出的作家。帕尼泊討厭他卑鄙的態度，因此和他沒有來往。

相反地，其他三個女人因為某些不同的原因，帕尼泊與她們每個人的感情都非常好。

一頭金髮、纖細、矜持的娃貝特是他名正言順的合法妻子；當初是她執意決定要當帕尼泊的妻子，而他最後也屈服於她的固執。持家有方的娃貝特不久即將為他生下他們的孩子。她的肚子已稍稍鼓起，懷孕的過程始終令她很快樂，而且一天比一天更美麗。

身材高䠷、玲瓏有緻、一頭紅髮的碧玉是帕尼泊的情人。她與他烈火般的情慾已經持續多年而毫無減弱的跡象。碧玉曾經發誓永不結婚，享受性愛的同時也採取有效的避孕措施。她過著快樂單身女郎的生活，從不理會他人的閒言閒語。娃貝特純潔能夠容忍這種關係，唯一的條件是帕尼泊不得在碧玉家過夜。

第三位明亮而美麗的清秀佳人是卡萊兒，是尼菲寡言的妻子，與尼菲同時間被接受進入真理村。卡萊兒非常的纖細、輕盈，聲音溫柔甜美，有一雙藍色的眼睛，深受所有村民的喜愛，她已成為智女這個神秘人物的助理，而且智女已將她主要的秘密傳授給她。

這三位哈托爾的女祭司頭上戴著短短的假髮、身上穿著紅色的吊帶長袍，手上捧著洋槐木做的小匣子。

「你知道尼菲首長在哪裡嗎？」伊姆尼用他一貫虛偽的口氣問道。

「在拉美西斯大帝的陵寢內。」

「去把他找來。」

「第一，我不能進入陵寢內；第二，你沒有權力對我發號施令。」

伊姆尼灰暗的眼珠散發出得意的光芒。

「你錯了，帕尼泊！肯伊剛剛任命我為陵寢書記助理。有了這個頭銜，我可以傳達命令給工匠們，而且必須服從我，你也不例外。這三位哈托爾女祭司所帶來的文物，必需由我親手交給尼菲，你去把他找來。」

「你是聾子不成？我剛剛才告訴你，我不能進入陵墓，所以，你自己去等他吧。管工地的人是他，不是別人。」

伊姆尼不耐地搔著他的小鬍子。

「你負責什麼樣的工作？帕尼泊。」

「奇怪了，這干你什麼屁事？」

「陵寢書記助理必須知道一切。」

「把小匣子給我，我會將它們交給首長。」

「休想！」

伊姆尼用多管閒事的眼光瞄了帕尼泊已完成的色塊。

「你用了什麼的材料和多少的量？」

「我們這裡忙得很，我看你乾脆回到你的辦公室睡大頭覺吧！」

伊姆尼薄薄的雙唇顫抖著，露出不懷好意的笑容。

「我懷疑這些東西都沒有經過正常的登記，你該不會是將這些珍貴的顏料挪為私有吧？」帕尼泊一把抓住伊姆尼的腰部，將他整個人高高舉起。

「你這孬種再給我說一遍。」

「我……我得把所有物資仔細地編入，而我……」

「如果你繼續胡說八道，我就把你丟向岩石，砸得你粉身碎骨。」

「把他放下！」尼菲命令道，外頭吵架的聲音引起尼菲的注意，因而走出拉美西斯大帝的陵寢。陵寢書記助理非常氣憤，立刻站了起來。

「帕尼泊攻擊我！」

尼菲轉頭用詢問的眼光看著三位哈托爾女祭司。她們不但沒有附和伊姆尼的說詞，反而極力忍住笑聲。

「這件事情就此告一段落。」尼菲宣佈道。「你有沒有給我帶來燈芯，伊姆尼？我應該要更正我的說法：她們三位女祭司為我帶來了東西，而你卻兩手空空來到這裡。」

「完全不是這樣！我帶了書記用的文具，而且按照規定我要計算燈芯的數量！」

「為何肯伊沒來？」

「他痛風發作，所以選派我當助理。」

卡萊兒、娃貝特純潔和碧玉將小匣子放在一塊平整的石頭，她們自己親手製作這些珍貴的物品。每個小匣子裡裝有二十條捲成螺旋形的亞麻繩燈芯。伊姆尼一條一條地數著，然後寫在他的報告上。

「你可以走了。」尼菲向他說道。

「可是……我必須知道它們被用在什麼地方！」

「陵寢書記助理的職務只限於管理方面。你趕快回村子裡，伊姆尼，不要讓我叫帕尼泊插手。」

帕尼泊已準備採取行動。伊姆尼憤恨地瞧著尼菲，最後還是決定走為上策。

三位女祭司同時也帶來了一瓶植物油，由亞麻與芝麻油等不同的成份製成。

「我呢？」帕尼泊問道，「我可以留下來嗎？」

「我們需要將盆子加滿水，還要不少的鹽。」卡萊兒回答他。

帕尼泊立刻照辦；幸好他簡陋的實驗室裡一樣也不缺。

碧玉不斷地將鹽加到盆子裡，直到水無法將之溶解為止。等到這盆鹽水準備好了，她們三人輪流將亞麻芯分幾次沾鹽巴水，然後在太陽下讓它們曬乾。

接著卡萊兒把鹽水倒在一個瓶子裡，娃貝特純潔加上等量的芝麻油，而碧玉則搖動瓶子，讓瓶子裡的液體充份混合。混合油經過了一段時間的澄清後，三位女祭司在尼菲的面前坐下。

最困難的部份才要開始。為了讓燈芯不冒出黑煙，以免破壞陵寢內的壁畫，必需用非常準確的手法為燈芯加上油脂。

帕尼泊並不知道他的妻子居然有這等技巧，因此更加佩服她，而且她的外表和另外兩位經驗豐富的女伴一樣出色。

尼菲全神貫注於她們的動作，彷彿工地的前途全寄託在她們所製造的燈芯。

「她們非常清楚火焰的秘密。」尼菲對帕尼泊說道：「我的責任之一，就是檢查她們的工作，絕不能敷衍了事。只要其中有一根燈芯不理想，所有雕匠、畫匠的心血可能便因此付之一炬。平常女祭司在村子的工作室準備這些燈芯，第二天早上經過陵寢書記登記後，再送來給我們，以便在暗室工作時使用。因為目前情況緊急，我請她們儘快完成我們所需的材料，讓我們得以挑燈夜戰。」

帕尼泊兩眼緊盯著女祭司們的動作，深怕錯過任何一個小細節，他意識到這個神奇的谷地又再度送給他一個新寶藏，谷地裡神秘的面紗一層層地在他面前揭開。

「杯型的油燈需要三根燈芯。」尼菲繼續說道：「每一個燈芯可以燃燒四個小時左右。」

「我們在一個陵墓內需要用到多少燈芯？」

「那要視陵墓的大小、深度、以及工程的複雜性而定。一般而言，三十根燈芯夠用一天。以當前的情況，我需要更多的燈芯，一百五十盞燈等於要四百根燈芯來照亮拉美西斯的陵寢。」

「一百五十盞燈！」，帕尼泊心裡想像著，「那一定是非常美妙的景象。」

9

帕尼泊有好長的一段時間沉默不語，彷彿他活在一場夢境中，深怕一出聲美夢就會消失。但他很快就清醒過來，並發現自己沒有弄懂尼菲對他的問話。

「看燈點著的情景……我當然求之不得。」

「我想我講得不夠清楚。」尼菲更正道：「你覺得自己已經準備好要進入拉美西斯大帝的陵寢嗎？」

這麼說來，那不是幻想……

帕尼泊阿當，一個農夫的兒子，只不過是右隊的一名學徒，居然獲准進入埃及最秘密的地方之一！

「你猶豫了嗎？」

「猶豫？我可以發誓我想了解這個奧妙並不是因為好奇心所使，我一點兒也不猶豫，不過我有一種敬畏的感覺，甚至接近熱愛的程度，就好像進入陵寢將會再度對我的生命造成重大的改變。」

「你說的有道理，帕尼泊；沒有人在進入了這個世界後仍然無動於衷。」

「你為何待我這麼好？」

「我再一次告訴你，我並未特別厚愛你。你的工作表現令人滿意，因此工地的大門為你而開。隊上所有的人都在這裡工作，我想讓你和其他人一樣能夠看到完成的工程，對你才算公平。」

尼菲寡言朝拉美西斯大帝的陵寢走去，帕尼泊緊跟著他的腳步。

因為他曾經希望成為畫匠，因為他從不妥協，因為他繼續走自己的路，而不理會他人建議他過平淡無味的生活，所以他看到真理村的大門為他而開，而現在法老復生的陵寢也終於敞開了大門。

尼菲裸著上身，臍下繫著一條長度到小腿的打褶纏腰布，手腕上戴著手環。他在陵墓的大門前站住，似乎在研究這座鑿於岩石內的大門比例是否正確。

「你將要離開凡人的世界、進入宇宙生命的神光世界。」尼菲向帕尼泊說道。「不需要去分析或了解，只需要去感受你的靈魂、你的心。」

門檻在古書上的意義為「神光之第一通道」，帕尼泊一越過大門，眼前的一切令他目不暇給。一百五十盞的油燈以等距分置於四周，散發出柔和的光線，使得拉美西斯大帝的陵寢變得生意盎然。整個陵墓內部畫滿了象形文字和以及稍微凹凸的陰刻與陽刻，此外整體上的裝飾都彩繪得如此生動，帕尼泊感動得說不出話來。

幸虧有肯伊之前的教導，帕尼泊才能看懂牆上的經文，其內容描述太陽的變化來象徵靈魂復生過程的每個階段。

拉美西斯陵寢將近有一百二十公尺長，以直線深入岩石之內直到瑪亞特女神的殿堂，內部才剛完成「啟口」儀式的畫作，看來靜止不動的木乃伊經由「啟口」儀式而再度復生。接著走廊以直角轉彎進入有八根立柱的石棺室，目前只等國王的遺體移入。

所有右隊隊員在這裡齊聚一堂，以書記的坐姿坐著，只有傑德除外，他正在為國王對奧塞利斯獻祭圖加上最後的金色。

「歡迎加入我們的行列，帕尼泊。」帕依展開大大的笑容對他說道。「現在你已是真正屬於我們的一份子。」

所有的同志互相擁抱；傑德終於放下了畫筆，也和大家一樣彼此擁抱。

「我對你原本毫無信心。」他坦承道，「我的懷疑不是沒有原因，結果你的表現讓我對你刮目相看。這個行會總是讓我出乎意料……不過你可不要高興得太早！你要走的路才剛開始，搞不好就算所有的畫匠盡了最大的努力，還不足以填補你的無知。」

傑德轉向尼菲。

「有關我的這一部份已完成，一切都完全遵照法老本人的意思，壁上所畫的諸神將伴隨他永遠長存。」

「所有雕匠及石匠的工作也已完工。」歐塞哈特說明其工作進度，他寬厚的胸膛讓人聯想到驕傲的獅子。細木匠狄弟亞和珠寶匠圖弟也及時完成了工作。

「非常感謝大家，你們辛苦了。」尼菲說道：「多虧大家的努力，真理村將不會受到指責，拉美西斯也將長眠於他親自設計的陵寢內。」

「我們不接受任何的道謝。」雷努貝反對道：「你完全盡到了你的責任，把工程的進度安排得有條有理，並指引我們的方向，我們因為依照你的指示才及時完成了工作。」

所有的工匠按照行會一貫的儀式，左手彎曲貼在胸前、右手離身成九十度的姿勢，歡呼三聲尼菲寡言的名字，後者無法掩飾其激動的情緒。

「行會就如同一艘船。」他再次提醒道，「而我們是船上的工作人員，大家各司其職，而全體的一致性更是重要。無論未來面臨何種考驗，至少我們遵守了誓言，也完成了任務。」

「這個陵墓是我們的最後一個任務嗎？」卡洛交叉著短而有力的雙臂問道。愁眉苦臉使得他的濃眉塌鼻更顯得難看。

「我不知道。有些人以為我們一定無法如期完工，而這些人的反應可能會很激烈。」

「不管當局做何決定。」奈克特進一步說道：「我們都應該繼續聯合在一起，培養年輕人，將我們的秘密傳授給他們。」

「這等於是違抗命令的舉動，會被判很重的刑。」卡烏反對著，卡沙也附和他的想法。「我們的上級是法老；違抗法老的命令會被視為造反者。」

「我們毋須在這裡做無謂的爭議。」尼菲建議道：「一旦陵寢書記、左隊隊長和我本人得知新國王的決定，就會召集所有的村民，告知各位。木乃伊化時期只剩三天就結束，所有的寶藏將會被送到陵墓內，環繞著拉美西斯的木乃伊。這是唯一可見的事實。在接到新的命令之前，全體都放假。」

帕尼泊的目光望向棺材室四周的幾個小房間。葬禮期間，這幾間將會擺滿無數的珍貴物品。讓法老的靈魂順利到達天國。

站在這座仍然空無一物的聖殿中央，帕尼泊已經感受到創世的起源，甚至追溯到上帝的思維使星星變得清晰可見之前。他的目光一直無法離開那具精緻的方解石棺。雕匠將石棺雕塑成奧塞利斯木乃伊的形狀，因為它的形體最適合復生。石棺內外所刻畫的象形文字為「識門經」內的幾段經文。它們可以讓復生者安然無恙地通過陰間的每一個地方。

石棺放置在一張漆成黃色的石床上，象徵諸神的不壞之身。國王一旦被肯定「言語公正」，將加入諸神的永生、獲得最後的勝利。

儘管工匠們的傑作非常美麗，帕尼泊仍然有一種奇怪的感覺。

「我總覺得這具石棺毫無生氣，宛如一塊未加工的石頭。」他向尼菲坦白道。

「把那塊石頭拿過來，同時將所有的油燈熄掉。」尼菲命令其他人。

當右隊的所有成員沒入陵墓的一陣漆黑時，奈克特及卡洛將一塊立方形的石頭放在石棺頭部的位置。

「光明隱藏於物質之中。」尼菲說道：「我們要將它釋放出來，擊退黑暗混沌。我們的藝術如同魔術師的魔法般，讓時間不存在，才能從新創造萬物初始的第一刻。保存光明的記憶是作品本身，而不是創作者。」

尼菲將雙手放在石頭上。

黑暗與沉靜維持了幾分鐘，接著石頭的每一面散發出強烈的光芒，照亮了整個復生室，牆面如同抹上了一層金色。所有的光束集中在石棺上、透入了方解石的正中心，每一塊方解石因而有了生命。

「這具石棺的秘密名稱為『生命之主』」，尼菲說道：「它已成為新的光之石，永遠將死亡隔離於陵寢之外。」所有的工匠在立方形石頭的照明下走出陵墓，穹蒼中掛滿了星星，他們默禱了好一會兒才離開國王谷地。

10

尼菲和帕尼泊才剛走入村子，一隻黑狗立刻熱情地朝尼菲身上撲過來，接著又轉向帕尼泊的身上撲過去。小黑有著長而結實的嘴和光滑的短毛，尾巴又粗又長，淺褐色的眼睛炯炯有神，牠很努力地舔著帕尼泊的臉，將他自幻夢中拉回現實生活。

小黑是卡萊兒親自餵養的小狗，她很少縱容牠。小黑自然而然地成為了村子的吉祥寵物，以及同類中的領袖，牠守護著村子不讓外人侵入，不但其他的狗兒服從牠，連真理村的貓和猴子都敬畏牠三分。

帕尼泊與小黑彼此欣賞對方的活力與健壯，他們經常玩角力遊戲，理所當然的，小黑總是贏家，而帕尼泊是唯一一個與牠玩上幾個小時都不嫌累的伙伴。

「我有沒有眼花？」帕尼泊問尼菲。

「我怎麼會知道？」

「那塊立方形石頭能將它散發出來的光芒穿透石棺，而我們行會聖所的木門曾經有光線穿透，想必也是同塊……當時沒有人願意和我談這件事，可是我的確看到這個景象！」

「我從未否認過。」

「你真是名符其實的『寡言』！我何時才能看到這塊石頭？」

「當它有必要出現的時候。」

「它是不是你親手雕刻的？」

「不要高估了我！這塊石頭是我們行會的主要寶物之一，在金坊的秘密中由每個首長代代相傳下來。」

「因此你會守口如瓶，我只好自己去找出通往這塊石頭的道路。」

「你真聰明。」

娃貝特純潔匆匆忙忙跑到她丈夫面前。平常她非常祥和，此刻卻顯得很慌張。

「伊姆尼到家裡來告訴我陵寢書記緊急召見你。」

「為了什麼事？」帕尼泊問道。

「伊姆尼拒絕跟我說，不過聽他的意思，似乎很嚴重。」

「一定是個誤會，我馬上就去解決這個事情。」

帕尼泊大步來到肯伊的大宅前，牛妞正在打掃門口。

「聽說肯伊等著見我？」

「我的主人的確一直提到你。」她承認道。

「絕對是說我的好話。」

牛妞笑著走開。肯伊坐在一張矮扶手椅上，膝蓋上放著一張攤開的紙莎草紙卷，他正在撰寫有關偉大的法老圖特摩斯三世的亞洲戰役。

肯伊描述當年埃及派兵很少是為了出征，倒是忙著收集大量的異國植物，然後送回埃及神廟的試驗室進行研究，再萃取其藥物成份。雖然他的痛風發作，但智女開給他的藥減輕他不少的疼痛，因此得以忙裡偷閒、從事寫作。

自從尼菲向他保證拉美西斯大帝的陵寢一定會如期完工，他總算可以睡得安穩，也不至於因為日常工作上一大堆的煩惱而脾氣暴躁。

「您要見我？」

「啊！你終於來了！你到底被沙漠裡什麼樣的魔鬼迷了心竅、讓你的手帶有這麼一股邪氣，帕尼泊？」

「您對我有什麼不滿？」

肯伊將紙莎草紙收好。

「這個大逆不道、上面有一隻拉弓的大老鼠，代表國王的圖是不是你畫的？更別提行會的成員和我本人被醜化成什麼德性！」

帕尼泊似乎顯得無動於衷。

「沒錯，是我畫的。您不覺得這些畫很有趣嗎？」

「小子，這次你玩得太過火了！」

「我想不通為什麼！難道說我連消遣一下的權利都沒有嗎？」

「就算是消遣也不能用這種方式！」

「我從來沒有把這些漫畫拿給別人看過……是誰告訴你這件事的？」

「安全警衛隊長索貝特。有人把它放在他的辦公桌上。」

帕尼泊陷入沉思。

「我把這些畫放在繪圖工作室裡、與一堆石灰岩碎片擺在一塊，準備要一起丟掉。」

「你放心，這些臭東西肯定是要被銷毀的！只是我不准你再開這種玩笑。」

「我不敢向你保證。因為這是我放鬆自己的方式，而且也沒傷害任何人。」

「你這種荒誕不經的行為令人無法容忍！它已經嚴重地傷害了行會的名譽。」

「如果我們連自己的玩笑都開不起，又怎能配得上我們所要完成的任務？就連聖人都曾經寫過一些寓言故事來諷刺人性的弱點。」

「你說的不是沒有道理……但我還是無法漠視你的過錯，我不得不叫村子的法庭傳喚你。」

「因為我的圖畫而審判我？這太說不過去了！」

「我們其中一位看過你的漫畫，覺得它們太過放肆，決定要告你。」

「喔？」

肯伊顯得有點坐立不安。

「是我的助理伊姆尼。」

「你怎麼會如此重用這麼一個小人？他實在應該留在右隊繼續當一個平庸的畫匠！」

「第一，他配稱為畫匠；第二他為我做事很有效率，他和不和氣並不重要。總之，我無須為我的決定多做解釋！你準備面臨即將來臨的大麻煩吧！」

帕尼泊看起來很沮喪。

「知道自己錯了最好！你要誠心誠意地認錯，或許法官會因此而同情你。」

帕尼泊低著頭離開了肯伊的房子。

肯伊很高興看到帕尼泊的反應不再隨時隨地像頭野牛一般。隨著年齡漸長，他總算懂得如何控制自己的牛脾氣。

帕尼泊回到家中，他的妻子一直焦慮地等待他的歸來。

「他們對你有何不滿？」

「放心，沒有什麼大問題。」

「可是，伊姆尼說……」

「他住在西區的那個小房子，隔鄰是右隊首長，沒錯吧？」

「沒錯，但是……」

「幫我準備一頓豐盛的午餐；我餓死了。還有，我出去一會兒就回來。」

娃貝特純潔緊緊拉住丈夫的手臂。

「不要胡鬧，我求求你！」

「我只過是去化解一場誤會罷了。」

伊姆尼正在準備告帕尼泊的狀子，就在這時帕尼泊一肩把門撞開。

「馬上滾出我的房子！」陵寢書記助理尖叫著。

帕尼泊一把抓住伊姆尼的肩膀自地面拎起，讓這個獐頭鼠目的傢伙與自己正面相對。

「聽說你因為我的漫畫，準備告我？」

「這是……這是我的責任！」

「是誰拿給你看的？」

「我沒有回答你的必要。」

「你偷偷潛入右隊的畫室四處亂翻，結果發現了我的漫畫，是不是？」

「我愛怎麼樣就怎麼樣。」

「我告你偷竊，這回是我把你揪到村子的法庭，而且我保證你被定罪。」

伊姆尼臉色慘白。

「你不敢，你……」

「你當作沒看過我的漫畫，伊姆尼，這件事就算了。否則，我讓你名譽掃地、永遠被逐出村外。」

伊姆尼不需要多想便知道帕尼泊有本事讓他吃不了兜著走。

「好、好，一言為定……這件事就它過去。」

「你要是再來這一套，」他警告他，「我會打得你滿地找牙。」

11

村子裡除了帕尼泊不知道什麼叫累和生病之外，其他工匠每次一結束一段忙碌的工作期，總是會來找智女和卡萊兒看病，譬如這次拉美西斯大帝的陵寢一完工，便有許多人前來求診。

卡萊兒自柳樹的樹皮、樹枝及葉子萃取其精華（其成份為現代阿斯匹靈的基本成份），利用它們來治療疼痛與肌肉痠痛。為了預防萬一，她總是主動地為他們做全身健康檢查，量量他們的脈博、聽聽他們的心跳，並且注意身體的新陳代謝是否良好。萬一發現異常的現象，她會檢查血液的情形，這是因為血液在各種器官之間的相互連繫扮演非常重要的角色。費奈德的臀部有膿腫的現象而身受其苦，卡萊兒給他開了含有羽扁豆成份的藥方做為治療。不過較令她擔心的是卡烏。身材高大、肌肉稍嫌鬆垮的卡烏有個過長的鼻子。當卡萊兒用手觸診他的頸部、腹部及腿部時，發現卡烏的肝臟出現嚴重的衰弱現象。肝臟是非常重要的器官之一，而肝功能的衰退能引起很嚴重的後果。於是她為卡烏準備了一帖藥方，裡面含有蓮花葉、無花果、棗樹粉、刺柏漿果、甜啤酒、牛奶和松脂等成份；藥材必須先放一整夜，吸足了露水之後再予以過濾，可消除卡烏的不適。此外，他得喝大量的菊苣來改善膽囊的功能。

藥方在服用的第一天就獲得很明顯的療效。右隊的其他工匠也很快的恢復良好的身體狀況。他們對卡萊兒稱讚有加，有的人甚至視她為仙女再世。

卡萊兒收拾著白天看病時所查閱的紙莎草紙，其內容記載許多醫學資料。她將它們收到木盒子裡，而智女在這時遞給她另一份蠟封的紙莎草紙卷軸。

「我已經沒有什麼東西可以教妳了。」滿頭亮麗銀髮的智女對她說道。「只剩下這卷金字塔時代遺留下的古老經典，它能幫助妳對抗頑固的疾病。妳要記得，疾病是由晦暗及邪惡的力量所引起，單是服用藥物並不足以戰勝病魔，還須要將這股有害的力量徹底消滅；否則它會在病人的體內游走、啃噬著病人的身體而不被查覺。因此妳不能僅根據症狀做出診斷；而需在病發至無藥可救之前即根除病源。古曰：倘使對症下藥，則有害之物自左眼而入、自臍而出。人體並非是個全然獨立的個體，它與天地相連、時時刻刻都有相對的力量穿過它。」

智女將紙莎草紙卷開封。

「我將前任智女的教導完整地記錄下來，並且加上自己的觀察心得，而這些心得都經過數次的實際驗證。不要只注重理論，而要將精神集中在妳的目標上：治癒病患，就算有時妳不知從何著手也要盡力。」

紙莎草上的字跡娟秀而清晰。

「人的身體是一個奧秘。」智女接著說道：「和諧的力量與隨時準備進行破壞、毀滅的敵對勢力每天都在體內互相奮戰。這些惡勢力正是致病的根源，千方百計地侵入人的體內，企圖使它動彈不得、奪走它的靈魂而讓它死亡。大部份的害蟲都隱藏於食物之中；當食物在骨腸裡腐化時，害蟲企圖擴散到血管中引起發炎，而這正是使器官老化的罪魁禍首。健康的首要之道就是消除體內的障礙物、保持消化器官的正常功能。我已將配方清楚地記錄在紙莎草紙內。健康的第二個關鍵在於保持血管暢通無阻，以及其他淋巴液等管腺的健全功能。有一些在皮膚下看得見；整體上形成一種類似布匹織紗的網狀系統，只要管道能夠保持彈性，活力便可四處流動。若管腺硬化，腺液則無法暢通。健康的最後一個要素是我們稱之為『心臟』的良好功能，它是活力的泉源、各種管道的出發點。為了接收心臟所發出的訊號，妳的感覺會不斷地越來越敏銳。」

智女疲憊地在一張蓆子上躺下。

「我們拂曉前起床。晚安，卡萊兒。」

智女和卡萊兒在夜色逐漸褪去的時候上山前往西峰，所有的蛇類也在這時回到牠們的洞穴中。智女在開始攀爬的山路上並不使用枴杖，且步伐堅定而有規律。

輕風迎接黎明的誕生。漸漸地，百萬年大神自黑暗中湧現。藍色的尼羅河及綠色的農作物在復生的太陽光下閃爍。當西峰閃耀著光芒時，智女以祈禱的姿勢向它舉起雙手。

「沉默的女神，在我的生命中是妳一路指引我，也請妳指引我的徒兒走向妳。願她日夜都能依靠在妳的雙手。當她祈求妳幫助時，願妳出現在她面前，請妳慈悲地對待她，讓她看見妳無邊的力量。」

在西峰的頂端有一個小廟。

「把祭品獻上。」智女吩咐道。

卡萊兒將插在頭髮上的一朵蓮花和她的項鍊、手鐲一併放在地上。

「妳準備迎接最高的挑戰。女神知道所有秘密，並且可以主宰生與死。」

突然，一條眼中閃爍著火焰的眼鏡蛇自岩洞中跳出來，牠的龐大讓卡萊兒為之震懾。憤怒使牠的脖子膨脹，並毫不猶豫地開始攻擊。

「跳舞，卡萊兒，像女神一般地跳舞！」

卡萊兒雖然嚇得兩腳發軟，但終究跟上了眼鏡蛇的擺動節奏。她自左而右，自右而左、前前後後地擺動著身動，眼鏡蛇顯得很失望。

「等牠一開始攻擊，妳馬上朝我彎下身，兩眼要不停地注視著牠。」

卡萊兒已超越了恐懼的感覺。蛇神之美深深地迷住了她，而且她已能領會牠的意圖。當眼鏡蛇猛然攻向她的喉嚨時，卡萊兒立刻照著智女的話去做。

卡萊兒沒有被牠咬到，但她的裙子被眼鏡蛇所吐出的毒液給弄髒，失敗的母蛇更加狂怒。

「還有兩次攻擊。」智女警告她。

眼鏡蛇不斷地擺動身子，卡萊兒模仿著牠的動作。牠連續兩次企圖將鉤牙插入卡萊兒的皮膚，卻未能成功。

「現在妳可以控制住牠！親吻牠的頭。」

眼鏡蛇彷彿已精疲力竭，動作不似先前如此敏捷，卡萊兒朝牠前進一步，牠不自覺地後退。

儘管卡萊兒心驚肉跳，仍然目不轉睛地注視著牠，然後用雙唇吻牠的頭頂。

眼鏡蛇雖然警訝，卻沒有閃避。

「我們害怕妳的嚴厲，卻期待著妳的溫柔。」智女說道。「崇拜妳的這位女祭司值得妳信任。請開啟她的心智，讓她能夠以妳之名來治癒人們的疾病。」

眼鏡蛇幾乎完全不動。

「接收蛇神的力量，卡萊兒，讓它滲入妳的心。」

卡萊兒再度用雙唇吻這隻大怪物，牠看起來已完全被馴服。

「讓第三個、也是最後一吻將你們緊密地結合在一起。」

第三次之後，卡萊兒和眼鏡蛇之間已有了非常親密的接觸。

「趕快退開！」智女命令道。

還好卡萊兒警惕性高，否則一定被眼鏡蛇的突然攻擊給嚇著。還好她已知道如何避開眼鏡蛇所吐出的最後一口毒液。

「神秘之火已傳給了妳。」智女下了結論。

母蛇緩慢地回到牠的岩洞裡。

「妳把袍子脫下，用西峰石頭上的露水清理乾淨。」

智女拿給卡萊兒一件白袍，若卡萊兒沒有通過蛇神的考驗，這件白袍便會是她的裹屍布。

「我要離開了，讓妳來替代我。不，不要抗議！我這一生過得很長，真的很長，是該結束的時候了。記得植物來自諸神的淚與血，所以具有治病的能力。萬物皆有生命，可是也有流浪的靈魂與兇惡的魔鬼，它們不會讓和平立足於這個世界上。妳要善用妳的智慧，不斷地與它們對抗下去。上帝創造天上與人間的所有萬物，牠會在光的氣息中出現在妳面前。妳倒不用信仰牠，只要去認識祂和體驗祂。」

「為何要拒絕活得更久？」

「我已經一百一十歲了。就算我的心智不變，我的身體也已經不行。它的管腺都已硬化，活力也不再循環，連最好的藥物也無法讓它們再度年輕。妳的訓練已完成，要用愛去守護著村子。在我離開人世之前，我應該要告訴妳我的最大秘密。人體的老化與衰弱是無法避免的一件事，但只要有能力不斷地接受新思想，就能夠保持腦筋的敏捷與實在。用妳的手撫摸西峰的石頭，妳便有了使星星誕生的露水。天上的女神在太陽誕生之前，就是用露水來清洗太陽的臉。法老每天早上在神廟裡的聖殿貢獻祭品給瑪亞特女神時，他所喝的水就是這個露水。等妳需要振作精神時，就上西峰膜拜沉默之女神，並且喝下石頭上的露水。如此一來，妳的思想便不會老化。」

「可是我還有很多的問題想請教妳！」

「對妳而言，卡萊兒，是該妳回答問題的時候了。每天都會有人來詢問妳、要求妳減輕他們的痛苦。妳已成為行會的母親，所有的村民都是妳的孩子。」

卡萊兒想抗議並拒絕扛起這個沉重的包袱，正巧這時早晨的陽光照得她睜不開眼睛。

智女站起身。

「我們下山吧。」她要求道：「妳走在我前頭。」

卡萊兒走在狹窄的山徑上，心裡遲疑著該用什麼樣的步伐。她到底該用自己的速度走，還是放慢速度、以免智女跟得辛苦？

她一直猶豫不決，於是過了彎彎曲曲的第一段路之後便轉過頭來。

智女已經消失無蹤。

卡萊兒又折回山頂尋找她的恩師，但卻落了空，智女就這樣消失得無影無蹤，或許她隱藏在西峰的某個寧靜角落，靜靜地等待她生命最後一刻的來臨。

卡萊兒回想起過去的美好時光，智女陪她一路走來、教導她許多東西，開啟了她的視野。而現在她必須一個人繼續走這條路。她一步一步走向村子，享受擔任真理村智女一職之前的最後寧靜。

12

工匠乘坐渡船到東岸。如同往常般，他不與任何人交談，只是略為寒暄幾句。早晨的這個時候，農夫們坐在木箱上打瞌睡。這些木箱裡裝滿了新鮮的蔬果，準備送到河岸上的市集。這名右隊工匠在人群中擠出一條路，一想到馬上要去特漢貝的倉庫、進行討論和他以物易物，他臉上露出了開心的笑容。

的確，他是背叛了行會與他的誓言，但他這麼做不是沒有理由。第一，應該被選任為真理村工匠首長的人是他，而不是尼菲寡言；第二，他總該為自己發點財；第三，他被人設計陷入了圈套，只有乖乖配合一途，別無他法。經過了多次的接觸、不斷提供給對方珍貴的情報，漸漸地，他的罪惡感已消失得無影無蹤。雖說他在真理村的確學到不少東西，從一名平凡無奇的工人變成了傑出的工匠，但他寧可不去想它，而專心為自己的未來做打算。他行事謹慎，以免被人抓到把柄，反正他反應夠快、詭計多端，因此對成功充滿了信心。

特漢貝一頭黑髮平貼在圓滾的頭上，身上穿著一件滑稽可笑且過長的纏腰布，和一件過寬的襯衫。他在倉庫盡頭的辦公室接見這名工匠。

「我有一個非常好的消息」。他說道：「我們的高級家具賣得非常好，我正在替你賺進不少銀條！你千萬不要忘記我們的新計劃。」

「我會處理。」

特漢貝的表情突然變得很僵硬。

「啊……你必需見見這一位。我讓出我的位子……等你們結束之後後，到工廠來找我。」

賽克塔戴了一頂厚重的假髮，完全遮住了她的前額，臉上的妝濃得讓人幾乎認不出是她。賽克塔對工匠露出得意的笑容。

「有什麼新消息？」

「拉美西斯大帝的陵寢已經完工，準備迎接葬禮。我們低估了尼菲，他不但懂得用他特殊的方式來領導工匠，而且獲得了所有人的尊敬。如果這樣繼續下去，他總有一天會成為一名偉大的首長。」

「你可以比他更偉大。」

「話是沒錯，但他會慢慢累積經驗。這次工程能夠如期完工，讓真理村實踐了它的任務，等於是向新法老證明了他的才幹。」

「你沒有拖延工程？」

「根本不可能。所有的工匠都在陵墓內，每個人該做的事情都一清二楚，而且尼菲總是在場仔細監督。」

「希望梅仁達對他沒有好感……還有沒有其他進一步的消息？」

工匠遲疑不說。若沒有好的代價，他就不該向她透露所有行會的秘密。

反應如蝮蛇般靈敏的賽克塔已察覺到他有所隱瞞。

「你別想跟我玩什麼把戲，親愛的同志。不要忘記你的小辮子還在我手上。你有什麼新發現？」

「您要以什麼做為交換條件？」

「如果你辦事有效率，我們會讓你變成一個有錢人，不但有一棟房子、幾塊田、一群乳牛，一堆僕人侍候你，而且每天喝上好的酒。」

「空口無憑。」

賽克塔給工匠看一張紙莎草紙。

「這張所有權狀上面是你的名字，不就是最好的保證？」

工匠正要把它拿過來，賽克塔卻巧妙地閃開了。

「別猴急……想要成為這個小天堂的主人，你得先工作。說吧！」

工匠不再猶豫。

「尼菲有能力操縱光之石。」

「是怎麼一回事？」賽克塔眼睛為之一亮。

「我所知道的是光之石出自於金坊，它不但可以發出強烈的光芒，而且可以讓它所接觸到的東西變得有生命。不過只有首長受過特別的訓練，知道如何使用它。」

這些內幕消息讓賽克塔非常興奮。這麼看來，莫希說的沒錯：真理村內的確擁有驚人的寶物。

「這塊石頭藏在什麼地方？」

「我不知道。」

「去把它找出來！」

「這會很困難，我想是不可能。」

「那你休想得到這塊小天堂。」

「你必需了解我們的村子是一個團體，我們有特別的生活規定要遵守。如果我違反了這些規定，會被逐出村子之外，這麼一來，您就得不到任何的情報。」

「我也很想知道這個秘密。」他繼續說道：「唯有耐心和小心謹慎我才有可能揭穿這個秘密，並且讓您從中獲得其利。」

＊　＊　＊

卡萊兒一走進村子的圍牆，便看見一隻羽毛白皙的大朱鷺在她的上空繞了幾圈。

一名小女孩立即通知所有的村民，肯伊顧不得痛風的折磨，也匆匆忙忙跑來迎接卡萊兒。

「智女消失在深山裡，對不對？」

「她認為她已到達了生命的終點。」

「她是照著傳統的模式去做。根據記載，她上任的前輩也選擇同樣的方式回歸西峰的懷抱，而妳，卡萊兒，妳已成為新的真理村之母，但願你能夠保護所有的村民，治癒他們的疾病。」

第一個看到朱鷺的小女孩懷裡抱著一隻黑白摻雜的小貓。

「牠生病了。」她向卡萊兒說道：「妳可不可以把牠治好？」

小貓咪看起來奄奄一息，卡萊兒摸摸牠的頭。小貓全身感到一陣溫柔的熱氣，發出越來越誇張的呼嚕聲，最後焦躁地伸出爪子。小女孩鬆了手。

「快過來，你這個小壞蛋！」她邊追邊喊著。

「智女已將她的本領傳授給妳。」肯伊觀察了剛才那一幕，「我們真的很幸運！妳打不打算搬進智女房子裡？」

「不。」卡萊兒回答他，「把這個房子讓給村裡最年輕的母親吧！我會在家裡準備一個實驗室及診療室。」

「若是這樣，妳可以住進隔壁那間房子，我們有這個預算，再說，智女這個職務非常的重要，妳必須要有良好的生活條件才能負起這個重任。還有……我痛風的毛病不斷地折磨我。我明天一早可不可以去看病？」

「您的氣色還不錯，不用太擔心，我們明天見。」

在村民既敬佩又畏懼的目光下，卡萊兒走往回家的路，大家都知道新的智女已經上任了。

尼菲在門口等著她。

他溫柔地將她擁入懷中，卡萊兒將頭靠在他的肩上。

「她用盡了最後的力氣把技巧傳授給我，然後離開了我們。」

「不對，卡萊兒；她將永遠存在於守護著真理村的西峰，而妳要讓她的思想與光明永垂不朽。」

「萬一我做不來呢？」

「她選擇了妳，而妳卻沒有選擇。」

倆人擁抱在一起，回想著十年前他們懷著焦慮的心情來到村子，擔心會被拒絕於門外。無憂無慮的學徒生涯是如此短暫，當時重大的責任有別人扛著，只需聽從他們的指示，就能有進步！而如今，尼菲已成了工匠首長及右隊隊長，卡萊兒則成了智女……他們的愛好及興趣都成了次要，如今必須重視的是行會的福利與和諧。此外，為了保持卡萊兒的治病能力，他們很清楚夫妻倆將不會有子嗣。無論尼菲和卡萊兒的年齡的大小，他們會將全村的居民視如己出，盡可能地愛護他們。這是一個很大的犧牲，但他們倆的愛足以承受這一切。

* * *

村子的正門出現了不尋常的騷動。許多人互相推擠、碰撞、大聲喧嚷著。

尼菲走近查看，擔心又是軍隊前來攻擊。村民一看見尼菲，馬上讓出一條路給他通過，而那頭的信差烏普弟幾乎被擠壓得喘不過氣來。

「我有……帶來消息……一封有法老泥封的公文。」

這封公文發自比拉美西斯的皇宮，尼菲將上面的泥封弄碎，並把簡短的內容念出來。

「御舟及護衛隊已於數天前自首府出發。」他向眾人宣佈道。「法老梅仁達前來底比斯主持拉美西斯大帝的葬禮，並將蒞臨真理村。」

13

村子從未如此忙碌沸騰過，不過男人或女人，大夥兒拿起掃帚、刷子、抹布，將裡裡外外徹底掃一番，讓真理村煥然一新。其他的助理工也一樣忙碌，陵寢書記甚至找到女佣幫忙，雖然她們一天的工資並不便宜，可是能夠分擔不少工作，例如準備菜飯，好讓哈托爾的女祭司將自己打扮得漂漂亮亮，以便迎接法老的來臨。

村子的看門人也忙得昏頭轉向，他夾在像蜜蜂做工般的人群中團團轉。碧玉負責一切的協調工作，並且不准大家把時間浪費在閒聊上。

左隊有兩名工匠抱怨手肘疼，因此無法拿掃把，不過擦了卡萊兒給他們的藥膏之後，疼痛很快地消失，於是又立即加入了大夥兒的清掃行列，就連不太熱衷的傑德也跟大家一樣服從紀律。

碧玉來到帕尼泊的房子前，注意到門口打掃得一塵不染。娃貝特純潔由於懷孕的關係，所以不用參與費力的工作，但她自己仍然花了很大的功夫將房子的每一個角落煙燻一遍。

「妳丈夫到哪裡去了？」

「妳可以看到他該做的事已經做完了，所以跑到尼羅河游泳去了。」

「現在正是非常危險的季節！」

娃貝特純潔顯得很氣餒。

「我試著和他講道理……但誰能控制的了他那個牛脾氣？」

「法老下午就到了……我們也該打點一下自己節慶穿的服飾！若帕尼泊無法準時趕回來，一定會引起軒然大波。」

「我已經警告過他，可是他把我的話當耳邊風。」

「妳要不要我先跟首長說一聲？」

「我想有這個必要。」

* * *

尼羅河的氾濫期已經開始。

一些專家自河上的水位測量器所收集到的數據，顯示今年的泛濫會非常良好，甚至前所未有。法老一向被視為埃及的配偶、耕地肥沃的保證者，而泛濫良好正是最吉祥的預兆。

尼羅河水已經開始變成暗紅色，再過幾天，河水便不能飲用。湍急的河流在每個小島周圍形成了漩渦。

這是帕尼泊最喜愛的一個時期，他喜歡跳到波濤洶湧的河中游泳，一直游到東岸再游回來。還有什麼比克服激流所設的圈套來得更有趣？

帕尼泊一點兒也不畏懼河流所潛藏的危險，因為他能預測水流的變化、在水中順勢而游，並且繞開它的陷阱。不過這種危險的活動對一個沒有經驗的人而言，是不可能活著回來的。

帕尼泊幾乎連一點大氣也不喘地就爬上岸，這時有三名二十來歲的年輕人不懷好意，眼露兇光地擋住他的去路。

「你以為自己很了不起，是不是？」紅褐色頭髮的小子開口說道。

「我沒有惹你們，朋友，你們也不要來煩我。」

「我游得比你好，要不要比一比？」

「沒時間。」

「有意思……我才跟朋友打賭你只不過是一個膽小鬼。」

「你要賭什麼？」

「來回一趟看誰游得比較快。如果你輸了，你就得給我們三袋大麥粒；如果你贏了，我們讓你全身而退而不揍你。」

「聽起來很公道。」帕尼泊估算著。「開始吧，我時間趕得很。」

帕尼泊一個完美的跳水動作便潛入了水裡，而紅毛小子愣了一下也跟著跳進河裡，決心要趕上他。他曾經好幾十次成功地越過急流，對自己的游泳技巧很有把握，況且他的對手已經游過一回，一定會累得撐不到終點。

不過紅毛小子很快就失望了。帕尼泊用瘋狂的速度前進，而且一點也沒有減慢的跡象，使得企圖追上他的年輕人不得不冒險，假使他速度一放慢，勢必會輸了這場比賽。

他使盡了力量，肺部幾乎要炸開，才不致於落後太多。當帕尼泊到達東岸時，紅毛小子希望他能休息一會兒，不幸的是帕尼泊在水中翻一個筋斗，立即又游回對岸。

半途而廢實在太丟人，雖然他疲倦得全身肌肉僵硬，仍然跟著游回對岸，心裡祈禱他的對手會掉進河水的陷阱裡。他的動作越來越斷斷續續、呼吸越來越急促與帕尼泊的距離也越拉越長。

他眼睛一瞥，立刻慌了手腳，一隻鱷魚正向他衝過來。

紅毛小子企圖往回游，卻未能避開河裡的一處漩渦，不到幾秒鐘便沒入了水中。鱷魚也跟著沉下去，愉快地享受這頓得來全不費功夫的大餐。

帕尼泊輕鬆地上了岸，並且回頭望去。

「你們的朋友那裡去了？」他問其他兩個人，而他們的目光卻充滿了憎恨。

「他剛剛沉了下去。」年紀較長的一個回答道。

「可憐的傢伙，真的是不自量力。」

「都是因為你他才會死的！」

「廢話少說，趕快去通知他的家人。」

「都是你的錯！」

帕尼泊試著讓自己保持冷靜。

「聽說尼羅河會把淹死的人直接送到奧塞利斯的王國裡……你應該為你的朋友感到高興，別在這兒煩我。」

兩名小伙子各自撿起一塊大石頭恐嚇帕尼泊。

「我們要把你的骨頭給打斷，把你丟進河裡……看你是不是還游得那麼快。」

「如果你們攻擊我，我只好自我防衛，而你們可能會被打得鼻青臉腫。」

「你以為自己有多厲害。」

「快給我滾開。」

年紀最輕的那個用迅雷不及掩耳的速度把石頭丟向帕尼泊，使他大吃一驚。還好他出於本能地一閃，在千鈞一髮的時刻避開了石頭，不過還是劃中了太陽穴。

一絲血跡開始往下流。

「這是我最後一次警告你們這兩個笨蛋，馬上給我閃開！」

這次換另一個把大石頭丟向帕尼泊，但他的動作太慢，帕尼泊一拳狠狠打中他的臉。

小伙子一下子就倒在地上昏死過去。

他的伙伴朝帕尼泊衝過去，帕尼泊先用手肘撞他的胸膛，再一拳打扁他的鼻子。他應聲倒下，也昏了過去。

「世界上怎麼會有這麼多蠢人？」帕尼泊自言自語地埋怨道。

堤上的泥地上有兩個人向這邊跑過來。

「如果是這兩人的同夥，這次的休兵將維持不久。」帕尼泊心裡想著。來者是奈克持和卡洛，兩人急急忙忙地跑過來，一副很生氣的樣子，帕尼泊已經和奈克特打過架，和卡洛鬥過嘴。

「首長派我們來這裡。」奈克持說道。「我們被命令把你帶回村子裡。」

「我正準備要回去……你們擔心什麼？」

「法老下午就會到村子，所有的工匠都得到齊。」

卡洛發現那名小伙子四腳天地躺在地上。

「這裡發生了什麼事？」

「這兩個白痴因為他們的同伴溺斃了，而找我麻煩。我只好自我防衛。」

「你可能會惹禍上身。」

「我總不能坐以待斃，讓他們打死我！」

「等他們清醒之後，一定會告你的。」

「你們難道不為我做證嗎？」

「發生爭執的時候，我們並不在場啊！」奈克特反駁道。

「我們得趕快回村子。」卡洛提醒道。「至於其他的，以後再說吧。」

受到冤枉的帕尼泊心裡非常憤慨，幸好他還有一個脫困的辦法。

他把這兩個人一左一右地扛在肩上，負擔雖然沉重，但撐到村子口對帕尼泊還不構成問題。

「我們走吧！」他對另外兩個同事說道。「你們不是說時間很趕嗎？」

14

帕尼泊把那兩名年輕人放在第一道堡壘的警衛面前。一個呻吟不已，另一個仍然昏迷不醒。

「你們放心，這兩人不是來要求進入行會的。看緊他們，我一會兒就回來。」

真理村呈現完美無瑕的潔白、美麗與花團錦簇。白色的房子閃耀著光芒，所有的村民也都穿上了顏色鮮艷奪目的節慶禮服。

一些孩童看見帕尼泊，想要和他玩耍，帕尼泊來不及理他們，只是逕自跑到尼菲家門前，小黑跑出來迎接他。牠的毛被刷得閃閃發亮。

「卡萊兒，我需要妳的幫忙！」

「我們正在穿衣服……法老馬上就要到了。」

「我知道，不過這是緊急事件。如果智女不出面幫助，我的麻煩可就大了。」

「你所謂的緊急事件不能等到明天嗎？」

「真的不能……還有卡萊兒最好帶著一些用具，當然啦，我會幫她拿。需要治療的兩個小子，傷勢恐怕不輕。」

第一個年輕人眉梢處受的傷很深。卡萊兒查看後確定眉弓骨沒有大礙。她先將傷口兩邊夾緊，然後用線把它縫合，接著她把一條用蜂蜜與油脂浸透的包紮布用兩條膠帶固定在傷口上。為了預防後遺症，她開了一種由牛奶與大麥粉製成的藥膏，每天塗幾次，直到初口完全癒合為止。

第二年輕人鼻樑骨被打斷，流了大量的血。智女用很柔軟的布為他清理傷口，再用一塊塗了蜂蜜的亞麻布插入兩個鼻孔內。此外，她用裹著亞麻布的兩塊夾板夾住其鼻子以免腫大。卡萊兒也開給他特別的食譜，以加速傷口的癒合。

兩人很高興受到妥善的照顧，也不再多說什麼便離開真理村。他們希望永遠不再見到拳頭比石頭還硬的帕尼泊。

「真謝謝妳，卡萊兒，如果沒有妳……」

「做母親的有時會有一些調皮搗蛋的孩子，帕尼泊，在這方面，你可不落人後。」

「我已經警告過他們好幾次，他們還是跟白痴沒有兩樣。我總不能為他們愚蠢的行為負責吧？」

「我們快去準備。你該不會想錯過法老的到來吧？」

* * *

底比斯這個百門之城非常的熱鬧。國王的船隊不久之後將於主碼頭停泊，所有的達官貴人都會出席這場盛會。全城的居民聚集在河畔，準備熱烈歡迎國王與皇后的到來。為了他們的光臨，將舉行大規模的慶祝活動。大家可以飲用烈啤酒、享受王宮所賞賜的食物。偉大的拉美西斯法老去世所帶來的悲傷已被梅仁達統治的喜悅所取代。梅仁達駕臨底比斯代表了王朝的延續，以及維持傳統的保證。

阿蒙神大祭司接待了國王夫婦之後，埃及南部首都底比斯市長會前來晉見，表示崇敬之意。接著他們先渡過尼羅河到西岸，接受當地政府的招待，再前去真理村和國王谷地，主持拉美西斯大帝的葬禮。

這種行程安排使得莫希相當不開心，他不斷地啃著自己的指甲。

「不出我們所料，梅仁達果然是個保守派。」他向妻子賽克塔說道。賽克塔猶豫著，不知該戴哪一條項鍊。

「這值得大驚小怪嗎？親愛的。」

「我沒想到情況會這麼糟……國王大可以請阿蒙神的大祭司來代表他，可是他卻親自前來，甚至皇后和全部的朝臣也陪同他來！他要接見幾個老臣不算，還要參觀這個該死的真理村，並且加強工匠的優惠待遇。」

「你用不著失望，只管換上另一件褶紋衫。你穿的這一件不夠氣派。」

「妳對整個情況太漠不關心了，賽克塔。」

「一味的埋怨有什麼用？每個人都知道沒有任何一個法老能夠比得上拉美西斯。所以說，我們要對付的對手不會像拉美西斯一樣厲害。搞不好他還會任人擺佈呢！」

「妳有沒什麼計劃？」

賽克塔故作嬌態。

「這也不是不可能……」

「說來聽聽。」

「你先換上襯衫再說，我要你看起來像個優雅富裕的大臣，讓男人羨慕你，女人愛上你。不過，如果有哪個女人敢接近你，我就把她的眼珠子挖出來！」

莫希緊緊按住賽克塔的手腕，她感到一陣疼痛。

「妳快告訴我！」

「我們的同志告訴我們尼菲成了受人愛戴的行會首長。我們為何不毀了他的名譽？假使國王收到一些文件，證明工匠的領袖根本不稱職，真理村的聲名便會毀於一旦，因為它根本無法選出一個優秀的首領人物。梅仁達也許會因而想要解散真理村，或是將管理的權責交給村外人來負責。」

「例如我們的朋友，西岸總督阿布利。」

賽克塔顯得容光煥發。

「該是我們利用他的時候了。」

「不過我們已經沒有時間準備一份足以說服國王的文件……」

「已經弄好了，親愛的。我模仿了好幾種筆跡來偽造這些文件，內容全是控訴尼菲一無所長、不服從當局、過份自我主張、尤其是橫行霸道。到時絕對會有一、兩名工匠附和這些控訴，使得他非被免職不可。接著真理村便會產生一段群龍無首的時期，我們則趁機加以利用。」

「這個計劃很合我意。」

「你對我的表現滿不滿意呀，親愛的老公？」

「她的確比毒蠍還要陰狠。」莫希心裡想著。「幸好我讓她變成了我的拍檔。」

＊　　＊　　＊

阿布利的面頰鬆垮、頭髮被汗水浸溼、目光呆滯，他心驚膽顫地把總司庫莫希的話聽完。

「這個計劃不但要碰運氣，而且還要冒很大的危險，親愛的莫希……我不認為……」

「既不用碰運氣，也不會冒險！等國王一踏入西岸，你就把這份文件呈上去。梅仁達去真理村之前，會有時間把它看完的。他會相信尼菲的胡作非為，然後命令你去整頓行會。屆時你不妨提起，有關工匠享有不合理的特殊待遇，你早已稟告過拉美西斯。」

「您這不等於是要我站在第一線嗎？」

「這完全是為了你好，阿布利！國王會對你的頭腦清晰大為讚賞。」

「我寧可留在幕後，而不要用這麼直接的方式參與這件事。」

「若以匿名的方式將這份文件送給法老，而梅仁達卻是那種賢人不聽閒語之類的過時道德者，我們所花的力氣都要白費了。所以這件事要以正式的公文呈閱至他手上，而且只有你做得到。」

「不過還是很敏感……」

「對你而言是有利而無一害，你只需要鼓起一點勇氣，阿布利，真理村就是我們的了。」

「我對梅仁達法老並不了解……他也許根本不會聽我的。」

「不聽當地最高首長西岸總督的意見？你別傻了！事情正好相反，他會因你揭發這個事件的功勞而讚揚你。」

「或許我們應該對新法老的態度先觀察一陣子，經過仔細的思考後再採取行動也不遲……」

「你得把這份文件呈給梅仁達，阿布利，我已經決定了。你趕快準備正式迎接法老的儀式，小心不要犯任何的錯誤，回頭見了，我的忠實盟友。」

阿布利原本只希望當個模範官，平平靜靜地過他的日子。當他碰見莫希的時候。他正走投無路，原以為這是命運安排他走出困境的機會，卻萬萬沒想到自己被這個無惡不作、陰險狡詐的人玩弄在手掌心裡。

莫希司令常常讓阿布利感到害怕。只要一面對莫希，他就亂了方寸，只有完全聽命行事的份，甚至莫希走了之後，阿布利總是感覺他的身影還圍繞在四周；於是阿布利迫不及待地翻閱莫希所帶來的文件。

文件的內容寫得不但詳盡，而且合理。尼菲若遭受這種陰狠毒辣的攻擊，非完蛋不可。

身為西岸總督的阿布利，理論上應該是真理村的保護者，自己憑什麼要這樣摧毀一名工匠首長的生涯？不過這種罪惡感只是在他的腦海裡曇花一現。如果他不去完成這個任務，莫希勢必會做出激烈的反應。

他該操心的應該是自己的事業。唯有將這份文件呈給國王梅仁達，別無他途。

15

在安全警衛隊的嚴密保護下，皇室的隊伍一一通過了五座保壘。僅管法老有自己的隨身侍衛隊，索貝克仍然嚴格要求他的部下不得有絲毫的疏忽。

每一名助理工都待在他們平日工作的地方。鐵匠和陶匠很幸運地站在前排，能夠就近看見身負重責大任的新國王。

梅仁達有張橢圓形的臉、寬闊的額頭、大耳朵、薄而直挺的鼻子、寬厚的嘴唇，戴著一頂圓形的假髮，上面鑲一條掌管消滅法老敵人的金聖蛇。梅仁達穿一件打褶的裙子，腰帶上有一隻豹頭扣環，手腕上戴著金手鐲。

在國王的身旁是皇后伊賽特•美女，年紀已有六十五歲。她與拉美西斯大帝的第二任妻子、亦即梅仁達的母親同名。伊賽特為梅仁達法老生了兩個兒子，其中一個兒子的名字極為特殊：塞特裔，意指「塞特神之使者」，只有拉美西斯的父親，塞特裔一世，這位偉大的法老才敢使用此名。

皇后身上穿著一件極為柔細的亞麻長袍，顯得非常的高貴，她的右手持一把象徵生命的安可，雖然已有六十多歲，但身子卻很硬朗。首相、各級官員與宗教代表伴隨在國王夫婦身旁。

村子大門的警衛刮了鬍子、擦上香水，他在門口立正站好，手上的長矛與木棍卻怎麼拿都覺得不對勁。

首相為國王獻上一面奇特的金胸牌，上面有測量單位和比例，利用這個測量的秘密可繪出一座神的平面圖。盧克索的女大祭司在皇后的金項鍊上掛一個瑪亞特女神的小雕像。

「警衛。」國王朗讀出口令，「在你面前是真理村之主人及人間和諧紀律之代表，請敞開大門。」

警衛很榮幸能執行這個命令，立即開了大門，之後隨即關上，將其他的官員留在門外。

尼菲寡言集合了全體村民，等待迎接國王夫婦的到來，他從隊伍中走出來，手上握著一根沉重的權杖，上端刻有一個帶著太陽冠的公羊頭，象徵著隱藏之神阿蒙存在於這個小團體內。村民們膜拜阿蒙神，而且祭祀之前都要先向祂禱告。

大家的心中都感到忐忑不安，而梅仁達近乎敵意的嚴肅表情更加重了這種不安的情緒。

帕尼泊在人群中比別人足足高出一個頭。他一看見新國王，便心想梅仁達應該不是一個耳根子軟的人。

尼菲頭上戴著一頂編滿許多小辮子的假髮，並且用一條寬布條繫著。他穿一件儀典的裙子，上身斜披著一條紅色的披肩。左隊隊長和陵寢書記讓尼菲代表發言。

「稟告陛下，拉美西斯大帝的陵寢已經準備迎接其光明之體，在下將真理村親自交回陛下手中。」

尼菲的講詞已結束。雖然這是嚴肅的一刻，帕尼泊仍舊忍不住竊笑。「他真是不折不扣的寡言。」帕尼泊心裡想著，「不過他八成做錯了；一個國王當然喜歡聽一大堆好聽話。」

「上帝創造天、地、生命之精氣、火、眾神、動物以及人類，人類僅為萬物之一，並非完美無瑕。」法老言道。「上帝為自我塑造之雕塑家而從未被塑造，乃唯一走遍永生之體。即便最純之黃金亦不及其光輝。一切土地皆為其所有，蓋廟之石皆以王尺丈量。上帝拉直線於地面，一切之建築皆為其所建。世上之牆皆有祂存在於其中，唯有祂能展現真正之力量。上帝乃神聖之建築家，於創造上下世界之時已現身，且將此一秘密以其作品傳達。於此，真理村民所學所知，唯有上帝建造之事物才能實現。尼菲首長，不知行會是否照此原則生活與思考？」

「以法老之名，在下發誓的確如此。」

肯伊心下一驚。法老所說的每個字證明他對行會有非常深刻的了解，而且迫使尼菲冒著極大的危險、鄭重發誓保證。若國王對尼菲有具體的不滿，他便有理由將發了重誓的尼菲當作違背誓言處以死刑。

「無論是一個國家或是一個行會，只有獻身於它才能公正地領導它。」梅仁達繼續說道，「一個人愈是富裕，就愈應該表現他的仁慈慷慨。諸神賜給法老上、下埃及，是要法老將國家旺盛起來，並且關懷百姓福祉。對於真理村的工匠，朕將會繼續供給所有的工具、糧食、衣物、以及其他所需物資，讓各位在村子裡生活無憂，盡力完成瑪亞特女神之使命。為了慶祝朕登基，行會將可以分配到九千條魚、九千個麵包、無數的肉塊、二十大甕油和一百甕酒。」

帕尼泊高興得想大聲歡呼，但其他的工匠仍然擔心得說不出話來。儘管法老所宣佈的好消息，會讓人認為村子已獲救，然而村民仍隱隱感受到一般沉重的威脅。

「行會的角色及它存在的原因。」梅仁達重申道，「是將眾神所設計的藍圖化身於物質中。為了能夠成功地做到這點，行會需要懂得管理及指引方向的領導者。首長執行任務、發號施令，必要時可以用木棍說服不從者。理想的首長必需為其使命與行會服務、善於為行會這艘船領航。在其位司其職，必需要表現其偉大，正如一口深井，能給予清涼解渴之水。若無法知人善用，便不配領導。倘若有如此一名蠻橫無理、假公濟私的工匠首長，將一律遭到處分。」

氣氛突然變得很緊張。

每個人都很清楚法老的矛頭無異是針對尼菲寡言而來。

卡萊兒望著她的丈夫，希望這一刻將她強烈的愛傳給尼菲，讓他知道她永遠支持他。

「西岸總督交給朕一份對你非常不利的報告，尼菲。朕已仔細地看過，也正式下了結論：由於你所犯下的諸多錯誤，你應當要辭職。」

「如果這是陛下的意思，在下願意辭職。但請原諒在下斗膽，在下究竟犯了什麼錯？」

「第一，假公濟私，有損行會。」

肯伊上前一步。

「陛下，在下身為陵寢書記與負責管理真理村，可以證明這項控訴是無中生有。尼菲完全遵照行會規定，他所住的房子有經首相批准，裡面有一間診療室與一間實驗室，這是他的妻子智女不可或缺的設備。如同我們敬愛的前任陵寢書記拉默塞，首長可以合法擁有田地與牲口，可是他卻全心投入於工作而無視於這些。」

「朕相信你的話。不過，根據朕手上的資料，尼菲並未經過全體工匠一致選任通過，而且他的行為跋扈，平常以暴力及威嚇手段來鞏固自己的權力。」

「完全沒有這一回事，陛下！」帕尼泊不同意地說道：「我們所有在場的人都誠心一致推選他為首長。只有一個人反對，那就是他本人！」

「你個人的意見不足以採信，」國王思索道，「請大家直言不諱地表達對首長的看法。」

傑德首先發言，他完全肯定帕尼泊的說辭。帕尼泊暗暗對自己發誓，只要誰敢說謊，他會好好教訓他一頓。

事實上，帕尼泊不需為此費神，因為不管是工匠或是哈托爾女祭司，沒有人對尼菲寡言有絲毫的批評。甚至連背叛真理村的叛徒也對尼菲贊揚有加，否則他擔心因此突顯自己，而引來別人的注意。

肯伊最後做了結論，認為行會所推選的人正直而有才幹，而尼菲正是他們所需要的人。

然而只有法老才有最後的決定權。

「先父拉美西斯大帝早已提醒過朕，真理村一定會受到許多惡意的攻擊。」國王說道：「他早有預感真理村的首長會面臨不少陰險的毀謗，以使全體行會的名譽掃地，終致毀滅消失。對於朕來訪之前所收到這份造謠中傷的文件，朕毫不感到驚訝，然而，朕仍然希望親自聽見你們每一個人的話，以肯定你們之間的團結。而朕已獲得了證明。尼菲，你上前來！」

「我將真理村的王權授予你，並且交給你兩個必須優先完成的任務：一是在國王谷地挖掘建造朕的陵寢，二是在東岸建造朕的百萬年大神廟。」

當梅仁達國王親手為尼菲戴上金胸牌的那一刻，全體工匠發出一陣喜悅的歡呼聲。

16

西岸總督阿布利與其他官員留在村外，聽到了一陣歡聲雷動。先是祝法老萬歲的歡呼聲，接著是高喊尼菲名字的喝彩聲。

阿布利不需要再多聽，心裡便有了底。很明顯的，他所進行的陰謀已徹底失敗，尼菲已成功地澄清了所有對他的控訴。梅仁達既然肯定了尼菲的職位，無異是否定了阿布利而支持真理村。

阿布利勉強自人群中擠出來走到他的座車。

「您身體不舒服？」一名同事問他。

「可能是天氣太熱了吧……我需要休息一下。」

「您要不要在陰涼的地方躺一會兒？」

「不用了，我想先回去。」

「如果國王發現您不在，可能會不高興。」

阿布利沒有答腔，逕自登上了座車，要車伕啟程離開。

數名官員也注意到了這個現象，並感到有些意外。除非有特別的理由，否則西岸總督不會有如此反常的行為。

阿布利家中空無一人。皇后在底比斯皇宮接待所有的官夫人，他的妻子也同時受邀。孩子們到尼羅河岸參加慶祝活動，而僕人們則獲准放兩天假。

這一次，他是真正地如臨深淵。

冥冥之中似乎有靈魂在提醒梅仁達，阿布利曾經企圖要剷除真理村，當時只因拉美西斯對他寬宏大量，他才得以保住飯碗。新法老勢必不會如此仁慈對待他，更何況阿布利提供的假證據，讓法老差點冤枉了尼菲。

他已經預見他的失勢、無顏見人，幸則被流放，不幸則被處以極刑。儘管是大熱天，但阿布利一想到那些苦刑，不禁全身發抖。他走到屋外蓮花池邊的涼亭裡，想坐下來透透氣。

這時他下了一個決定；他不要一個人做替死鬼。這個爛攤子都是那個幕後操縱他、恐嚇他的莫希所惹出來的禍。既然他無法全身而退，乾脆揭發事實的真相，如此一來，主謀莫希也會罪有應得。雖然這不過是一個小小的安慰，卻也是伸張正義的最後一次機會。

「阿布利……您一個人在家嗎？」

阿布利宛如被蟲子咬到般跳了起來，迅速轉身望向月桂樹叢，找這個女性聲音的來源。

「是我，賽克塔……千萬不要被人看見我們倆在一起。」

「當然，當然……您放心，家裡一個人都沒有。」

賽克塔出現了，樣子讓人完全認不出是她。她頭上的假髮、臉上的妝和身上的長袍，看起來全然變了一個人。

「莫希要我來幫助您。」

「喔……」

「雖然目前的情勢很不利，不過我已經找到了一個解決的好辦法。」

「那是不可能的！」

「您不要太悲觀。我這裡有一份資料，可以讓法老消消他的怒氣。」

阿布利用懷疑的眼光望向賽克塔給他帶來的紙莎草紙。

他所看到的內容讓他瞠目結舌。文件的內容描述西岸總督企圖敗壞真理村的名譽，並且污蔑真理村首長，此乃由於他對真理村鞭長莫及，因此始終非常痛恨它。他內心悔恨交加，最後只有走上自殺一途。

賽克塔收起紙莎草紙，而阿布利更驚訝地意識到另一件事情。

「這真像是……我的筆跡！」

「要模仿它對我一點兒也不困難，我只要蓋上您的印章，這份令人悲痛的遺囑便幾可亂真了。」

「我一點也不想死，我要告發你們夫妻倆。」

「這也就是我所擔心的事，親愛的阿布利，還好我決定早一點來拔除禍根。」

賽克塔冷酷無情地將阿布利猛力推進蓮花池裡。

不善游泳的阿布利被身上的禮服纏住而不斷地吞進大量的水，而賽克塔將他的頭壓在水面下，直到他一動也不動。

賽克塔如釋重負地將遺囑拿到阿布利的辦桌上放著，她的計謀天衣無縫，表面上自作自受的阿布利好像是用自我了斷的方式以謝罪。

＊　＊　＊

為了運送拉美西斯大帝的殉葬品，出動了一百名以上的士兵、八十名來自神廟的搬運工、四十名海軍和兩百名官員，當然還有真理村的兩隊工匠和哈托爾祭司。

擁有祭司身份的工匠們穿上新亞麻袍和紙莎草紙鞋。依照規定，工匠們在葬禮的前一日不能有任何的性行為，而且只能吃輕淡的食物。

最感到驕傲的要算是伊普伊，他被推選擔任走在法老右側提扇子，身上穿著一件綴有星星的「復生祭司」長袍，負責木乃伊的嘴、眼睛和耳朵開啟儀式，讓木乃伊能夠在陵寢內每日復生。

帕尼泊負責扛運一張金色的大床。已故法老通往極樂世界的無數金銀寶珠陪葬品，簡直令他嘆為觀止；眾神的純金雕像、裝滿貴重金屬的許多大箱子、香水、香膏、木乃伊化的布匹或食物、各式各樣的權杖、皇冠、祭台與貢品、船舟、鏡子、貢桌、弓箭、紙莎草紙、馬車的零件、以及其他無數的精緻物品！這些就是拉美西斯的世界，將陪伴他的靈魂復生。

所有的物品都被放置在陵墓的入口處。陵墓點燃了一百多盞燈，只有真理村的使徒能夠進去將這些物品放在正確的房間與位置上。

全場一片肅靜，梅仁達開始為木乃伊舉行復生儀式，尼菲首長，左隊隊長以及石匠將石棺安置好，尼菲負責指揮蓋棺的複雜程序，它象徵著光明之子拉美西斯在天國生命的起始階段。

梅仁達命令所有的工匠離開陵墓，只有尼菲留下。國王走向聖殿的盡頭，聖殿位於石棺室的上方，他注意到陵墓的工程的每一個細節都很考究，而終段部份則與原始的岩石相連。

「人類所能想像的範圍之外，仍然存在著未知的事物。」法老說道，「我們來自於它，如果一輩子光明磊落，最後也能回歸到來處。你是否已經用光明之石讓拉美西斯的石棺產生活力？」

「生命之主」即為棺材，其本身已變成一塊光明之石，將會世世代代保持拉美西斯身軀的完整。

梅仁達想到拉美西斯的忠臣阿梅尼，這位老書記為了致力於撰寫拉美西斯的一生而離開了卡納克。拉美西斯的光榮事蹟將廣泛流傳於有文字的世界各地。

國王把一盞燈放在木乃伊棺的上方，柔和的光線可以讓靈魂之鳥養足精力，穿過夜間的黑暗，飛向太陽。

當火焰點燃的那一刻，一片光暈圍繞在木乃伊棺的頭部位置。隨著尼菲熄掉一盞又一盞的燈，「生命之主」的光明之石逐漸吸收其能源，成為越來越強的發光體。

等到兩人準備離開陵墓時，墓室中的石棺已發出萬丈的光芒，將黑暗的敵意化為豐富的能量。

尼菲將陵寢的大門關上，將世人的目光隔離在外，陵墓內牆上的象形文字與栩栩如生的聖禮圖，讓拉美西斯於無形的世界裡繼續治國，從此為他的百姓指引星星之路。

最後，尼菲將墓園管理單位章蓋在陵寢大門上。印章上刻有九隻豺狼圍住一名被綑綁斬首的敵人，在豺頭神阿努比斯的守護下，所有邪惡的力量將無法穿越緊閉的大門。

「朕要你知道，朕從來沒有懷疑過你的正直與才能。」梅仁達對尼菲吐露事實。「朕用如此嚴厲的方式來考驗你，是為了要行會全體一致認為你配戴這面金胸牌。」

17

索貝克氣得說不出話來。

「您已聽見國王所說的話，肯伊！是西岸總督阿布利試圖要摧毀我們首長的名聲！我還需要其他的證明嗎？長年以來，一直企圖毀滅我們的人就是這個混蛋。」

陵寢書記呆住了。

「一個如此重要的官員，怎麼會做出這種卑鄙無恥的事？他的責任原本是要保護真理村，卻反過來一味地想把我們除去！」

「您一定要寫份狀子正式起訴他。」

「你不認為國王會有明智的處理嗎？阿布利會被控說謊、偽造公文，也許加上大逆不道的欺君之罪。他的飯碗不但保不住，可能還會被判重刑。」

「我想趁這個機會弄清困擾我已久的懸案：他是不是殺了我那名部下的兇手，或著還有其他的共犯？我們若能參與阿布利的審判過程，我就可以審問他，讓他招供。」

「我早已料到你會這麼說……訴訟狀已經寫好了。」

「您也得批准我以真理村的名義，在其領地之外進行調查。」

「首相才剛派人送來這個命令。」

索貝克終於了解為何肯伊的脾氣雖然很壞，卻仍被選任為陵寢書記。真理村對肯伊的重要無異於真理村對工匠首長的重要。

由於國王蒞臨村子，即使索貝克渴望儘快釐清事實，卻無法離開工作崗位去盤問阿布利。反正這個老賊到時精神耗弱，心慌意亂，非從實招來不可。

「我希望他不是什麼反真理村幫派的頭子。」肯伊進一步說道。

「很不幸的，我認為他是。」索貝克不同意他的看法。「而且我也不敢肯定這種威脅是否已經消失。」

信差烏普弟神情慌張地趕到村子，打斷了兩人的對話。

「一個可怕的消息：阿利布趁家人和僕人不在的時候自殺了！」

「怎麼知道他是自殺的？」索貝克反問他。

「阿布利留下一張紙，上面寫了他自殺的動機，他承認自己犯了欺君之罪，深怕被處以重刑，甚至可能是死刑，他無法承受這種羞辱，於是以自我了斷的方式來謝罪。」

國王夫婦住在真理村裡面的皇室行宮內，當初這座行宮是為了拉美西斯大帝而蓋。國王在行宮隔壁的小祭殿內舉行晨祀，而在同一時間同一刻，全埃及所有的大小神廟神奇地出現法老的音容、說同樣的話、做同樣的動作。

晨祀之後，梅仁達和尼菲來到真理村主廟旁的工匠坊。肯伊早已帶著圖書館的鑰匙在那裡恭候。這座神聖的圖書館蒐藏了「光明力量」，即行會的檔案，裡面有知識之神托特、智慧之神西亞所著作的宗教儀式與經典。傳說中這些書籍有助於奧塞利斯復生，而且可將復生的科學傳授給人類。

在這些珍貴的書籍中，最寶貴的是一本鍍金和另一本鍍銀的著作，內容記載行會及其神廟的教論。除此之外，還有一些重要的經典，如節日與儀式時辰、保護聖舟論、祭品與儀典物品目錄、天體書、去霉除晦法、出於光明、光輝魔法集，以及具有象徵性的神廟與陵墓裝飾手冊。

然而這些都不是國王所要查閱的資料。

「給朕看國王谷地的陵墓地圖。」他向肯伊命令道。

它是前任陵寢書記拉默塞所留給肯伊的無價之寶，只有肯伊知道其中的秘密，他把地圖呈現在國王與尼菲面前。這張紙莎草紙地圖使用一個假書名藏在舊檔案類裡面。

陵寢書記在一張矮桌上將地圖攤開，國王和皇后谷地裡每一個陵墓的位置都畫得非常清楚，有助於每一任的首長挖掘尚未動過之處，而不致於破壞了既有的墓塚。

「有關朕的百萬年廟。」國王決定道。「你們要將它建於田地邊，在阿孟霍特普三世百萬年廟的西北方、拉美西斯百萬年廟的南方。至於我的陵寢，你們有何建議？」

尼菲一邊思索，一邊仔細研究地圖上的許多技術指標。

「岩石的特質與歷任法老陵墓方位的和諧性都要考慮進去……因此我提議建在這個位置，也就是在陛下的先父拉美西斯大帝陵墓的西邊，而且高出它許多，在山坡上。」

「你的選擇非常好，首長。不過你必需明白要讓它成為一個偉大的傑作，不能有任何的失敗。」

＊　＊　＊

演奏和欣賞音樂是村民最喜歡的娛樂。不管是長笛、豎琴、魯特琴、鈴鼓或齊特拉琴，大家或多或少都玩得不錯。他們無法想像沒有音樂來鼓舞工作士氣會是什麼樣的日子，而節慶、宴會更不能缺少它。

為了慶祝梅仁達的登基與尼菲首長的晉升，樂隊滿心歡喜、盡情地演奏，整個村子變成了一個大樂廳。一般而言，女人比男人在行，因為哈托爾女祭司們負責演奏聖曲，所以受過特別訓練。其中最好的組合要屬一名豎琴手、一名長笛手、加上一名鈴鼓手的聯合演奏，無論男女老少都非常喜愛他們所奏出的旋律，有時候就連肯伊都忍不住想聞樂起舞，當然，因為怕有失身份地位，所以他強忍了下來。

帕尼泊原本聽著樂團的演奏，突然一連串感性的音符吸引了他的注意力。

長長的黑髮披散在肩上，遮住了大半邊的臉，眼睛塗了黑色與藍色的眼影、金豹頭與珍珠相間的腰帶、足踝上戴著猛禽爪子形狀的腳環、短而透明的裙子，這名女子正在演奏八弦豎琴，嗓音宛如絲綢般地輕柔動人。

她手指嫻熟地撥弄著琴弦。豎琴上的八根弦以銅來扣住固定於共鳴箱上，由兩根不同長度的肘形木架支撐。她似乎毫不費力地將撥奏轉變成震音，並且於輕唱的同時，將豎琴緊靠在胸前止住震音，藉以表達細膩的歌聲。

帕尼泊走向她，她則一步一步地往後退，卻未曾停止演奏與歌聲，最後將他引至一處隱秘的角落。

終於，她停下來，他逐漸靠近她，近得幾乎能觸碰她。這時他認出了她。

「碧玉！」

「你何時才會對你的妻子忠誠？帕尼泊。」

「我從未向她承諾過，她也從未要求過。」

「你究竟知不知道我為何演奏這個音樂？」

他熱情地親吻她的頸項。

「是為了勾引我，妳成功了！」

「我是為了驅除兇險與邪惡而演奏它。法老的幫助尚不足以使村子遠離它們。而你，帕尼泊，你是初生之犢不畏虎，只會不知死活地去冒險，因此我才彈哈托爾女祭司的樂曲來趨吉避凶，並且用我的魔法來保護你。」

「妳真不簡單！」

「你以為你很了解我？」

「當然不！不過至少我懂得用妳的肉體來演奏，就像彈一把豎琴。」

帕尼泊出乎意外地溫柔，將樂器輕輕地放在地上。

「對於妳，有一件事我很肯定。」他嚴肅地對她說道。

「什麼事？」

「妳身上穿的裙子一點用處都沒有。」

帕尼泊脫下她身上的衣服，碧玉並沒有反抗，他將她拉入懷中一把抱起，然後直接走到她家，讓兩人的慾望如音樂般盡情地渲洩。

18

「我的女主人不見任何人。」阿布利喪家的門房說道。

「我是負責真理村安全的索貝克隊長，因公事來拜訪她。」

「既然如此……我先去通報一聲。」

索貝克經過陵寢書記的同意，也擁有了國王的支持，便認為有必要儘快趕來見這名寡婦一面。

阿布利的妻子在花園的一棵棕櫚樹下接見索貝克。她看起來很沮喪，幾乎接近精神崩潰的邊緣。

「警察已經來問過話了。」她用顫抖的聲音說道。「悲劇發生的時候我並不在家，所以無法告訴你什麼。我只知道我先生的同事看見他匆匆忙忙地離開隨行的官員隊伍，而那時村子內正響起一陣陣的歡呼聲。為什麼……為什麼阿布利要走上絕路？」

「他企圖讓行會首長遭到革職，不過失敗了。」

「他為什麼老是要和真理村過不去？現在他不但拋下我一個人，獨自留在世上，和一個女兒要養，甚至加上一輩子洗不清的罪名……我實在無法忍受這種恥辱……我到底造了什麼孽，要受到這麼殘酷的報應？」

「請允許我直接了當地問您一件事：您比任何人都了解您的丈夫，您認為他做得出自殺這種事嗎？」

索貝克的問題如當頭棒喝。

「一切來得如此突然，我甚至沒想過這個問題……不過您問得好！不，阿布利不是那種會自殺的人。他太愛惜自己的生命，更不可能有這種自盡的勇氣。」

突然間，她又重新面對現實。

「再怎麼說，他的確是死了……況且還留下一份遺書說明他自殺的原因。」

索貝克希望改變話題。

「您先夫最近有沒有和一些看起來……可疑的人打交道？」

「當然沒有！因為職務的關係，他只有接待一些底比斯的名流顯貴，像是市長、高層官員、主要的書記官……等等。其中有一個最令我厭惡，就是那個暴發戶莫希司令，不過阿布利很少見他。事實上，我痛恨他們每個人，尤其是阿布利！因為他的意志薄弱、懶惰成性，以致升不了官。他原本有升官調任到比拉美西斯的機會，也讓我們加入朝廷。但是他偏偏對底比斯情有獨鍾。」

「他有沒有向您提過一份準備呈給法老的文件？」

「阿布利從來不和我談他的工作。丟臉、真是太丟人了……今天落到這種下場……」

她說著說著便嚎啕大哭了起來，索貝克趕緊告辭。

索貝克與她的短暫交談讓他疑雲叢生。倘若阿布利的自殺只是一個完美的假象，那麼兇手到底是誰？是那個奸詐狡猾的兇手故佈疑陣、讓阿布利掉進了這個圈套？阿布利似乎是個性格懦弱、容易受人左右、沒有大作為的人。他難道有這個勇氣捏造公文、冒著可能失敗的危險而招致嚴重的後果？

索貝克完全沒有具體證據，但直覺告訴他，這件有內情的自殺疑案涉及一樁陰謀，阿布利只不過是個被人利用的工具，而不是首腦。

如果索貝克的猜測沒錯，黑暗的日子才要開始，就連梅仁達的支持也不足以挽救真理村。

阿布利的死亡令一切線索突然中斷，到底該如何繼續追蹤？

＊　＊　＊

一頭黑色的鬥牛頂著牛角向前猛衝，另一頭因為轉身不夠快、腹部受到牛角的重挫，牠的身子著地、四腳朝天，顯得既無助、又無望。

悲劇之後緊接著是一個喜劇畫面。一群黑頭與白頭的尖嘴鵝一致朝同一個方向前進，只有一隻不守規矩的鵝除外，牠突然轉身的動作非常突出。

最後一幅則是優美的畫面。那是一隻輕盈的小羚羊，有一雙淡藍色的角、黑溜溜的眼珠、灰中帶粉紅的身軀、配上細得有點不實際的腿。

這就是帕尼泊用上好的大石灰岩塊所做的三幅畫。傑德花了超過十五分鐘的時間、一幅接一幅地仔細研究。帕尼泊完全不知道他會做出何種評論。

傑德突然把工作室的門打開。

一隻黑白相間的貓坐在門外，牠以高貴的姿態、驕傲的眼神盯著帕尼泊。

「你仔細看這隻貓，而且要用前所未有的注意力來觀察牠。一旦你將牠畫在陵墓內的牆上，牠就不再是一隻單純的貓，而是光明的化身。牠的光芒變成刀狀，用於刺傷亞伯菲斯這條惡龍，以防止牠中斷生命的流動。」

「這是不是意味著……您認為我已夠資格作畫？」

「我們出去看天空。」

許多燕子正在蔚藍的天空中翱翔。

「國王的靈魂可以化身為這種鳥。當你畫一隻燕子棲息於神廟的屋頂上，等於是象徵光明戰勝一切。」

帕尼泊跟著傑德來到墓園西邊的一處塚前，卡烏和帕依正在裡面工作。

「你覺得這面牆的品質如何，帕尼泊？」傑德問道。

帕尼泊細心地檢查，確定這道相當平整的牆是以河泥和鍘草混合而成的砂漿築成，再用石膏塗在表面上、填滿所有的窟窿，最後用兩層兩公釐厚的塗料仔細地抹上去。第二層的品質優良，很適合在表面上繪畫。

「我覺得這面牆沒問題。」帕尼泊下了結論。

「你錯了。」傑德斷然說道：「讓他看。」傑德命令帕依和卡烏。

帕依爬上一個梯子，手上拉著一端紅色墨水浸潤過的細繩子，卡烏則拉著繩子的另一頭，兩人沿著垂直牆面合力將繩子拉直，接著猛力壓在牆面上，印出一條筆直的紅線。他們連續重複了幾次這種動作，最後完成了一面方格圖。

「在構圖、上色之前必需要先畫方格，如此一來，每一幅圖畫才能謹守和諧的比例。」傑德解釋道。「以一個站立的人體來講，從頭頂到頸部佔三格，從頸部到膝蓋有十格，從膝蓋到腳底有六格，一共是十九格，若是採坐姿的人體則是十五格。」

卡烏向帕尼泊展示了幾種不同的主題與不同的比例，主要在於強調一個大原則：細密的方格用於小型的主題，大方格則用於大型的主題。

「你要去適應牆面的特性。」傑德教導他，「但不用為那些計算傷腦筋。你的手自然地會去學習比例、而不受侷限，因為只有它擁有創作的自由。有一天等你成了一名真正的彩繪匠，就不再需要這些方格。現在，你試著畫一個女人，可千萬不要浪費了這面牆。」

塗上幾層不同厚度的顏料需要動作敏捷，而帕尼泊時間拿捏得宜，他用紅色加上白色調出嬌嫩的膚色，再塗上一層幾乎透明的白色來顯現薄紗長裙輕盈的質感。最後，他用樹脂做的透明漆塗在整個表面上，以保持色彩的鮮明度。

帕依和卡烏佩服得說不出話來，但傑德卻似乎不為所動。

「在左上角畫一隻蓄勢待發的隼。」傑德交代道。

這是一項高難度的測驗，不過畫筆在帕尼泊的手中瞬間成了精密的工具。他用不同的畫筆來表現不同的顏色，一隻栩栩如生的隼便如此誕生。然而這隻隼畫得如此生動，以致於房間顯得過窄、屋頂顯得過低。

「你要畫的不只是大自然，而是現實背後所隱藏的生命及超現實。」傑德觀察之後說道，「陵墓是農民勤奮不懈所做出的完美作品，它永遠不會凋謝，在那兒，輕舟安全地航行於寧靜的水道、幸福的夫婦長春不老……你要重新創造光明的宇宙，而不要讓你個人的煩憂帶來昏暗。你的每一幅畫要照亮生命奧妙的一面，否則，這些畫會變得毫無意義。」

傑德用黑色的顏料糾正隼不甚完美的那隻腳，一旁的帕尼泊內心開始焦灼，他意識到自己仍不過是個初學者。傑德銳利的眼睛察覺到了這隻隼無法展翅飛翔的小錯誤。

「這個陵墓仍有不少的工作待完成。」傑德思索道。「可是我不確定你是否具備了必要的能力。」

帕尼泊熱血沸騰。

「不管有多少的技巧要學習，我一定會盡力！」

「問題不在這裡。」

「你先回答我一個問題：你願不願意當我的助手？」

19

在底比斯慶祝新法老登基的同時，國王授權給首相，為前任法老統治時期的有功人員頒贈勳章，並且頒佈職務調任與升級名單。

儘管莫希尚未與梅仁達朝廷有影響力的人來往，他並不擔心自己未來的仕途。他得知首相的部下正在高級軍官的圈子裡調查有關他的事情，由於他在軍隊裡深得人心，因此調查的結果只會有好的評語，他的軍階也勢必會獲得晉升。至於他所兼任的底比斯總司庫一職，管理上也找不出任何的缺失。底比斯市與全省之所以更富裕繁榮，全是因為他的功勞。

底比斯的軍隊總司令剛剛退休下來，莫希也許可以獲得這個職位，而總司令一職向來都由對軍事制度非常熟悉的書記官擔任。所有的法老一向對軍人懷有戒心，為了提防好戰的瘋子發動戰爭，寧可任命非軍職身份的人來擔任軍隊首長。

努力討好新寵的上流社會對兩個問題議論紛紛：底比斯市長會不會換人？誰會取代阿布利被提名為西岸總督？

首相一出現在參政院的大廳，大夥兒便開始紛紛打賭。所有的人都相信梅仁達法老無疑會將自己的政風帶入底比斯一帶，因此會任用來自北方的心腹，而當地的野心份子必定會希望落空。阿蒙神城底比斯勢必有一番驚天動地的變化，因而讓當地人咬牙切齒，導致有力的反對派形成，失寵的人將會用他們的怨恨來強烈支持反對派。

首相先從頒發勳章開始，項目自最高等的金鍊章到最簡單的戒指。接著他傳喚莫希司令，後者來到首相面前鞠躬行禮。

「莫希，您被任命為底比斯軍隊的總司令。您要負責照顧士兵、維持良好的裝備，同時您要定期到比拉美西斯，向國王做詳細的報告。」

多了待在首都的機會、使他更能接近法老的政權核心，這讓莫希心花怒放。他宣誓盡力完成其職務，之後回到高官的行列中，他們對他露出不屑的笑容。由於法老是軍隊的最高首領，而首相是其副手，因此「總司令」這個誇大其詞的職稱實際上並不具重要性。莫希將走出勢力範圍，不過成為一名尸位素餐、光領高餉的高官罷了。

宣佈底比斯市長一職的這一刻終於來臨，法老與首相的決定令所有在場的大臣驚訝得說不出話來：現任市長及其幕僚全部獲得續任，只加上一名立場保守的底比斯書記為總司庫。

莫希很佩服梅仁達的政治手腕。他避開了大家所疑慮的人事變動，贏得了底比斯一帶的人心，如此一來便不會有任何的動亂。換句話說，他比較顧慮北方的情勢，因此不願在南方增加其困擾。

最後只剩西岸總督一職待發佈，由於前任者悲慘的下場，使得這個職位變得特別敏感。

「莫希總司令請上前。」首相用沉著的口吻說道。

所有在場的人發出一陣驚訝的聲音。莫希本人也遲疑了一會兒，以為自己聽錯。但大家目光的焦點一致集中在他身上，使得他不得不再度來到首相面前。首相正式地賦予他阿布利生前的職務，而才剛升為總司令的莫希只好接受。

＊　＊　＊

在皇宮花園內的酪梨樹與洋桐槭蔭涼處，首相特別私下接見莫希。

「您對於自己被任命為總司令一職並不感到意外，但是卻沒想到會同時兼任西岸總督這項職務，對不對？」

「這兩個職位的責任都很重大，我原先以為一定會由兩名官員來勝任。」

「國王和我本人的想法正好相反，原因在於剛發生的一些事件。阿布利是真理村的公開反對者，他偽造公文、捏造不實的罪名，企圖欺騙國王。這種行為是他一個人瘋狂的舉動，或是我們有所不知的一項陰謀？現在還無法回答這個問題，但是我們不得不做最壞的想法，並且採取必要的防範。在拉美西斯統治的過去幾年，您成功地將底比斯部隊做了一番的整頓；無論是軍官或是士兵，大家都非常地敬佩您。您的權威性將不會受到質疑，因此您能夠根據首府的指示、確保當地的安全。」

「恕我冒昧向您請教，您是否真的擔心底比斯會發生動亂？」

「我不擔心底比斯，不過利比亞和亞洲人迄今仍是潛在的侵犯者，何況南方的努比亞部落不時會犯了他們好戰的天性。所以底比斯一帶需要保持穩定與和平，而像阿布利之徒可能會威脅到底比斯的安全。畢竟西岸的富裕教人眼紅……光是皇室的陵墓與百萬年神殿內的寶物即數不清！萬一那些心術不正的人在貪官污吏的幫助下成功地奪取這些寶物，埃及還有什麼前途可言？您要負責保護底比斯西岸的財產，莫希，行政權及軍事力量都在您手上，讓您得以完成任務。依我們的看法，這個任務非常重要，我們會密切地觀察您。」

「我會盡我所能、不辜負你們的期望。」

「盡可能還不夠，我們嚴格要求您提防對西岸的任何侵犯舉動。您是否完全明白我的話？」

「您可以相信我。」

「只要有一點風吹草動或是異常的情形。要立刻通報首府。阿布利的事件不能再次發生。」

首相離開了，留下莫希獨自回想命運對他的捉弄，幾乎忍不住想大笑一番。他是真理村的死對頭，卻被授權保護它，而且要比任何人都來得更努力！

一方面，他長期所做的努力終於開花結果，讓他獲得更大的權力，而另一方面他卻因此而綁手綁腳，無法對他夢寐以求的真理村做正面的攻擊。他是否應該就此棄他偉大的計劃、甘心地當一名沒有野心的底比斯顯貴？

他的同志賽克塔絕不會放過他的，他也很清楚自己有多大的能耐，即使他已爬上底比斯最高的地位，但仍深信他的前途不會侷限於本地。因此他只需要改變一下策略，便可達到奪取光明之石的目的，以及擁有真理村其他的秘密。不過他得小心翼翼地進行新的計劃。

他的運氣實在出奇的好，儘管面前存在著新的阻礙，可能因此放慢他前進的腳步，但他的前途的確一片光明。

「您需要什麼嗎？總司令。」一名士兵詢問他。

莫希自沉思中回過神，他不知不覺地徘徊於花園中，來到了崗哨站。

「沒有，沒有……」

「請容許我告訴您，底比斯的軍人都很榮幸能夠在你的指揮下服務。」

「謝謝。因為有你們，我們大家才能繼續有好的表現。」

莫希非常蔑視軍人，不過，從他的軍事生涯一開始，他便懂得奉承他們、給他們所希望的優惠待遇，而善加利用他們。

許多顯貴正在等著莫希與首相的談話結束，以便當面向他道賀，並且保證他們的忠誠不二。莫希細細地欣賞這些美言，不管他們是否言不由衷，聽起來仍然讓人感到如沐春風。

莫希回到他奢華的豪宅，所有的僕人一致向他鞠躬致意，他們因為能夠侍候這麼一位有權有勢的主人而感到無上的榮幸。

最好的禮物要算是他的妻子賽克塔對他不斷地送秋波、將他勾引到房間。

「你對這麼多的社交活動難道不覺厭煩，親愛的老公？」

「我覺得很過癮！看到自己的才幹受人重視，不是一件很愉快的事嗎？」

賽克塔躺在墊子上，慢慢地褪去衣衫、露出她的豐滿胸部。

「妳除掉阿布利有沒有碰到什麼困難？我的小可人兒。」

「完全沒有，還好我們這麼做，他原本正要揭發我們。將來我們在選擇盟友這方面，必需要加倍的小心……我希望你這兩個職位的升遷並未讓你收棄我們的大計劃？」

「當然不會……不過妳自己也說了，將來行事必需更加謹慎。只要稍微有個閃失，我們便會萬劫不復。」賽克塔如一隻慵懶的小貓般伸著懶腰。

「我們的日子過得越來越刺激，手中也多了不少的武器！」

莫希再也控制不住，猛烈地與他的共犯翻雲覆雨起來，然而他的腦海中只想著一件事：他絕不退縮，即使必須殺人也在所不惜，成功必定屬於他。

20

卡萊兒面對這些剛送來許多的禮物，怎能不感到驚嘆萬分？行會為了慶祝尼菲受到法老的器重，悄悄地準備了這一切，而雷努貝被選派為代表向女主人致意，其他人如卡沙、奈克持、卡洛、帕依及狄弟亞則幫忙搬運這些物品。

首先映入眼簾的是一張漂亮的首長專用高背椅，椅腳的底部呈獅爪形，麥稈編的座墊堅固得可以維持數百年之久。椅子上的裝飾圖案有螺旋形、菱形、蓮花與石榴圍繞著太陽的圖形，它象徵著建築師的思想永遠不斷地復生。與這張椅子不可分離的是一把折疊凳，凳腳的上端刻著幾隻鴛鴦頭；上面還有象牙與烏木的鑲嵌細工。

另外一張椅子有一個彎曲而傾斜的靠背，由二十八根木頭鑲榫接合而成，椅腳為踩在牛蹄上的獅爪，象徵著光明與力量，椅子上所畫的圖案是一個葡萄藤架和一串串漂亮的葡萄，令人想起壓榨葡萄準備釀酒時所舉行的儀式，而葡萄酒意味著奧塞利斯復生的血。

此外尚有數把皮製椅面的小凳子、方形的矮桌子、單腳小圓桌，幾個收藏床單棉被、衣物、工具的置物箱，還有裝麵包、蛋糕及水果的籃子，以及用棕樹枝葉脈或燈心草編的橢圓形、狹長形或圓筒形的籃筐，而且結紮得非常牢固……卡萊兒望著一整隊人馬來來去去地搬運著這些物品。

「太多了，真的太多了，我……」

「還沒完呢！」雷努貝說話的同時，卡沙正搬來一個漂亮的巴黎嫩雪松木櫃。

這個四隻短腳櫃的造形很像一個裡面坐神像的小神廟。

「妳可以將假髮放在這裡。」雷努貝一邊掀開蓋子、一邊解釋著。「妳看，裡面有幾條橫樑承住。蓋子外面有一個楔形榫，扣上櫃子後方的一個護條便可關上櫃子；在拉開蓋子的兩個握柄上，妳可以繫一條小繩子，然後在上面蓋個印，這麼一來妳就可以確定女佣不會偷看裡面的東西。啊，還有這個小東西……」

帕依將一個小首飾盒放在一張矮桌子上，首飾盒是用硬紙板以灰泥粉飾後再塗上一層色彩。它的形狀為圓柱形、有一個錐形的盒蓋，盒子本身裝飾有一朵盛開的蓮花。

「這真是太瘋狂了！我不能……」

「還有這是我們的最後一個禮物。」

帕尼泊背上扛著一張精美的新床走進屋內，臉上掛著一個大大的笑容。

「卡萊兒，請妳特別准許我進入妳的睡房。」

這張床的品質非常好，至少值五袋大麥。床頭及床尾畫有笑容滿面的睡神貝斯，而無論是床面到橫檔架或是床頭及床尾，工匠們的手藝精湛，已達完美的境界。

「這裡發生了什麼事？」尼菲問道。

「行會決定將我們的房子變成皇宮。」卡萊兒用感動的口吻回答他。「你看……到處都是禮物！」

尼菲的反應和妻子一樣非常的驚訝。

「反正就是這樣。」雷努貝下了結論。「重要的是，我們要尊重習俗，當一個好的上司只會為別人著想時，我們就應該要為他著想。」

「至少讓我請你們喝一杯葡萄酒吧？」

「這又再度證明我們的選擇是對的。」

帕尼泊為大家倒了酒。

「我們在國王谷地待了一整個早上，梅仁達已經正式決定其陵寢所在位置。」尼菲告訴卡萊兒。

「今天晚上，國王及皇后希望見妳一面。」

「我？但是為什麼……」

「為了給智女封冠。」

卡萊兒很希望能夠充份地為典禮做準備，但卻一直無法抽出時間。整個屋子裝滿了新家具，她的女傭浪費了她不少寶貴的時間：接著又有一個小女孩因為初期支氣管炎來看病、一名石匠牙疼得受不了而前來求診、還有一個家庭主婦有掉頭髮的問題。智女為這些病人一一看診、治療他們的病痛。但隨著時間一點一滴的流逝，夜幕即將籠罩大地。

卡萊兒想到教她許多事情而最後消失在深山裡、與沉默之神會合的前任智女。她可以感覺到智女就在她草紙上，她才中斷手上的工作，匆匆忙忙跑回家中。

「對不起，我遲到了。」

「我比你更遲！」

兩人仍然互相擁抱片刻，才穿上了他們的禮儀服。

* * *

國王夫婦在拉美西斯大帝的卡聖殿見智女。為了對其先父長達六十七年的統治表示敬意，梅仁達決定在沒有歷經長期治國的考驗之前，不在真理村蓋類似的紀念神廟。然而以梅仁達目前的年紀而言，要如其先父治國六十七年的可能性微乎其微，因此梅仁達對於這座樸實卻莊嚴的神廟已心滿意足，藉此他更能與偉大的拉美西斯法老死後的生活結合在一起。

在國王的左手邊是伊賽特皇后，左邊是尼菲寡言，沿著牆邊石板長凳上則坐著哈托爾女祭司們，她們都穿上了白色的長袍。

「請智女進來。」梅仁達命令道。

碧玉向國王夫婦行一鞠躬後走出立柱大廳，來到卡萊兒身旁，兩名女祭司才剛剛為她完成淨禮儀式。碧玉幫她穿上一件長至腳踝的白色摺紋亞麻袍、戴上一條很寬的金項鍊，以及細細的金手鐲，然後為她戴上黑色假髮，用一條蓮花髮帶束緊。

接著碧玉帶領她走進大廳，卡萊兒正面對著國王與皇后，雙手在胸前交叉。

「女人神之父母、萬物之本源。」皇后伊賽特說道。「若沒有了智女，埃及和這個行會也將不存在。只有女人能夠引來神靈並留住祂，祂才會化身。這就是皇后在國家、卡萊兒妳在真理村的任務。倘若真理村消失，則國家也會陷入險境。妳必須要讓這個團體的命脈延續下去、讓它創造的火生生不息。」

伊賽特起身將一頂細金環戴在她的頭上。

「由於妳的存在，智女，太陽因而東升、死亡因而遠離。妳要懂得運用語言和聲音，讓祭祀有其意義、讓祭品代表奉獻的精神。妳要懂得將人與人結合在一起、成為一個共同體，永遠不會分崩離析。」

尼菲將一把金燕尾榫交給皇后，她把它掛在卡萊兒的胸前。

「妳要成為行會的母親、養育它、照料它、並且為它治病。要維持人與神之間的和睦相處，諸神因為我們而缺乏生氣，急欲對我們加諸疾病與災難；要懂得適時解讀肉眼看不見的訊息、辨識疾病的來源，準備好藥方，深入了解各種毒液及其適當用法，讓自己成為一個知其所以然的人。」

皇后回到后座上，卡萊兒感到一陣暈眩。皇后的話讓她的義務突然間變得如此意義重大而意識到其重要性。她開始惶恐到想要放棄的地步，她想告訴國王與皇后，她只不過是個平凡的女人，無法勝任這麼一個職務。

然而當她的眼光與尼菲交錯時，她看見了尼菲不但以丈夫的眼神凝望她，同時也以真理村首長的身份注視著她。她發現在他的雙眸中，包含了如此多的信任、愛憐與敬佩，使得她決定不讓他失望。

「依皇后的推薦與所有在場女祭司的一致贊同，朕任命妳為真理村哈托爾女祭司團之總祭司。」

21

梅仁達與伊賽特在真理村的行宮裡度過了一段快樂的時光。國王夫婦兩人遠離朝廷、阿諛奉承與關說，盡情地參與祭祀儀典、拜訪工匠、邀請尼菲、卡萊兒、陵寢書記，以及左隊首長一起用餐，同時聽他們敘述工程及行會的日常生活。

肯伊一談起行會的歷史總是沒完沒了，有好幾次提到工匠的毛病，讓國王忍不住發笑。他還提及他們請假的理由不但繁多，甚至還會隨著季節改變，因此自己是如何嚴格地過濾這些理由。

國王與皇后對於工匠們的專業技術非常感興趣，因此來到梅仁達的百萬年神廟預定地；尼菲帶領伊賽特到皇后谷地，讓她看她的永生之所是如何巧妙地連接法老的陵寢。

他們舉行了一場宴席，以紀念過去曾經保護真理村的法老，就在這時，首相臉色抑鬱地來到法老面前。

「請恕臣冒昧要求與陛下單獨會談。」

「不能等到用餐結束時再談？」

「臣希望能儘快獲得陛下的意見，以便將陛下的詔令立刻傳回首府。」

兩人的談話維持了很長的一段時間。當梅仁達再度出現時，臉上增添了幾分憂慮的表情。

「朕明天便啟程回比拉美西斯。」他宣佈道。

「不知陛下是否有時間看我為陛下陵寢所設計的草圖？」

國王、尼菲和肯伊三人在工匠坊檢閱了文件。尼菲完全遵循第十九朝代，即塞特裔與拉美西斯時代的設計規格。

「此一設計草案很符合朕意，不需要有任何的修改。」國王說出他的看法。「至於其他有關牆面的經文、圖案及分佈的位置，請你另外再準備更詳細的方案讓朕過目。請務必記得一件事：不能有任何的錯誤。每一件事物都應該安排於適當之處。」

尼菲很清楚一座皇室的陵寢不同於其他的建築物，它的設計概念必須如煉金爐的火，能夠打造出永恆。尼菲汲取前輩的經驗、加上聖學各方面知識的吸收，務必要將作品表達出天籟般的和諧。

一想到如此高難度的創作可能面臨的困難，尼菲不禁感到頭昏。為了排除這種感覺，他趕緊打開紙莎草紙資料，開始參考上面所書的聖言。

＊　　＊　　＊

莫希的工作很繁忙，不斷地奔波於軍隊總司令與西岸總督兩個辦公室之間。他要求兩處都得重新上漆，並且添購許多家具以顯氣派。由於施工速度不夠快，他又要求調派更多的工人。

莫希每天都得來回兩岸數次、開會、研究資料和做決定，這種緊湊的生活方式非常適合他，而且他似乎總有無窮的精力。雖然他的權責僅限於當地，但底比斯這一帶畢竟是個富裕而重要的區域，他可藉此成為國家的重要人物之一，尤其是如果能因此而加入比拉美西斯的朝廷生涯。

為了達到國家高階層人物的地位，莫希勢必得盡力做好他的職務。他會像其他達官貴人一般、對自己的身份與財產顯出一副志得意滿的樣子，可是誰會猜到他背後的真正目的？

一名高級軍官向他行禮致意。

「總司令，王宮緊急召見您。」

「發生什麼事情？」

「似乎國王預備離開底比斯，所有的安全警衛隊必須列隊在場。」

「我立刻去安排。」

國王的船隊即將起錨開航；莫希採取了適當的保護措施，阻止人群靠近碼頭。當國王上船的時候，莫希在他面前鞠躬敬禮，國王看起來心事重重。首相在甲板上等待著他，隨後兩人立即消失在船艙內。

莫希與數名底比斯的高官交談，試圖從中獲得一些消息，但沒有人知道內情，大家都對國王匆促離去的原因感到困擾。只有一名拄著枴杖的老者提出比較合理的看法。

「有可能是梅仁達的反對派在首府圖謀篡位，再不然就是敵人準備侵犯埃及。不管真相如何，埃及的天空籠罩在一片黑暗中。」

* * *

帕尼泊已經完全掌握卡烏所教他的技巧，不再犯方格比例上的錯誤，即便如此，他也不會讓呆板的幾何畫法來左右他的手。

不過卡烏三番兩次地糾正一些小細節，並且批評他計算比例的方式太過馬虎。帕尼泊雖然總是和他爭辯，但偶爾也有讓步的時候。然而當圖案一上了色，帕尼泊不得不承認他的看法經常是對的。

傑德看著帕尼泊一點一滴的進步，從不容許他有任何的缺點。帕依心甘情願地接受帕尼泊晉升為傑德的助手，可是烏奈士卻不做如是想。他很早以前便承認傑德是一個天才，而且地位高於其他的畫匠，至於帕尼泊，無論他是否才華橫溢，他仍然沒有服從帕尼泊的心理準備。

傑德希望帶帕尼泊到國王谷地、進行梅仁達陵墓的裝飾工作之前，想先給他一個決定性的考驗。如果失敗，他就永遠不會是一名真正的畫匠。因此他叫其他三名畫匠在肯伊未來的陵墓內先準備好牆面的一角。傑德要帕尼泊畫一名工匠、身穿一件祭司的白色長袍，向卡塔神祭獻貢品。

帕尼泊帶著畫筆、刷子及顏料來到現場，牆面卻完全沒有準備。烏奈士背靠著牆，正在啃一顆洋蔥。他臉上的線條比從前任何時候更來得像是一隻豺狼。

「其他的人呢？」

「卡烏胃痛，帕依得了重感冒。而我呢，做菜時不小心切到了一根小指頭。有時候人就是這麼倒楣。你實在很不幸，傑德馬上就要來驗收成果了，而你卻還沒開始……」

「你真的很夠意思，專程跑來這兒等我、告訴我這些。我看你不如回家算了。」

「說得有理，我的傷口搞不好會發炎，我先處理去了。」

帕尼泊大可放棄而認輸，但他寧可知其不可為而為之。他先確定牆面表層的品質後，一個人開始畫起方格、準備顏料，接著未遵照先打草稿的規定，便直接彩繪人物。時間對他已不重要，就算傑德這時突然出現，而發現他的失敗，他也會想盡辦法堅持到底。

一整個早上已過去，甚至已經過了正午，傑德的身影始終未出現！帕尼泊開始有點時間修飾他的作品及線條，並且檢查整體架構上是否勻稱。

他突然覺得不勝其數的瑕疵在他眼前跳躍。

「你覺得滿意嗎？」傑德雙臂交叉、開口問他。

「沒有，這不過是個草圖。」

「當你作畫時，必需要同時位於正面、側面以及四分之三的斜角處；不要用遠景畫法，因為他會減少生命力。也不要採用明暗對比法，而要將多種視角配合在一起，同時強調主要的線條、臉部的側面、一隻眼睛的正面、整個上身的正面、腰部可以看見肚臍的四分之三正面、雙手雙腳採用側面……你要畫出不存在的空間，讓我們看得見隱藏的事實。當你畫一隻隼，要把牠幾種飛翔的姿勢集合成單一的形象，而當你畫人物的容貌，要將他所有的特點都表現出來。不要忘記我們的作品沒有時間性、只有代表永恒的剎那。我們絕不畫一天當中的某一個時辰，因為我們所重視的是白晝，它相等於光明的果實。你自己要嘗試停留在靜止不動的狀態中，讓它引導你的手。你也要遵守人類的階級制度；法老的尺寸要比其他人來得大，因為他是老百姓遮風避雨的大神廟；一名地主要比他的僕人高大，因為他要擔負更多的責任，並且要為他們的福利著想。至於我看到牆上的這名祭司，他的目光應該要稍為朝向天空。」

帕尼泊聚精會神地聽傑德所說的話。

「依你這幅圖作畫的速度如此迅速，也還算差強人意……不過你要有辦法修正它。否則你自己想想肯伊會有什麼樣的表情。」

帕尼泊自少年時代內心的沸騰終於可以盡情地發揮，因為傑德讓他開了雙眼、看到了事實的另一面，它比現實世界來得更強烈、美麗而富有生命力。

帕依突然闖入陵墓內。

「帕尼泊，快點跟我來……你老婆生了！」

22

智女找來六名哈托爾女祭司，幫忙娃貝特純潔在家裡生產。每個人臉上的表情都很嚴肅，因為她們非常清楚孩子來到世上，是一個相當危險的過程。嬰兒必須成功地與母體分開，而且在這個過程中不能讓任何不吉祥的事物接觸他，同時希望嬰兒出生的那一刻，創作的力量會賦予他生命的活力，永遠不會棄他的靈魂而去。

卡萊兒將鳥類的油脂與香料扔進爐子裡，然後把產婦分娩時腳上所踩的兩塊石頭分別放好。石頭上佈滿了托特神的經文，註定了新生兒的生命期限與一生的命運。其他幾位助手將牛奶、茴香、松脂、洋蔥和鹽混合製成的藥膏抹在產婦的陰道內，以減輕疼痛。

脆弱的娃貝特最近幾日腹部特別地膨脹，她無法掩飾自己擔憂的心情。

「是不是一切都正常？」

「妳放心。」卡萊兒對她說道：「馬上就要分娩了，妳甚至不用吃藥來減輕痛楚。孩子在肚子裡的位置很正常。」

「我覺得我的寶寶非常大……我的皮膚會不會撕裂？」

「不會的，妳不要害怕。妳的骨盆雖然不大，卻很適合生孩子。」

陣痛越來越急。女祭司們脫下她的衣服，幫助她蹲下，並且撐住她的上半身。

如同卡萊兒所預料，嬰兒安然無恙地來到這個世界上。他發出洪亮的哭聲，叫醒了大部份的村民。

「她們為什麼不讓我進去？」帕尼泊問道。

「因為誕生的儀式是女人家的事。」帕依回答他。「你在裡面不但一點幫助都沒有，反而會礙事。」

「可是那是我的孩子啊！」

「你就讓智女和她的助手去處理吧。」

「我們要如何養育一個孩子，帕依？」

「無論孩子是誰，每一個小孩就像是一根歪七扭八的木棍，這根木棍有兩個缺點；耳聾與忘恩負義（古代智者使用這種方法，意指一個尚未受教育的孩子是個聾子，因為「他背上的耳朵」尚未經過棍子打開，而棍子和語言發音相同（medou），因此師長的教誨被比喻成一根棍子，來幫助孩子開始生命的旅程）。所以要儘快打開他背上的耳朵，告訴他所應盡的義務，讓他了解他所欠父母的恩情，而且要教導他尊重別人。如此一來，他就會開始變得正直，然後長大成人。」

「萬一孩子像我，我就有苦頭吃了。」

大門終於打開，出現了笑容滿面的卡萊兒。

「是個兒子……一個漂亮的壯小子，至少有六公斤重！」

帕尼泊衝進滿是茉花香的房間內，他的妻子躺在一張舒適的床上休息，懷裡抱著一個巨大的寶寶。嬰兒有一頭濃密的黑髮，而且還有兩顆牙齒，帕尼泊驚訝地用食指摸摸它們。

「我從來沒見過這種事。」一名年紀最大的助產士坦承道。「而且臍帶粗得讓我們幾乎剪不動。」

帕尼泊覺得太美妙了。很明顯的，他的混小子可不在骨瘦如柴、弱不禁風之列。

「你對我滿不滿意？」娃貝特用疲倦細弱的聲音問他。

帕尼泊緊緊地擁吻他的妻子。

「我可以抱他嗎？」

「千萬要小心！」

「我想他一定是個愛打架的小子！」

孩子的膚色像母親、骨骼則像父親，而精液正是男人的骨骼內蘊釀成形。由於新生兒體重很有份量，帕尼泊對自己的生育能力因此感到放心。

卡萊兒讓年輕的母親娃貝特吃下蜂蜜與名之為「何露斯溫柔之眼」的生日蛋糕。一名女祭司將紙莎草的莖部末端研磨成細細的粉末，然後與母親的初乳混合；寶寶喝下它之後，才讓奶媽哺乳。

「所有該注意的事情是不是都做好了？」帕尼泊問道。

卡萊兒在嬰兒的脖子上佩戴一條亞麻做的護身符，它一共有七個結，每個結都掛著一小片折起來的紙莎草紙，裡面有阻擋黑暗力量的咒語，以及一小片迷你蒜頭和洋蔥片。

「只有光明可以保護這個孩子的生命、遠離偷偷潛行而來的死亡。」她說道。「沒有任何的魔鬼敢在黑暗中將他帶走，我們一整夜都會留一盞燈，並且也會守著他。」

帕尼泊鬆了一口氣，又想到一個重要的問題。

「我們要給他取什麼名字，娃貝特？」

作母親的要給孩子選擇一個名字。她可以給孩子取一個頭幾年使用的名字，另外再取一個秘名，等到孩子開始發揮其特長的時候才會揭露它。

「一個名字就夠了，」娃貝特純潔決定道。「我們的兒子就叫阿沛弟（埃及文aa-pehty，意指具有極大的力量或暴力者），也就是「強而有力的人」。

＊　＊　＊

三更半夜響起了一陣吵鬧聲。剛開始聽到一個醉漢用低沉的嗓子唱起歌來，然後另一個斷斷續續的嗓音加入了行列，第三個更是用荒腔走板的嗓門唱起前兩者所唱的下流小調。

這三名酒鬼扯著嗓門高喊他們對醇酒、美人、及自由的熱愛，結果吵醒了所有的村民，只聽見小孩的哭聲及狗吠聲此起彼落。

帕依的妻子忍無可忍地跑到外面一探究竟，打算叫這幾名搗蛋鬼立刻閉上嘴。

她一走出來卻大吃一驚。她發現帕尼泊一隻手扶著她踉蹌的丈夫，另一隻手則抓住連站都站不穩的雷努貝。

帕依一看見妻子便慌了手腳，重重地跌坐在地上。

「我可以向妳解釋……我們去慶祝帕尼泊的弄璋之喜，所以我……」

「你馬上給我滾回家！」

「我們是自由的男人，」雷努貝洋洋自得地說道，「而且我們還沒有喝過癮呢！」

老巫婆一巴掌便摑向雷努貝，而他根本沒有還手的能力。她一把扯住帕依脖子上的皮，弄得他痛得大叫出聲。

帕尼泊哈哈大笑，又開始邊唱歌、邊灌下一整壺酒，然後，他在碧玉家的牆面前停下腳步。他腦海裡突然閃過一個好玩的點子。這個點子會讓全村的人對他的才華佩服得五體投地。

* * *

美麗的碧玉一打開她的大門，便看見一大群人站在她家門口。大夥兒全都跑來觀看帕尼泊的大作，而他還躺在巷子中的地上呼呼大睡。牆上畫的是他情婦的全身裸體像，畫中的她正在彈一把豎琴。她身上唯一的一件衣服是一條極為細緻的珍珠腰鏈，更突顯了她完美的曲線。

大家議論紛紛，然而都不是讚美的句子。奈克特已經開始動手將這幅猥褻的壁畫塗掉，其他的人則責罵帕尼泊是被鬼迷了心竅。

「你們可知道他膽大包天到什麼地步？」一名女祭司尖聲說道。「他居然偷了貢桌上祭祀死人的酒。」

「別再胡說八道了。」碧玉開口說話。「帕尼泊所喝的酒都是從我的地窖裡拿的。他的畫只能得罪一個人，那就是我。不過我卻沒有被得罪。玩得開心難道有罪嗎？」

「若是這種玩法，的確有罪！」帕依的妻子反駁道。「到目前為止，這個村子一直過著寧靜的日子，絕不能讓帕尼泊這個狂野的小子來破壞！」

「妳難道不曾有年少輕狂的時候嗎？」碧玉反問她。

「我從來沒有醉到像他這樣不醒人事的地步，而且我也引為傲！這個混小子不值得一丁點而的同情。」

傑德走近人群。他一如往常般擦了香水、鬍子刮得整整齊齊。

「各位不要忘記，他已成為我的助手，而且有一個重要的工作正等著他去進行。以我個人的看法，我建議大家最好忘了這檔子事。」

村民之間你一言、我一語地討論了起來。結果卡沙提高嗓門喊出了最好的處理方法：

「我們去叫首長來！他自然會找出解決的辦法。」

尼菲正好在這個時候來到吵鬧的現場。他為了梅仁達的陵墓草圖一直工作到深夜。

聽到了一大堆前後不一的說辭，尼菲一時之間很難下結論。碧玉簡單明瞭地說明使他較為了解事情的來龍去脈。

「請大家都離開。」他下命令道，「讓我單獨與帕尼泊談談。」

帕依的妻子看到尼菲寡言生氣的表情，深信這個酒鬼一定會受到責罰。

帕尼泊對眾人的喧嚷聲渾然不覺，仍舊繼續睡他的大頭覺。尼菲用一只小陶杯在一個大甕裡舀了一些水，然後灑在帕尼泊的臉上。

他立即醒過來，並且馬上坐起身子，準備防衛自己。

「是誰敢在……」

「是你的隊長，帕尼泊，也是你該尊敬與服從的人。」

23

儘管帕尼泊頭痛欲裂，仍然站起身子，背靠在碧玉家的牆上。

「為什麼她的肖像被擦掉？」他憤怒地抗議著。

「因為所有房子的牆壁都得是白色。你記不記得，是你自己整修這些牆壁的。我想你也不願意看到這些牆壁被塗鴉得亂七八糟吧？」

帕尼泊把他的畫筆往空中一拋。

「我要征服整片天空，所有的星星以及整個大地，我要將它們融入我的畫中，讓最神秘的真相顯現，讓真相如戀愛中的女人般顫動而熱情！而且我想在哪畫，就在哪裡畫，那怕是房子的牆壁也一樣！」

「不行，帕尼泊。」

「什麼不行？你沒有權利強迫我什麼！」

「我是你的工匠首長，如果你犯了嚴重的錯誤，我有權利將你逐出行會，而拒絕服從首長就是一個嚴重的錯誤。」

這個威脅使得帕尼泊立即自酒醉中清醒。

「你不是當真的吧……」

「完全當真。不管我們遭遇到什麼樣的事，是福也好、是禍也罷，我們的行為不能像一般的老百姓，也不能做出有辱行會的事，因此你這種態度不能讓人接受。」

「換句話說，你不再是我的朋友了……」

「一個蜂巢比一隻蜜蜂來得更重要，帕尼泊，它也比友誼和個人的愛好更重要，是你逼我不得不用首長的身份跟你說話，無論代價是什麼，我絕不會逃避責任。」

帕尼泊緊緊握住雙拳。

「裸體女音樂家的畫像已經被擦掉了，牆壁也恢復了它的潔白……你還有什麼好怪罪的？」

「酒醉、鬧事和缺乏自制力，你何時才會了解你是為了偉大的任務而工作？」

「這是你的問題！我呢，只不過是傑德的助手罷了。」

「你錯了，帕尼泊。所有住在這個村子裡的人，即使有程度上的不同，大家都是為了一個共同的目標而生活。不管你有什麼樣的才華，我不會容許你單獨發揮。」

帕尼泊發覺尼菲寡言不是在開玩笑。

「你可知道是什麼在我內心沸騰？是那些陵寢！我可以畫上十來個也不嫌累！」

「但願如此，可是以目前的情況而言，你要不就接受處罰，要不就離開真理村。」

「你的處罰會不會很丟人？」

「你太不了解我了，帕尼泊。就算是一個處罰，也要對行會有利。」

* * *

莫希工作不但迅速、而且確實。由於他對軍方與行政體系有很深刻的了解，因此他成功地佈下了情報網，以獲取最大的機密消息來源，讓他能夠正確地判斷局勢的發展，而不致犯下太多的錯誤。

他對於紀律的要求很嚴格，而且他所挑選的部下都是冷血無情的人。他向他們承諾如果能讓他感到滿意，他一定會給他們最好的待遇，若是諾言無法兌現，便找個理由搪塞，然後再度承諾，莫希是玩這種權謀把戲的箇中好手，同時還擅長於不斷地散播謠言與誹謗。這種挑撥離間的手段有助於形成部下之間的對立狀態、製造彼此猜疑的氣氛，如此一來，萬一他要將失敗或做不好的責任推卸給別人會來得方便許多。

莫希撒謊時所表現的自信與說服力，使其他人對他的謊言深信不疑，他不同於大部份無所事事的高官而工作得很勤奮，因此很清楚每一份文件的內容，也不怕有任何的批評。

有一些正直廉潔、頭腦清醒的高級軍官對莫希是一種威脅，他必須特別留意他們，或是邀請他們到家中晚餐，以便聽取賽克塔對他們的看法。他親愛的、溫柔的妻子已完全沉醉於殺人的樂趣中，如果有必要，她會毫不猶豫地再度殺人。有這麼一位能幹的共犯，使得一些問題在還未發生之前便已解決。

底比斯護衛隊長陪同法老護衛隊返回比拉美西斯，剛剛歸來的他前來向莫希稟報。

「一路上可好？」

「非常好，總司令。一切情況正常。整個國家都很安定，法老的船隊一路上受到熱烈的歡迎，梅仁達也安然無恙地抵達比拉美西斯。」

「你對首府的印象如何？」

「不瞞總司令，它比不上底比斯。那些神廟和宮殿雖然宏偉，卻無法和歷史悠久的底比斯相比，而且我們的卡納克是無與倫比的。」

「有關當前的政局，你有沒有得到什麼消息？」

「情勢有點混亂。誰都不否認梅仁達的治國能力，但由於國王的年事已高，那些野心份子為了繼位問題已形成了派系之間的衝突。」

「難不成大家都忘了他是拉美西斯大帝的兒子、有可能活得和他父親一樣長久？」

「的確是忘了。而且其中兩名可能性較大的繼位人選已經開始正面交鋒，梅仁達的兒子塞特裔，以及塞特裔的火爆兒子阿孟美斯，就連塞特裔也拿他這個兒子沒辦法。」

「我們要儘可能的收集有關這兩個人的資料。」莫希指示道。

「我們在比拉美西斯有幾個好朋友，他們原本都是底比斯的軍官。」

「國王匆匆返回首府，是否起因於政變的可能性？」

「當時謠傳梅仁達已在底比斯駕崩。阿孟美斯立刻便放話說他的父親因為太過於悲痛，以致於不想繼位。雖然有若干差人送來正式的公文予以否認，但謠言仍然滿天飛，因此必需要國王緊急啟程返回首，以證實他別來無恙，現今一切都已恢復正常，不過梅仁達將來要鞏固其權威、化解陰謀，恐怕不是一件容易的事。」

「所以說他才要完全制服底比斯省。」莫希心裡想著：「萬一底比斯省要造反，他是否有能耐弭平亂事？」

「另外還有一件事，總司令：所有西部與東北部邊境上的防禦部隊都處於戒備狀態。」

莫希非常的火大。

「這個消息這麼重要，你為何不早說？」

「因為我查明後才得知這不過是一場演習。梅仁達只是想要證明他所下的命令能夠確實無誤地被傳達和執行。在這一方面似乎沒有什麼漏洞。」

「還是有點奇怪……這場演習會不會是故意隱瞞外來的侵略？」

「不會的，因為整個局勢都很安定，邊境也沒有外敵來犯。雖然如此，有些將領認為埃及的軍備已經很老舊，優秀的士兵也逐漸減少，長年的天下太平使得埃及的軍隊失去了鬥志。」

「這也就是我對底比斯軍隊進行改革的原因！」

「負責邊境防衛的精銳部隊目前駐紮在比拉美西斯，但他們的訓練很可能不夠嚴格。不過埃及尚未面臨任何嚴重的威脅，拉美西斯大帝所建立的和平應該會持續下去。」

莫希可不這麼想。拉美西斯已經去世，他的魔力也隨之而去。不久的將來，利比亞、敘利亞、和亞洲的好戰份子又會蠢蠢欲動，雖然拉美西斯當年完全征服了這些民族，而現今年邁的梅仁達將無法應付他們的復仇行動。

莫希得盡量利用這最後幾年的和平，來強化底比斯的軍隊，說不定明日底比斯軍隊成了埃及存亡的關鍵，而他就成了偉大的救星。

「皇后的風評如何？」莫希問道。

「她對丈夫很忠貞，也完全沒不和的理由，他們的夫妻關係很穩固，梅仁達對於宮廷內的年輕美女從來不多看一眼，他天生嚴肅的個性使他總是埋頭苦幹，很少親臨宴會。在他已是一國之尊，肩上的重擔更加沉苛，可想而知，他連在三角洲的沼澤上遊船的閒情逸緻都沒有。」

「真是不幸。」莫希暗忖道：「如果換了一位平庸且不忠的皇后，也許較容易受人擺佈。」

「皇宮內的情形如何？」

「伊賽特在人事方面管得很嚴。實際上，在拉美西斯的批准下，她管理這個皇宮已經有好幾年，因此宮廷內很久沒有傳出醜聞。梅仁達的妻子在管理方面相當的能幹，沒有人敢造次。」

在莫希的眼裡，這是一個具有利用價值的情報，他可以隨機應變，不過他不能一味地等待。他必須要趁虛而入，或是擴大已經存在的缺口，同時，他必需要想到一個問題，對於真理村要採取什麼樣的作法？

24

索貝克隊長熱愛他的職業，而且他的確是個好警察。他和其他的好警察一樣有很深的危機意識。索貝克已總覺到危險就在他身邊，甚至在真理村內。十年的光陰已過，他仍尚未找出那名殺害努比亞警衛的兇手，以及企圖毀掉尼菲寡言的始作俑者。同樣的假設不斷地浮現在他的腦海；這個惡魔就藏匿在村子裡，而且是屬於尼菲隊上的一名工匠。

經過了拉美西斯過世、尼菲寡言升任首長的這兩件事之後，這名罪犯是否已洗手不幹？索貝克不以為然。他深信這個具有耐心、意志堅定的魔鬼一定會為了達到某種目的而不擇手段。

尼菲所冒的危險比任何時候都來得大。

此外，這名叛徒在村外一定有共犯。阿布利的死並非是個自殺事件，而是有人怕他多說話，所以把他給做了。阿布利是堂堂的西岸總督、真理村的保護者，竟然捲入這宗陰謀、其嚴重性不難想像。他的死亡使得這條重要的線索為之中斷。不過，倘若索貝克有辦法認出這名違背誓言的工匠，也許就能因此而找出新的線索。

索貝克剛剛私下做了一個決定，而且不打算告訴任何人；他準備用盡所有可能的方法來跟蹤右隊的每一名工匠。如果這個禽獸真的躲在右隊裡面，總有一天會露出馬腳。

「隊長！」一名部下向他通報，「驢子到了。」

「不是聽說您訂了一頭驢子嗎？」

「喔！的確是。你去告訴驢販，說我這個禮拜會付錢給他。」

索貝克聽取那些努比亞警衛的報告，一切都很正常。國王谷地的門禁森嚴，沒有任何可疑的人物企圖接近。

索貝克的部下們不斷地埋怨花這麼長的時間來監視，而情勢看來卻很平靜。再說，這種超時的苦差事所獲得的補償也不高。

索貝克怒氣沖沖地走進來。

「你們這些混蛋以為這裡是什麼地方？你們不是負責監視一座糧倉，而是真理村！能為它服務是無上的光榮，如果有人聽不懂，可以馬上給我辭職。」

大夥兒停止了抱怨，全部回到他們的工作崗位。索貝克開始查看他的驢子。

「驢販要求多少？」

「一匹布、一雙涼鞋、一袋黑麥和一袋麵粉。」警衛說道。

「簡直欺人太甚！這個可憐的畜牲又老、又病，根本跑不了山路。叫人把牠牽到棕樹林裡，讓牠在那兒安享剩餘不多的日子吧！」

驢販向莫希恭敬地行了一個禮。

「我照著您的指示去做了。」

「你確實送了一頭老畜牲去給索貝克？」

「牠老得幾乎走不動。」

「你有沒有向他要個好價錢？」

「我要的價錢等於是一個健壯的驢子所值的價錢。」

「交貨單有沒有被登記下來？」

「當然有，不過上頭寫的是一隻精力充沛的好驢子，而且有好幾個人可以證明他們親眼目睹牠從我的牧場牽出來。」

「非常好……這麼一來，索貝克不得不付你錢。千萬不要催他付款，等時間久一點再說。我有一個好消息要告訴你：底比斯市政府準備向你訂一些驢子。你的驢子要能夠吃苦耐勞，而且價格要便宜，我得非常小心公庫的支出。」

* * *

帕尼泊日以繼夜的埋頭苦幹，想要儘快完成尼菲罰他做的勞役。這倒也讓他有機會學到石碑雕刻的新技術，同時可以讓他嚐試另一種畫風。

由於碧玉家的葡萄酒品質極佳，他宿醉後的頭疼很快就消失；出生後的阿沛弟與娃貝特純潔兩人身體都很健康，因此，儘管村子裡對他的行為還不能諒解，帕尼泊卻一點也不後悔。幸好他一個人關在工作室，因而聽不見他人的閒言閒語。

尼菲寡言來到工作室，帕尼泊正在為奧塞利斯的眼睛塗上最後一道綠色。

他至少塑造了一百隻以上的耳朵；有黑色的耳朵，如艾何梅斯·奈費達莉皇后，真理村女性行會的創立者；有黃色的耳朵，如建築工所崇敬的阿孟霍特普一世；有代表天空色的深藍色耳朵，讓諸神所創造的空氣流通於其中；有長七公分、寬四公分、厚兩公分的石灰岩耳朵；還有一些在石碑上圓刻或凹刻的耳朵，這些石碑準備安置在神廟內。

「我只要求十來對耳朵，做為神廟的祭品。」尼菲說道。

「我也沒想到越做越起勁……反而有了這麼一大堆耳朵，眾神總該聽到全村的祈禱吧？」

「神法是雙向的，帕尼泊；希望祂們的確聽得見我們的聲音，不過我們更希望能聽得見祂們的聲音，尤其是你。難道你忘了一名真理村的使徒是『聽見召喚的人』？假使你只聽見自己的聲音，你的心靈可能會因此而無法領會村子的精神。」

「『聆聽勝於一切之上……』可是這十年以來我除了聽、還是聽！」

「第一，你說話太誇張；第二，你以為一名工匠會有聽完的一天？」

「不要再跟我說這些大道理了！我是不是要負責運送這些耳朵？」

「你懷疑嗎？」

奈克特打斷了兩人的談話。

「太悲慘了。」他上氣不接下氣地說道：「真的是太悲慘了……孩子……最後還是死了！」

帕尼泊一個箭步衝出大門，沒命地往家裡跑。

命運為何要如此捉弄他？喝醉酒難道會嚴重觸犯天神到這種地步？不錯，最近這幾個禮拜以來，他對自己的才華的確是過於驕傲和自我膨脹，但嬰兒是無辜的！

娃貝特純潔正在前廳休息。

「帕尼泊……你怎麼看來一副驚惶的樣子？」

「事情是如何發生的？」

「你到底在說什麼？」

他抓住她的肩膀。

「告訴我，娃貝特，我要知道！」

「可是……關於什麼事？」

「我的兒子……他是怎麼死的？」

「你在胡扯些什麼？奶媽正在餵他喝奶呀！」

帕尼泊衝進房間裡。阿沛弟吸奶吸得正起勁，連氣都來不及換。

「他體重已經開始增加了。」奶媽說道：「你們的寶寶真是漂亮。」

娃貝特純潔過來詢問丈夫。

「你剛剛說什麼一個孩子死了？」

「是奈克特跑來通知我的。」

受到震驚的村民全部聚集在出事的地點。智女被緊急找來，卻只能眼睜睜地看著孩子死去。小男孩想要在一個小女生面前逞英雄，於是爬上屋頂，在陽台的牆緣上表演平衡功夫，卻沒想到一個倒栽蔥跌到路面上，而命中註定摔下來時又撞到階梯。

沒有人敢去摸屍體。帕尼泊溫柔地將一動也不動的小小身體抱起來摟在懷中，彷彿小男孩正在熟睡中。

一名男子自圍觀的人群中擠了出來，臉上寫滿了痛苦的表情。

「他是我的兒子。」珠寶匠圖弟說道。「我的二兒子……他才不過五歲啊！」

「你要不要抱他？」

「不，帕尼泊，我沒有勇氣……謝謝你的幫忙，我真的很感激你。」

孩子的母親昏了過去，智女趕忙照顧她。尼菲穿上一件綴滿星星的復生祭司袍，並找了幾名工匠進行淨身儀式，以幫忙料理葬禮事宜。

村民尚未自震驚中恢復過來。他們組成送葬行列，慢慢地走向西邊的墓園。墓園較低的地方埋葬著早夭的小孩。未出生即夭折的胚胎被安置在甕裡面，而一出生即死亡的嬰兒則被安放在圓形或橢圓形的簍子裡。儘管這些嬰兒身上佩戴著具有神力的護身符，死神仍然奪走他們小小的生命。

狄弟亞拿出存放在他工作室裡的一塊槭木，為珠寶匠死去的愛兒做了一個方形的小木箱。

葬禮上尼菲寡言弔唁嬰兒將回歸到天上聖母巨大的懷抱中，這時帕尼泊用亞麻布將小小的軀體包裹好，然後放入小棺木內，碧玉在棺木內放了兩個瓶子，裡面裝有麵包、葡萄和棗子，讓小孩在冥間的路上可以享用。

接著棺木被下葬在坑洞裡，大地之神會將它吸收，變成一葉輕舟，航向在宇宙無邊的水域上。根據行會的習俗，真理村的工匠就是祭司，所以不需要任何外界的幫助。全體村民都換上了喪服，直到最後與小男孩分離的那一刻，帕尼泊仍然強迫自己相信，他可以用他的體熱與力量來挽回孩子的生命。村民永遠也不會忘記帕尼泊所流下的眼淚。

25

「我們的耐心已用盡，莫希，這一次，您已經找不出任何理由要我再多等下去！」

這個又矮、又肥、膽敢頂撞總司令的大鬍子名叫達克泰，父親是希臘的數學家，母親是波斯籍的化學家。他那一雙具有侵略性的黑色小眼睛、暗紅色的毛髮、五短身材，著實令人不想多看一眼。

達克泰是底比斯中央實驗所所長，其辦公廳位於離真理村不遠的西岸。他有一個偉大的計劃：讓古老的埃及邁入科學發展的新紀元、擺脫它過時的信仰、發揮它無比的潛在力量。達克泰肆無忌憚地剽竊他人的構想，使自己成為一個名氣響亮、具有權威性的科學家。他想要強迫別人接受他的看法，由人類來主宰大自然。

若想成功，他還必須具備兩個條件；一是有大人物的支持，二是獲得真理村的秘密。唯一能夠滿足他的人就是莫希，後者快速晉升非常有利於霸佔行會的寶物，而且他曾經親眼看到它們，確定這些寶物並非只是一個神話。

然而，這個在後台給他撐腰、也是盟友的莫希卻讓達克泰無事可做、悶得發慌。他空有好聽的頭銜，卻無法盡情發揮其才能。

莫希微笑地看著達克泰。

「你是不是覺得自己被遺忘了？」

「完全正確！」

「那你就錯了。我只是有其他的要事在身。」

「但科學……」

「科學與權利永遠是兩者一體的！所以說，拉美西斯的消失與後勢發展對我而言比你個人的慾望來得更重要。」

「這個我承認，可是您不但已經是一個堂堂的總司令，也同時是西岸的總督，您還有什麼好顧慮的？」

「你是一個天才，達克泰，我們一定會實現你的偉大計劃，但你卻不是很了解埃及。沒錯，我是富裕、強盛之底比斯省的幕後主人，然而也是真理村的保護者，法老會親自監督我的工作。」

「也就是說我會因此礙手礙腳？」

「一點兒也不會，親愛的達克泰！只是我們要更加地謹慎小心，而且要像狐狸般狡猾。」

達克泰惆悵地坐在椅子上縮成一團。

「這個該死的行會所擁有的秘密，看來是無法到手了。」

「你向來是個有耐心的人，怎麼一下子就感到失望呢？」

「我的頭腦很清醒，您的升遷反而讓您心有餘力而不足！」

「你要知道我從不輕言放棄，而且善於隨機應變。我所擁有的權利絕對有好有壞。」

「可是您打算怎麼做？」

「首先，我要除掉一根眼中釘，那就是我始終賄賂不到的索貝克隊長。第二，強迫陵寢書記和工匠首長履行他們的義務。你不是向我提過一個定期一次的遠征隊嗎？」

「我是說過，不但如此，我始終無法了解為什麼行會的工匠仍舊繼續參加遠征隊。」

「拉美西斯的統治時代已結束，梅仁達才剛剛接手，大家都不是很習慣，可是我可以讓他們恢復正常。你是中央實驗所所長，相信你還缺一些方鉛石和瀝青，不是嗎？」

達克泰醜陋的臉上頓時發出光彩。

「我明天一早就給您送上相關的報告，再加上一份緊急申請書。」

「你喜歡旅行嗎？我的朋友。」

「我不會排斥。」

「你將是這次遠征隊的老闆，達克泰。這麼一來，一切都在你的掌控中。」

* * *

真理村的工匠可以分為兩類：一種是技術精湛。但卻未「謁見上帝」的工匠，另一種是親身體過金坊奧秘的工匠，如尼菲寡言。後者有資格以卡納克大祭司的方式主持祭祀典禮。

尼菲身兼工匠和祭司，每天第一件事就是到神廟裡進行神聖的工作，也就是祈禱神光的呈現，讓它為樹木、石頭及其他的物質賦予生命。

尼菲在淨身進入神廟的同時，心裡想著智者所必需具備的品德；致力於正直與公正的事物、表裡如一、沉默而寧靜、性格堅強、可以同時忍受幸與不幸、具有警惕之心與明辨是非的舌頭。他認為自己仍相去太遠，而他卻需要這些品德讓自己能夠完成任務而不出錯。

他別無選擇，只能前進，日復一日，每天只為行會著想而不為自己。他不斷地想著如何承受這些沉重的責任，幸而早晨的祭祀又使他重新燃起了力量。

尼菲戴著法老頒贈的金牌，走進真理村的第一神廟，它是為了瑪亞特女神和哈托爾女神所建，前者是宇宙的永恒規則，後者是愛的創造者，兩者殊途同歸，祂們是同一個萬能之神的兩種面貌。

神廟是海洋上首先浮出的小島，它是上帝凝望這個世界的眼睛，也是一個不斷蛻變的活體，以自體和隱藏於石頭內的光芒為食。

在此處，一切都是共鳴、是天籟、是數字與諧和的比例；偶然與運氣無法存在於此。神廟的每一部份都形成天空，它是工匠之母的住所，不管祂的名字是瑪亞特、哈托爾或沉默之神，都是在此讓祂的子女獲得精神上的重生。

在尼菲供養瑪亞特女神的同一時刻，法老也在比拉美西斯的聖殿內進行同樣的儀式。之後尼菲來到含有特殊意義的神舟廳，真理村被比喻成一條大船，左、右兩隊的工匠是他的船員。

尼菲想要在圖弟服喪的日子裡，將他早夭的兒子加入行會的遠航行程。因此他在一個新的杯子上畫一個太陽，然後將它放在聖舟的前方，永垂不朽的星星是它的槳手，它們會將小男孩的靈魂一起帶走。

尼菲走出聖殿的時候，清晨的太陽已經熱情地散發出它的光芒。哈托爾女祭司們忙著把花佈置在祖先的供桌上，一些家庭主婦前去汲取清涼的水。孩子們的笑聲已將悲劇的陰影一掃而光，充滿了無限的美好未來。

帕尼泊在神殿大門的兩旁安置了一座刻畫有耳朵的石碑。尼菲看到它們不禁露出了微笑，然後便往雕刻工作室走去。

工作室的大門鎖著。

雷努貝正往這兒跑來。

「千萬不要擔心！一切都很正常。」

「為什麼工作室的大門沒開？」

「不是不開，只是稍微有點耽誤而已。」

「歐塞哈特生病了嗎？」

「他，生病？我不認為。」

「他是不是應該把鑰匙交給你？」

「沒錯，應該是這樣，可是他把它弄丟了！所以，想必他正在找鑰匙，所以他才遲到。等他找到，就會開門，我們就可以開始工作。」

「你撒謊的技術不是很高明，雷努貝，為什麼不告訴事實的真相？」

雷努貝更加表現出輕鬆愉快的樣子。

「沒有什麼大不了的事情，我向您保證只不過是一個小小的誤會罷了，很快就會煙消雲散的，我很肯定。」

「你可不可以說清楚一點？」

「你也了解歐塞哈特這個人，他的脾氣有時候不是很好，現在正在大發雷霆。」

「他為什麼不高興？」

「該怎麼說……他和我們的同事伊普伊有點小口角。不過一點都不嚴重，我跟你保證！」

「為什麼這個口角使得歐塞哈特不來開工作室的大門？」

雷努貝不敢正眼看著尼菲。

「因為歐塞哈特拒絕工作。」

26

歐塞哈特待在他舒適的前廳裡，他把花放在供桌上祭拜祖先，然後拿起一塊槭木刻成翅膀會動的小鴨子，以打發時間。等他完成後，兩個女兒可以和這隻鴨子玩上好幾個鐘頭。

「我一直在等你來見我。」尼菲說道。

「而我，正在等你的解釋。」他放下鑿子和未完成的鴨子轉身面對尼菲寡言。他結實的胸膛因憤怒的情緒而上下起伏。

「我是右隊的雕匠組長，而且左隊的同事也視我為他們的師傅，對不對？」

「完全正確。」

「既然如此，我無法忍受伊普伊對我無禮的態度！自從他上次在葬禮上為法老舉扇子後，這個自以為是的傢伙還真的以為自己無所不能。既然這樣，我下定決心；只要他存在於行會的一天，我就不工作，也不打開工作室的大門。」

尼菲大可以發脾氣，並提醒歐塞哈特其態度完全不符合行會的規定，甚至比帕尼泊好不到那兒去。不過這樣做等於是火上加油，只會擴大事情的嚴重性，而這個時候尼菲最需要的就是團隊的和諧，以便進行兩個工地的重大工程。

因此，尼菲寧可在一張凳子上坐下來，準備一次解決。

「你對伊普伊有什麼不滿？」

歐塞哈特也坐了下來。

「你知不知道一頭上等貨色的豬價值多少？」

「大約是兩個普通籃子的價格。」尼菲估算道。

「我打算買三頭豬，而且開了一個好價錢；一個上好的籃子！這個交易似乎本來已經說好了，但豬販卻告訴我他有一個客人出更好的價錢；一張床！雖然是一張簡單的床卻也超過了三頭豬的實際價值。你猜猜開這玩笑的不老實傢伙是誰？就是伊普伊，我的雕刻同事！他非常清楚這些豬是要賣給我的，他卻亂開價錢買到牠們，就是為了氣我！」

「就算是這樣，為什麼你們倆會反目成仇？」

「因為我們倆個在一座石灰岩雕像的售價上有不同的意見，這座雕像是要送去給卡納克的一個糧倉主管的。我覺得伊普伊的要價太高，他卻拒絕同意我的看法。如果我是他的上司，他就得聽我的！否則，我就不做了。」

「你說得有道理。」

歐塞哈特眼神為之一亮。

「我一直是支持你的，尼菲，我也從來沒有後悔過！你準備什麼時候召開法庭、宣佈開除伊普伊？」

「我們先從別的地方著手。」

「啊！什麼地方？」

「通知豬販不准再用不合理的價格進行交易。如果他繼續堅持，沒有人會再買他的豬；而如果是伊普伊自己堅持，那就讓他破產。」

「很好，很好，但雕像價格的問題該怎麼辦？」

「我說過，你講得很有道理：不要再做了。乾脆取消訂單，你也不用再送任何雕像給糧倉主管。伊普伊什麼也得不到，你的面子也挽回了。」

「話是沒錯，可是這麼一來就失去了這筆重要的收入。或許有其他折衷的辦法。」

「你，和伊普伊妥協？」

「不，當然不行，不過以你的身份，你可以跟他談談，讓他承認錯誤。我們仍然把雕像完成，然後用你認為合理的價錢賣出去。」

「在這種情況下，你願不願意和伊普伊講和？」

歐塞哈特倒了一杯水給尼菲。

「他骨子裡不是壞心眼，但我才是雕刻組長！」

「我們可以去開工作室的門嗎？」

歐塞哈特挺起胸膛。

「這是我的責任，也很引以為傲。告訴我，尼菲，你會不會認為我有點自大？我自己是這麼認為，說不定我比伊普伊來得更愚蠢？」

「重要的是，我們要把任務完成。我既不想批評你、也不想批評他。」

在尼菲的注視下，雷努貝把木頭砍斷，而伊普伊則用一把橫口斧為一座象徵「穩定」的柱子加工。在工作室的角落裡有一個葬禮面具和一具木乃伊棺。

歐塞哈特已經完成一座大臣用跪姿、雙手平放在臀部、眼光朝向天空的雕像，然後用石英粉為主的研磨膏輕輕地為雕像磨光。

看他工作很令人入迷；他撫摸著雕像，對它低聲耳語，告訴他用什麼方法讓它變得有生命，同時他的動作很規律，規律到他必須完全控制自己的呼吸與力道。

遞給伊普伊一把鋸子。

「換你了。」

兩人交換了一下目光。歐塞哈特的目光嚴肅而毫無敵意，而伊普伊的目光含有尊敬與友誼。

雷努貝找出了歐塞哈特在石灰岩上畫的紅線，以便確定雕像的輪廓。他非常準確地把多餘的部份切割掉，以取得歐塞哈特所想要的外形。

一個祈禱者的面貌於焉成形。

雷努貝接手進行第二道磨平的工作，他很高興看到兩個同事已經和好。

「等你做完的時候。」歐塞哈特說道：「我再用火石鑽頭來雕刻眼睛、耳朵和手等部份；伊普伊用雙手搓銅管，讓腳的部份分開；然後我自己再進行最後的磨光，這道手續最為複雜，因為臉部與身體的固定形狀就靠它。這尊雕像會是一個完美的傑作，夥伴們，相信我！」

「你們要儘快完成它。」尼菲要求道：「接下來一個月，你們會有很多工作。我們需要若干新的木雕，用於行會的創立者阿孟霍特普一世的節慶日，以及梅仁達法老的幾尊塑像。」

三名雕匠對於這項決定並不感到意外，不過自尼菲首長的口中說出來，意義便不同。剎那之間，他們意識到這項使命的重大與困難。

「我們需要大量的石頭，而且材質要好。」歐塞哈特提醒道。

「我今天就叫人通知採石場。」尼菲說道：「你們也會有一些新的工具和所有需要的材料。」

「我們的休假會不會受到影響？」

「不瞞你們說，這很有可能。真理村必須維持它的名聲，我有預感我們已經沒有時間可以浪費。」

「所以我們不會感到無聊了。」雷努貝抓頭說道：「我們何時才會拿到國王的正式畫像做為參考？」

「在這裡。」尼菲回答他，同時揭開一尊梅仁達表情嚴肅的石膏像，臉上莊嚴的線條可與拉美西斯大帝媲美。

「你真有一手。」歐塞哈特讚美道：「你才是真正的雕塑大師。」

「是你教導有方。那些巨型雕像、奧塞利斯立身像、其他坐姿及手持祭品的跪坐像就要靠你們了。」

傑德走進工作室，他很感興趣地瞄了一眼正在進行的工作。

「能夠和有才華的同事為伍還真不錯。」他勉強地讚美，口氣中仍帶有一絲的輕蔑。「我可否與首長私下說幾句話？」

聽傑德的口吻，似乎事關緊急。

雖然如此，在爬往肯伊陵墓的途中，傑德仍不改他一貫的優雅步伐。

「我一定要讓你看看帕尼泊阿當所幹的好事。」

麻煩又來了，尼菲心想這漫長的一天還有多少意外狀況要應付？

傑德在一道牆壁前停下腳步，牆上有帕尼泊已經修改過的壁畫，畫的是一名祭司正在對卜塔神祭獻貢品。柔和的光線更加襯托出線條的細膩和炫麗的色彩。

「這畫得簡直是太棒了！」尼菲評論道。

「可不是嗎？一名偉大的畫匠誕生了。」

27

牛妞一如往常般起勁地掃著地，而且她已經數次企圖進軍肯伊的書房。肯伊越來越保住他的勢力範圍。這個小討厭愈來愈肆無忌憚，對他的命令討價還價，甚至有時還自做主張。但她的廚藝的確沒話說，陵寢書記已經無法想像沒有她的日子會是如何。

「信差剛剛送來這份信要給您。」她邊說邊把紙莎草紙來函交給他，上面有西岸總督莫希的泥印。

肯伊立即打開它。

他的用詞雖然很禮貌，卻明顯要求隔天務必要見肯伊一面。

「我現在要出去一趟。」他告訴牛妞。

「可是午餐已經快準備好了。」

「我不會耽擱太久的，」

肯伊在雕匠工作室找到尼菲，後者正在研究歐塞哈特所建議的雕像模型。

「莫希要召見我。」他說道。

「有什麼不尋常的地方嗎？」尼菲應道。

「沒有，他只是照章行事而已。他想和我談談並沒有什麼不合法，但我不一定要照他的意思去做。」

「如果你不理會他，會不會造成不必要的緊張關係？」

「是有這種危險性。根據我的消息，這個人辦起公來有板有眼。而且照道理講，他是我們的保護者，要幫助我們免去一些行政上的麻煩。的確是該賣他一個面子。」

「可是您似乎不是很想見到他。」

「的確是。」肯伊承認道。「因為我怕他可能會有所要求。他還不是像其他高官一樣，根本不了解我們行會所扮演的角色，而且勢必會對我們減少他所謂的特權。在這種情況下，我們的談話一定無法繼續下去。這個莫希必須要接受無法控制我們的事實，我們一步也不會退讓。」

莫希豪宅內的門房恭敬地向陵寢書記行個禮，接著有人傳話給管家。後者很快地趕了過來。

「主人正在等著您。」他邊說邊向他鞠躬行禮。「請您跟我來。」

管家經過位於右側的僕人房，走進一條鋪有石板、兩旁種有角豆樹的小徑，它的盡頭出現一個大花園，正中央有一個大水池。

他一走進宏偉的大門，兩名僕人便侍候肯伊坐下。他們為他清洗手腳，並且用芳香的亞麻布為他擦乾，然後請他穿上一雙漂亮的涼鞋。

管家帶他穿過一間等候室，室內的天花板繪有交錯的植物，並且有兩根斑岩石柱頂著。他們最後來到一間四根立柱的大廳，裡面的裝飾壁畫都是打獵和沼澤捕魚的情景。

「主人，您的訪客到了。」

莫希身上穿著最新款式的打褶衫和一件長裙，腰間用一條皮帶繫住。他放下手中的書記石板，走過來與客人寒暄。

「親愛的肯伊，很高興能夠見到您！我比較希望在我家與您私下會面，而不是在侷促的辦公室裡。此外，我還給您準備一個小小的驚喜！」

矮桌上有一只紅色的酒壺，上頭刻著：「哈爾塞綠洲白葡萄酒。拉美西斯五年。」

司酒官倒了兩杯酒之後退下。

「這個是拉美西斯大帝在卡得士征服赫梯人那一年的特級酒！我偷偷告訴您，我只剩下三壺，要不要讓我們一起嚐嚐？」

肯伊在一張獅爪腳的扶椅上坐下來，它和其他的家具一樣，都是上等品質。這個新總司令不但喜愛財富，也喜歡炫耀自己的財富。他既風趣又熱情，很擅於令客人感到自在。不過他的魅力在肯伊的身上起不了作用，肯伊只是適可而止地讚美葡萄酒的濃郁果香味。

「您要不要來點水果或糕點？」

「有這個上好的酒就足夠了。它實在好喝，真的！」

「好東西與好朋友分享是一件開心的事！我們很幸運，能夠生活在一個懂得釀製這等好酒的國家裡。請容我關心您的健康情形？」

「我已不再是個年輕小伙子了，不過我這身老骨頭還挺硬朗的，也沒有什麼大毛病。」

「讓我們舉杯祝我們倆長命百歲！」

第二杯喝起來仍舊和第一杯一樣甘美。

「假使他打算把我灌醉，那他可要失望了。」肯伊心想道：「就算要喝掉他地窖裡大半的酒，我也絕不會因為痛風而退縮。」

「您也許已經知道，法老任命我兩個職位，一是底比斯軍隊的總司令，一是西岸總督。在他的觀念裡，這兩者密不可分，因為我的責任是要保障這個地區的富庶與安全；而我會全力以赴，只能成功、不能失敗。我的任務和你們息息相關，因為真理村也在我的管轄範圍內。」

「它的確是位於西岸。」肯伊糾正道：「但它直屬於法老。」

「那當然，親愛的朋友，自它成立以來一直是如此！我的角色僅在於用我的能力加上安全隊長索貝克的才幹，來防止所有的侵犯。您要知道梅仁達和其他的法老一樣非常重視你們的行會，他希望看到行會能在最無憂慮的情況下運作。」

「只要埃及不改原樣。」肯伊說道：「一切都會維持現狀。」

莫希始終無法讓這個老書記舒展眉心，他很訝異綠洲的白葡萄酒竟然未發揮它的功能。想必他低估了這個厲害對手。

「我想向您請教一個不甚妥當的問題，親愛的朋友。」

「只要是有關真理村的一切，我無可奉告。」

「當然不是有關這些，而是關於我們前一任總督阿布利。他的悲慘下場令我感到不安，我必須承認這點。他原該負責讓行會不受騷擾，但他卻反而一味地與它作對，甚至捏造了一份不實的報告來欺騙國王！他犯下了如此大逆不道的罪行，最後只有自我了結，這個悲劇帶給我一個啟示：也許某些具有影響力的大臣會企圖摧毀你們。」

陵寢書記似乎對這個假設無動於衷。

「這已經不是新鮮事。」他回應道：「而且也無法避免。從最初以來，由於真理村的秘密一直保留得很好，因此留給了大家許多想像的空間，乃至於過度膨脹。」

「這可能會招來危險！」

「幸好您並未輕忽它，莫希。有了您，我們以後可以睡得較安穩。」

「沒問題，您可以信賴我；而我，我就靠您的幫忙了。」

「我再重複一次，只有法老和首相有權過問我的職責。」

「我了解，不過我指的是靠我們倆之間的良性互動，來應付所有對行會構成的威脅。因此，我想請教您：您以前是否常與阿布利見面？您曾不曾懷疑過他？您認為他是一個人行動、還是他有其他的共犯？」

「我很少見到他，不過最後一次見面時，他或多或少想要賄賂我。」

「真是無恥！他到底想要什麼？」

「阿布利是個意志薄弱、見風轉舵的人，他深信不斷地提高稅捐是百益而無一害的，也相信行政單位的強制權有它的功效。他不懂何謂自由，也無法忍受真理村不受他的約束。至於其他的，我無法回答您。索貝克本人則認為實際存在這某種陰謀，他時時都會提高警覺，而我也是。」

「我沒有想到會這麼嚴重。現在，我終於比較了解法老為何如此擔憂。好在有一個新的因素徹底改變了這個局面：阿布利已經死了，而取代他的人是我！要是誰敢侵犯行會，我一定不會放過他。有了您和索貝克隊長，我們將形成一道有效的防線。」

「願諸神聽到了您的話，莫希。」

「我們不能讓法老和埃及失望。只要有一點風吹草動，您千萬要通知我，我一定會馬上處理。」

肯伊寧肯聽見這種話，而不是阿布利當初所說的話。看來這個總司令很認真盡職，他取代了阿布利，對真理村沒有任何的損失。

「我必須請您幫個忙，肯伊。」

陵寢書記馬上板起了臉孔。

「喔，您放心，這不是私人的事，而是一個行政上的需要，好讓我順利解決這件事。」

「您請說。」

「您可否安排我與行會的首長見個面？」

28

陵寢書記的眼光明顯地露出敵意。

「這根本是不可能的事，況且首長的身份完全不能外洩。」

莫希喚來他的司酒官，要他送上第二壺哈爾寨白酒，而且是同一年份。

「理論上是這樣沒錯。不過當法老蒞臨真理村的時候，所有隨行的政府官員在牆外都聽見了群眾高喊梅仁達還有尼菲的名字。每個人都知道後者已被國王夫婦認定是首長，也是行會的真正老闆，而您負責行政。我可以馬上向您保證：這兩個穿牆而過的小秘密不會影響到村子的安全。」

「您為什麼希望見到他？」

「他可以幫我解決一個行政上的問題。」

「我難道不是最好的橋樑嗎？」

「恐怕不行，親愛的肯伊，因為這件事涉及到技術性的問題，而且相當緊急。真理村的首長可以自己做最好的決定。很不幸的，我實在不能對您多說什麼，因為它牽涉到一個機密文件。假使尼菲願意告訴您，那就隨便他。」

「您很清楚他可以拒絕您的邀請。」

「我很清楚，但我請求您盡力為我說情。萬一我真的無法獲得他的意見，我的情況便會很糟糕。我完全不知道該如何處理，他應該會有辦法。您願意為我請求他嗎？」

「好吧，可是我不保證會成功。決定權在於他。」

「我欠您一個人情，肯伊。」

「我覺得這第二壺比第一壺更有味道。」

「那好，我們一起為行會的光榮乾杯！」

陵寢書記一走，賽克塔馬上就進來坐在丈夫的大腿上。

「你們倆的精彩對話，我一個字都沒漏掉。」

「妳對肯伊的感覺如何，我的溫柔小親親？」

「老滑頭、頑固、多疑，而且不容易收買。阿布利這個蠢材根本不是他的對手。」

「妳想我是不是說服了他？」

「你不但說服了他，也使他很擔心。還好您夠聰明，沒有送他一壺他這麼喜愛的酒。他是在試探你，看你是否也想賄賂他。我不認為肯伊知道很多秘密，可是他的確盡心盡力在保護行會。」

「剛剛提到擔心，是什麼意思？」

「你雖然沒有正式的權力來干涉真理村，他仍然感覺到你不會像阿布利那樣被動。不過我想你的堅定承諾讓他放下了心。像你這樣有權勢的保護人，誰都會喜歡。」

「講真的，我的小親親，妳認為我們有必要除掉這個老書記嗎？」

「萬萬不可！我們會開始了解他的為人，我建議你設法讓他在這個職位上待越久越好。要做掉他不是一件容易的事情，再說，假使我做了他，馬上就會有人取代他，我們可能碰到一個更難纏的對手。我相信肯伊一定有他的弱點，我們絕對用得上。」

莫希一把抓住妻子的頭髮。

「我被妳說服了。陵寢書記在不知不覺間成了我們的盟友。」

* * *

卡沙請假去看他生病的牛，費奈特忙著做一把凳子給他的岳父母，卡洛則是做一個衣物箱給他祖母，狄弟亞為他的姪女做一個木枕頭，而右隊的其他隊員也和他們一樣，正在忙著村外的工作。

他們全被首長召集到行會的會議禮堂。它位於北邊山丘的山腳下，緊臨著墓園。淨身後，他們進入禮堂，在石凳上坐下。

尼菲坐在東邊前幾任右隊隊的位子上。他的目光望向一個任何人都不得坐的位子，因為它賦予工匠心靈與雙手創作力量。

「我有一個提議。」尼菲宣佈道：「而且這個提議可能會讓你們不高興，但我必須強調我們即將展開兩個龐大工程：一個是在國王谷地挖掘建造梅仁達的陵寢，另一個是梅仁達百萬年的大神廟。由於我們必須集中全力於首要的任務，因此我要求各位停止村外的工作。」

這番話引來一陣令人窒息的沉默。卡洛是第一個大膽打破僵局的人。

「這是一個歷史悠久的傳統，向來沒有被質疑過，這些村外的工作可以增加我們的收入，讓我們的家人能過舒服的日子。」

「這點我可以理解，但你們也必須要了解我們不能再分散力量。」

「為何要求這麼高？」卡沙問道：「我們可以一邊慢慢地進行這兩個工程，一邊繼續我們的兼職工作。」

「不可能，原因有兩個。」尼菲解釋道：「第一，我肯定已經沒有時間可以浪費了。」

「因為國王的年紀嗎？」奈克特接腔道。

「它確實教人擔心，我們必需要面對事實！梅仁達的繼承人問題恐怕不是那麼簡單，有可能會因此而發生騷動，所以我們要當作時間不多來進行工程。」

「你有沒有比拉美西斯的進一步消息？」卡烏問道。

「很不幸沒有，不過請大家要相信我，平常我不是一個喜歡急就章的人，我寧可多花一點時間來設計和建造陵寢與神廟；可是我相信這個侈望的要求已經是不可能的事。而第二個原因與我們的任務本身所含的意義有關。大夥兒參與了拉美西斯大帝陵寢的完工過程，但事實上這座陵寢早已大致完成。梅仁達的陵寢將是我們真正的大工程，它是我們即將共同創建的第一個皇室陵墓，要讓它和過去的陵墓一樣創造永生。至於神廟，它將會保存國王的卡，因此我們的工作需要非常的仔細。這種經驗很令人興奮，卻也很不簡單；這也就是我要求各位盡一份心力的原因。我們要超越自己的極限，好讓真理村再一度證明它存在的意義。」

「聽說我們的休假日將會被減少。」帕依問道：「萬一是真的，我們的妻子會很不高興。」

「也不得不如此。」尼菲回答道。

「如果拒絕了村外工作，再加上減少我們休假的時間，這種日子怎麼過得下去？」烏奈士抗議著。

「陵寢書記已同意對各位超時的部份有所補償。」

「減少了自由的時間，就等於減少了娛樂、減少了與家人相處的快樂時光、也減少了對村外的時間。」歐塞哈特強調著。

另外兩名畫匠異口同聲地附和，雷努貝和卡洛也同意這個看法。

「太可悲了！」帕尼泊義憤填膺、終於忍不住發了脾氣。「首長好意請你們參與這個令人興奮的經驗、一個埃及土地上最重要的一個使命，而你們只會無病呻吟、顧影自憐！好一組勇敢的船員！船員們是否真的想出海航行，還是寧可永遠停靠在碼頭、在暖風下打盹兒？假如這條船真是如此破爛不堪而沒有靈魂，乾脆讓它沉下去算了。」

右隊大部份的成員臉色發白，只有帕依和雷努貝臉色脹得通紅。

「你沒有權力用這種口氣對我們說話。」歐塞哈特批評道。

「那你們呢？你們不想想自己是什麼身份，只會斤斤計較工時而不幹活，一心只想延長午睡的時間。如果真的是這樣，真理村要不了多久便完蛋了。」

傑德要求發言。

「我的助手不懂得圓滑處事，講話也太直接了當。不過，他說的並沒有錯。由於拉美西斯大帝長期太平的統治，更由於我們太好逸惡勞的天性，使得我們只知道滿於現狀，而不求突破。國王陵寢與百萬年大神廟的創建，是一個冒險之舉，我們今天之所以會如此害怕，是因為我們都墨守成規。然而，能夠聯手參與這個偉大的使命是一個難能可貴的機會。面臨著如此偉大的目標，我們怎能違背行會的精神、對不起頭頂上看著我們一舉一動的祖先？就讓首長來決定一切，我們只管服從就好。」

工匠全體一致同意了傑德的看法。

29

每當卡萊兒和尼菲兩人靈肉結合時，總是和第一次同樣的熱情，現在又加上了更多的溫柔與默契，日子也愈發美好。隨著時間的過去，他們的關係也更加緊密，兩人天荒地老的愛情彷彿完全不受外界的影響。

一絲不掛、熱情的卡萊兒絲毫不減天生高貴的氣質，而村民正是被她這種氣質所征服。尼菲對卡萊兒的感情摻雜了首長對智女的敬佩、丈夫對妻子的疼愛。

「你心裡有事，對不對？」

「隊上的工匠接受了我的建議，但我不知道他們是不是心口如一。」

「人沒有十全十美，尼菲，只有在作品中才找得到完美。唯獨你給他們一個目標，讓他們去實現，他們才有可能去克服自己的缺點。」

「而我有能力克服自己的缺點嗎？我想我無法勝任這個職務，卡萊兒。我只要當一名雕匠就滿足了。當年只需聽從首長指示的時光是多麼的令人懷念！」

「你難道忘了是誰選擇了你？無謂的掙扎是沒有意義的，而反覆不斷地去想這個問題只會更糟。我很清楚你我肩上的擔子無比沉重，可是我們必須義無反顧、勇往直前地攀上高峰。」

「每天有數不完的煩惱、理不清的瑣碎問題、聽不完的芝麻要求，這個也要、那個也要，是這些事情耗盡了我的精力，而不是那些重大的工程！」

「你以為我的運氣較好嗎？石頭與木頭永遠等著吸收光源，但人類則隨時等著要撒謊、偷懶、互相較量、虛榮與自私。這是必然的現象，也永遠不會有所改變，可是真理村是一個團隊，有能力航行至最美的所在，如果一個人單槍匹馬，是絕不會發現他的存在的。」

尼菲充滿愛意地擁吻著妻子。

「我也很想要你。」她承認道：「但不要忘記我們還有一個客人要來。」

肯伊津津有味地吃著白酒腰子配蒜頭炒扁豆和茄子泥。

「只是家常便飯而已。」卡萊兒解釋道：「在我家幫忙的那個年輕女孩放假去了，而我又沒有時間準備大餐。」

「妳真的什麼都很行，卡萊兒，還好有妳，我的痛風幾乎不再犯了。」

「酒最好是少喝一點、水多喝一點。」智女忠告他。

「依我的年紀，要改變一些習慣不容易。」

「您對牛妞還滿意吧？」

「她是個小討厭，出言不遜又固執得像條牛，不過卻很有效率。她對灰塵毫不留情，也不致於弄壞我的家具，做菜的手藝也不錯。看來不得不提高她的工資，我最討厭的是她擅自進入我的書房！她肯定是趁我不在的時候進去打掃書房。總之，如果她把每枝毛筆都歸回原位，而且不去碰任何的紙莎草紙，我都還可以忍受。」

「你與莫希見面的情形如何？」尼菲問道。

「還算不錯。這個人很積極、一心想要達成他的任務，最重要的是他很有雄心。就是這個原因讓我認為他是真理村很好的守護者。這也是法老賦予他的任務，他打算全力以赴，絕不失職。此外，他並未嘗試賄賂我，連表面功夫都沒有。他向我提出一個耐人尋味的要求。」

「什麼要求？」

「他想見你，尼菲。」

「為什麼？」

「根據莫希的說法是，只有行會的首長幫得了他解決一個行政上的問題，而且很急迫。」

「您不是對這個最在行的嗎，肯伊？」

「以這件事情而言不行，因為似乎還有技術上的問題，需要借用你的能力。我曾經用首長的身份要保密的理由拒絕他，但國王夫婦在正式肯定你的時候，走漏了你的名字。就算莫希已經知道你是誰也沒有關係，反正你也不一定要答應他。」

「既然他對我們有利，為什麼要拒絕他？」

「我同意你的看法。」

「我和他在第一堡壘前見面。萬一我真得幫得上忙，我會去做的。」

＊　＊　＊

那位背叛行會的右隊的工匠小心翼翼來到特貝漢的倉庫。他們的運氣很好，在開始進行兩處大工程之前，有幾名同事獲得首長的同意，例外地取得一週的休假。有些人去處理自己的農田和牲畜，其他人去東岸或西岸探望父母，也有的人外出採購。

這個叛徒一看見索貝克目不轉睛地盯著他，便知道這名警察已經開始對他產生懷疑。他自我安慰地想著，如果索貝克手上有具體的證據，早就會毫不猶豫地將他逮捕、進行審問。雖說如此，索貝克的態度已有所改變，彷彿開始懷疑村內的人。因此他應該要加倍小心，特別是如果索貝克已經派人跟蹤。若真是如此，他有可能被跟監至倉庫而倒大楣。他實在應該留在村子裡，而不要冒這個危險，可是他必須儘快與那名會讓他變得富有的女人見面。

他決定不搭乘渡船，怕自己也許會在那兒撞見索貝克的手下，所以他用麵包做為交換，要一名漁夫帶他過河。至於回程，他會選擇另一個漁夫。

不見任何的船隻跟蹤他。

工匠在離碼頭很遠的偏僻處登岸，然後在蘆草叢裡躲藏了一個多小時。沒有任何人走進他的藏身之處。

他感到一陣放心，便爬上河岸往城裡走去，還不時地回過身察看。

工匠兩度走進死胡同再走出來，想要令可能跟蹤他的人露出馬腳。就算真的有人跟監，他也已經擺脫了這個人。

他匆忙地潛入倉庫，來到特漢貝做帳的辦公室。

「啊！是你！真高興見到你。我們的生意非常興隆。」

「你告知某人我在這裡。」

「我立刻、馬上就去！你有沒有設計一些新款的椅子？」

「有，不過你得耐心等上一陣子，才能拿到它們。」

「糟糕，真是糟糕！客人都在催貨呢！」

「我得優先顧及自身的安全，你通知她，而且要快！」

「我去、我去。」

特漢貝已經考慮製作仿造品，但是它們會有些缺點。因此，至少在等待的期間，他應該賣仿造品給那些不識貨的發戶。

「有沒有什麼進展？」賽克塔問道：她的線民幾乎認不出她來。

「行會首長已經決定要全體動員，來挖築國王的陵墓和建造他的百萬年大神廟。」

「這個情報沒有什麼價值。你有沒有找到光之石藏在何處？」

「目前暫時不可能。」

「你太教我失望了。」

「我並沒有重要的內幕消息，也不能去四處打探而引起別人的懷疑。

「你在這個村子裡不是可以愛到哪裡就到哪裡嗎？」

「某些地方是上鎖的，只有陵寢書記和首長可以打開。想要擅自進入是不可能成功的。」

「你還是得想個辦法！」

「我所屬的工匠隊馬上就要開始密集工作，我會很長的一段時間無法與外界聯絡。」

賽塔克的眼神變得很凌厲。

「你難不成打算躲到你這個該死的村子？」

「您誤會我的意思了！我們即將要展開工程關係著行會的未來，所以首長的要求很嚴格。我們到時得不斷地加班，萬一出現技術上的問題，還得犧牲我們的假日。更糟的是：索貝克隊長已經越來越多疑。」

「他懷疑什麼？」

「我很肯定他懷疑我們當中有個人涉及一樁對付真理村的陰謀，甚至和殺了那名警衛的兇手是同一個人。索貝克這傢伙很可怕，他很可能會進行跟蹤、伺機等待抓到把柄。因此為了來這裡，我小心翼翼花了好大的功夫。」

「你的警覺性還不錯。不過你會不會變得太膽小一點？」

「我不認為。」

賽克塔慢慢地繞著他的四周轉一圈。

「你只會給我帶來壞消息。實在令人遺憾，而我卻有好消息要告訴你！當你在行會裡面混日子的同時，你的財富正在累積中。又多了一頭乳牛、在尼羅河岸的一塊地、一塊田。等你一退休，馬上就成了有錢人。不過在這之前，你要先做好線民的工作。」

工匠想像他住在一棟漂亮的房子裡、躺在一間大廳內的墊子上，整日不用做事，只要一遍又一遍地計算他的財產。

然而，夢想與現實尚有一大段距離。這個叛徒還未決定將他所知道的一切秘密據實以告，除非他有把握能享受得到這些財富，而不會有任何的危險。

「我並未改變主意。」他說道：「但我會暫時無法聯絡，直到工程有一定的進度為止。」

「你要記得我們的聯盟關係不可中斷。」賽克塔警告他，「等我們下次見面時，我相信你一定有很多的話要說。」

30

卡萊兒被緊急請去歐塞哈特家為他的妻子看病。她不斷地呻吟自己的胸部產生劇烈的疼痛。智女仔細地為她做檢查，排除了心臟病發作的可能，於是開了治療植物神經系統的藥方，並且為她按摩脊椎，病人背部的不良情形是引發許多疼痛的主因。

上午過了一半，卡萊兒一回到家，便發現帕尼泊憂心忡忡地在她家門口。

「我本來想找尼菲談談一些畫室的材料問題，可是沒有人知道他在何處。有人看見他做完了清晨的祭祀後走出神廟，但之後到哪兒就不得而知了。」

「他應該要去雕匠那兒一趟。」

「我去過了，他們沒有看到人。」

「會不會是去和傑德討論事情？」

「沒有，我剛從他那兒來的。」

卡萊兒和帕尼泊問過了鄰居，也都沒有結果。孩子們的回答互相矛盾，他們大都以為這是一個新的遊戲，要考驗大家的想像力。

村民們紛紛開始加入討論的行列，事實已擺在眼前；首長不見了。

由於大夥緊張地七嘴八舌說個不停，卡萊兒必須屏氣凝神，以隔絕外界的聲音。她集中精神想像尼菲寡言的影像，彷彿他就在身邊。

「各位不用擔心。」她平靜地說道。「我知道他去什麼地方。」

大部份的棕櫚樹都喜歡向陽光生長、底部則向有水的地方。它們形成一道防風林，樹齡可高達數百年，一到秋天就大方地賜予人們含有蜂蜜口味的棗子。有些棕櫚樹集中在橄欖樹與葡萄樹之間，也有其他的遠離途徑、自成一個小樹林，無論如何，它們都是慷慨的表徵，因為棕櫚樹的每一個部份都有用處。它們提供樹幹用於建築與家具材料，其纖維可製作涼鞋和籃子，而棕櫚樹遮陽避雨，形成了林蔭小徑。

尼菲選擇了位於沙漠邊緣的一棵孤獨老棕樹，並在樹蔭下開始沉思冥想。傳說中托特神在此處寫下了智慧之語，而行會的創始人阿孟霍特普一世法老曾經來到這裡，將這些智慧之語集結成書。在「創世之初」，埃及的土地以一個小島的面貌出現，而這棵樹的汁液是否汲取自含有宇宙力量的海洋？

尼菲來到這裡請求托特神的幫助，讓他內心燃燒的火焰平息下來。帕尼泊有能力與這些熊熊的火焰對抗，而他也許無能為力。這把令人痛苦的火苗化成了比酸性毒藥還要強的疑問：他有沒有能力帶領行會走向成功？

要完成這偉大的使命，在他看來似乎是一個無法達到的目標，他不能欺騙所有選釋他做領袖的人們。

誠如智者所言，真正的沉默如同枝葉豐盛、果子香甜的一棵樹，在細心照料的花園中平靜地渡過一生。尼菲的內心已成了乾旱的土地，煩憂與疑慮使得雜草叢生。因此他祈求托特神勿讓言不及義的話自他口中而出，並且賜給他多話者喝不到的井水。如果他的呼喚得不到任何的回應，他將乾渴而死，行會勢必會有一個更稱職的首長。

「你找到水源了嗎？」一個溫柔無比的女性聲音問他道。

「卡萊兒！妳也知道這個地方？」

「我看到了它，也看到你在這棵棕櫚樹前向它跪拜。」

「托特沉默不語，而我已失去繼續下去的力量。」

「你再仔細聽，尼菲，你要創造自己所缺乏的東西。」

卡萊兒跪在地上、用手挖開沙子，於是出現了一口小圓井。尼菲幫她一直挖到觸及潮濕水份的沙地裡。

「在托特神之棕櫚樹腳下，向來都埋藏著一個水源。你把這口井挖出來。它來自星星的水會澆熄在你心中燃燒的火焰，使你內心擁有卻不自覺的力量發揮出來。任何事物都不能將你與使命分開，因為你要走的路已由諸神冥冥中注定。」

兩人緊緊擁抱在一起，整個下午在樹蔭下沉思、享受這難能可貴的時刻。尼菲了解到如果沒有智女，行會只不過是一群貧乏人所組成的團體，也無法創造出大事業。

猛烈狂風掃過崗哨站，吹起了一陣陣的細沙，襲擊著努比亞警衛的眼睛。儘管他們的眼睛幾乎快睜不開，仍然看見一輛急馳而來的馬車，於是班長立刻拉上了弓，警衛們也舉起了長矛。

馬車猛然地剎住，兩匹馬兒舉起前蹄嘶鳴一聲。一名胸膛寬闊的健壯男子走下馬車。他自信十足地走向崗哨站，彷彿他們的武器並不存在。

「本人是莫希總司令、西岸總督。去通知首長，告訴他我已經來到了我們約定相見的地方。」

一名努比亞警衛一口氣跑到第五堡壘，向索貝克報告了情況，由他來決定下一步。

索貝克命令大門的警衛通知尼菲，後者放下手中正在進行的梅仁達陵墓草圖，來到與這名重要人物的相見之處。

小黑陪著主人一起出門，對這個意外的散步興高采烈。尼菲沒有特別的梳裝整理，他不僅光著腳、未戴假髮，身上也只是圍著一件簡單的纏腰布，看起來很像一名謙卑的工人。而莫希體面的打扮，更顯示出他的富裕與闊綽。

「謝謝您接受這次見面的安排，尼菲。」

「您有何貴幹？」

「我們是否可以找個較為隱密的地方談話？」

「請跟我來。」

尼菲帶他遠離崗哨站，大約走了一百公尺，來到一處已乾涸的河床。莫希最痛恨沙漠，並且盡量小心避免弄髒腳上這雙漂亮的皮製涼鞋。而平日活潑奔放的小黑，這時候與莫希保持適當的距離，以便觀察他的一舉一動。

「我們在這裡可以放心地講話。」尼菲說道：「可是我只能請您坐大石頭。」

「沒問題，能夠見到您是一份特殊的待遇，所有的物質條件都不重要了。」

「您的時間和我的一樣寶貴，莫希，可否請您直接說正題？」

「這件事關係著一個敏感且機密的文件，假使沒有您的幫助，我真不知道該如何處理。達克泰，也就是中央實驗所的所長，列了一份所需的材料名單。其中大部份的材料都不構成問題，唯獨對瀝青和方鉛石有急需，因為已經沒有庫存。根據他的說法，這兩樣之所以會缺乏，是因為拉美西斯大帝的過世，使得原本應該安排出發的遠征隊無法成行。」

「即使我有這兩種產品，也無法提供給您，因為它們專供真理村使用。」

「我們都同意這點，這是理所當然的！」

「既然如此，我們可以結束談話了。」

「請您聽我說！您一定知道每次的遠征隊都會有一名真理村的工匠隨行，以便給予礦工一些技術指示，同時帶走行會所需的那一份。」

「您知道的還真不少！」

「我只是參閱那些公文報告罷了，我們的問題在於：達克泰向我請求同意他帶一隊士兵和礦工到這些原料的採礦場，我沒有理由拒絕他。但如果沒有行會的成員隨行，這項行動是不可能做好的，只有您能選派這名工匠。」

在尼菲花一點時間考慮的同時，莫希仔細地打量他。不可否認地，這個人是個偉大的人物。臉部剛毅的線條、深邃的目光、堅強的性格、而且說起話來義正詞嚴。這個行會的確選擇了一個真正的領袖人物做為它們的首長。

就在這一刻、在這個充滿敵意的沙漠裡、第一次面對尼菲，莫希才真正意識到未來的交戰。一想到能夠戰勝旗鼓相當的對手，並且征服當初敢排斥他入會的工匠行會，莫希感覺到他的力量增加無數倍。

「這個遠征隊的行程不能延後嗎？」尼菲問道。

「依達克泰的說法是不行；不過我會接受您的決定。」

尼菲也不能讓底比斯省缺乏這些物質，再說他自己也需要它們，做為一種特殊用途。

「我會選派一名工匠。」他決定說道：「請遠征隊準備於五日後出發。另外要事先準備不少健壯的驢子。」

「您真是幫了我一個大忙！」

「我希望在採石場的工作時間能儘可能的縮短，讓這名工匠能儘快回來。」

「我會照您的意思下去安排。再一次感激您。您可願意賞個光、讓我做東請您吃個飯？」

「對不起，敝人向來不參與社交活動。」

小黑敏捷得像隻小山羊，跳過一個又一個石頭，朝村子裡的方向走，尼菲跟在牠的後頭。

假使莫希手上有把弓箭，而且確定不會被判刑，他會很樂意從背後放他一枝冷箭，對付這種厲害的角色，最好的方法是從背後偷襲，而非正面交鋒。

31

下午四點時分，一名警衛來換班，他的同事已從凌晨四點值班到現在。警衛當班的茅屋位於真理村的主要入口處。

這兩名守衛的工作並不太辛苦，他們同時也做一些運送木柴的工作，以補貼收入。有時如果為某些工匠之間的交易或簽約做見證時，也可以獲得一些酬勞。

一名矮小的男子走進守衛處。

「我是個賣驢的販子。」

「這是你家的事。」

「那些助理工告訴我，你可以當見證人，並且代為討回債款。」

「你和那個工匠有糾紛？」

「跟工匠沒有關係。」

「那就不要來煩我！」

「你還是可以幫得上我的忙。我要對索貝克隊長提出不滿。」

「因為他沒有付我該付的錢。」

「你確定沒有搞錯？」

「我有一切必要的證據，而且我要你幫我告到村子裡的法庭。」

「可是索貝克是安全警衛隊隊長呀！」

「你知不知警衛的特色是什麼?就是從來不還債，他才不管它是一壺油或一頭驢子。」

真理村的法庭是個象徵性的名字：「角尺與直角會議」（古埃及語之為：根貝特（genbet）），而且可以隨時召開法庭，若是涉及到緊急事件，則假日期間也能開庭。一般而言，法庭由八名成員所組成，包括一名工匠隊長、陵寢書記、安全警衛隊隊長、一名守衛、兩名有經驗的工匠及兩名婦女。除了公事之外，法庭同時也處理私人事件，如登記遺產申報及地產買賣等事宜。

這個法庭是個完全獨立的單位，它有權力下令詳細調查各種案件，並且無論是何種罪行，它都可以判刑。倘若法庭認為案子太複雜，可直接轉送到埃及最高法院，亦即首相法庭。

由於肯伊無法對驢販的控訴置之不理，只好在村外助理區的個人小辦公室內接見他。

「要起訴安全警衛隊隊長是很嚴重的一件事。」他警告驢販。「他公正廉明的形象也一向受到大家的肯定。」

「形象是一回事，事實又是另一回事。我手上握有證據，可證明索貝克是個小偷，所以我要讓他被判刑。」

「你可知道這樣做可能會有什麼後果？如果這個證據不足採信，被判重刑的人會是你。」

「若一個人做事行得正，哪還用怕法律？」

「所以你堅持要告他？」

驢販堅決地點點頭。

在肯伊的主持下，首長尼菲，轉達控訴的警衛、智女、娃貝特純潔、一名努比亞警察、圖弟和歐塞哈特等共同組成了陪審團，特別例外地在村子的大門前開庭審理。在正常的情況下，若原告和被告都屬於行會的人，則是在真理村的主神廟內開庭審理。

由於原告和被告兩人都是村外人，所以不能被接受進入村內，而安全警衛隊隊長一職受陵寢書記管轄，因此索貝克必須在當地的法庭接受審判。

所有的陪審團穿上漿過的長袍和厚重的假髮，使得他們走路的姿勢和外貌完全變了樣。假如原告意圖認出某位工匠將會大感失望。

按照法律制度，原告與被告雙方必需出庭，並且可利用其所需的時間各自表述。驢販和索貝克兩人坐在凳子上，彼此刻意避開對方的眼光。他們倆人似乎都胸有成竹。

「上帝對於偏袒與不公正最為深痛惡絕。」肯伊說道：「本庭對於熟人或者陌生人皆一視同仁。本庭絕不欺善怕惡，而且防止強權欺負弱者，同時明辨是非。讓我們大家祈求無形的神來幫助處於困境的不幸者，使得真相得以大白。」

陵寢書記望向原告，再看看被告。

「我要求各位發言要清楚、明白、不可強辭奪理，也不可說辭模糊。驢販，你可以開始陳述。」

「索貝克隊長向我訂了一頭驢子。我們兩人講好了價格後，我便將驢子送來給他。而他卻拒絕付我講好的代價，也就是一匹布、一雙涼鞋、一袋黑麥和一袋麵粉。訂單已經過正式登記，也不容被否認。」

「你做何回答，索貝克？」肯伊訊問他。

「這個販子是個騙子兼說謊者。驢子的確是送來我這裡了，但卻是一頭又老又生病的畜牲！所以我沒有必要付款，而且我要告他才對。」

「不對。」驢販反駁道：「我送來的驢子是一頭又年輕又健壯的公驢。我這裡還有一份資料，我在開立帳目的時候，見證人在上面簽了字。」

驢販交給法庭一塊木板，上面用草體文字記載所販售的驢子和牠的價格，而且有三名證人的名字，表示內容與事實無誤。

「我也有一個證人。」索貝克抗議道：「就是看到那頭驢子的警衛，我還叫他把驢子牽到棕樹林裡，讓牠在那裡平靜地度過所剩不多的日子。」

「你有沒有書面資料？」

「當然沒有？為什麼我該如此小心提防？」

「要歐塞哈特去把這名警衛找來做證。」陵寢書記下令道。

索貝克的部下出現在法庭面前。他惶恐得幾乎說不出話來。

「你還記不記得有一頭驢子被送來給索貝克隊長，而且他還對你下了一個有關處理這頭驢子的命令？」

「啊！對對對！沒錯，的確是一頭驢子。」

「是年輕的、還是老的驢子？」

「非常的老，連走路都有困難。」

「索貝克隊長命令你做什麼？」

「他非常不高興，因為他訂的是一頭年輕力壯的驢子。因此，他要我把它帶到棕樹林內。我先依運送物品規定辦理外出，然後便照著指去做。」

法官轉向智女，原以為她會有話要說，但她卻沉默不語。因此肯伊繼續說下去。

「看來事實就在眼前。馬上去把那頭驢子找出來，然後帶來給我們看。」

幸好有遮陽傘及清涼的飲料解渴，等待的時間不致於太難受。驢販的臉上充滿了樂觀的表情，彷彿他一點也不擔心這項決定性的安排。他的自信開始讓索貝克產生不安，不過他很肯定自己能夠獲得平反，也確信驢販一定會被重懲。這個騙子真是不知天高地厚，居然膽敢如此藐視法庭。

警衛氣喘吁吁地跑回到肯伊面前。

「驢子呢？」

「我找過了，可是找不到。」

「你沒有跑錯棕樹林？」

「不可能的，我當時選擇的是最近的一個棕樹林！而且林子裡有好幾頭驢子，不過最老的那隻已不在原來那個地方。」

驢販洋洋得意。

「一定是索貝克想要賴帳，便和他的部下編了這一套故事，同時把這頭驢子藏在某個地方。索貝克隊長大概認為，像我這種微不足道的商人絕對不敢告他的狀，因此可以坐享不法所得的利益。然而事實已擺在面前，我不但要他賠償損失、接受罰款，同時要這個不老實的警察被免職。」

「你有話要為自己辯護嗎？」肯伊問索貝克。

「這個驢販是個說謊的大騙子！」

「我還要加告一條。」驢販附上一句：「我要加上一條誹謗罪，所有法庭上的陪審團都是我的證人。」

「你們雙方還有沒有話要說？」

「讓正義獲得伸張！」販子說道。

「我是無辜、而且被陷害的！」索貝克忿恨不平的喊道：「讓我來審問這個王八蛋，教他向各位誠實招供！」

「夠了，索貝克隊長！警衛們會陪你到其中一處堡壘，你在那裡靜待我們的判決。」

32

索貝克被關在自己的地方，心情非常沮喪。他掉入一個如此簡單卻很毒辣的陷阱，完全沒有逃脫的可能。若是被冠上竊盜和說謊的罪名，他不但得坐上好幾個月的牢，而且還會被撤職。由於他的職位重要，法庭很可能殺雞儆猴；一名安全隊長本來就應該身先士卒、以公正無私做為表率。

儘管他的確公正廉明，但套在他脖子上的活結越勒越緊，最後只有窒息而死！憤怒的情緒並未蔽他的心智；企圖摧毀真理村的陰謀份子收買了驢販、設下了這個陷阱，想要將索貝克和他的努比亞部下趕盡殺絕。這些人到時再提名派任新的安全警衛隊長，以及另一組警衛，如此一來，真理村不知不覺就失去了保護。

他們無法使用謀殺的手段來對付他，因為若是索貝克突然身亡，可能會引來一場調查、而讓人懷其中有陰謀的存在。陵寢書記為了保護這塊聖地，勢必會要求增加更多的保安人員以加強封鎖。最理想的辦法便是破壞他的名聲，然後順理成章地將他這根芒刺拔除。

「法庭馬上就要宣讀判決了。」他的一名手下抱歉地對他說道。

這個即將結束的夜晚顯得格外的溫柔與寧靜。索貝克緩步前進，以便利用最後的一刻、好好的欣賞這個外表嚴肅刻苦、卻是他曾經深愛的地方。真理村已成了他第二個故鄉，一個充滿了和諧的地方，他始終以高度警戒的工作態度成功地保護了它。可笑的是，他下台的原因居然來自一頭老驢子。

驢販已經坐在他的凳子上，嘴角露出一絲微笑。索貝克注意到智女並未回到她的位子上。

「我寧可站著聆聽判決。」

「你聽著。」

索貝克閉上了眼睛。

經過了長長的寂靜，伴隨而來的是一陣踩踏在地面上的蹄聲，彷彿有一隻驢子正慢慢地接近法庭。

索貝克睜開雙眼轉身一看，是智女牽著一隻沒剩幾根毛的老驢子走過來，並且溫柔地撫摸著牠的頭。

「就是牠！」索貝克喊道：「請叫我的手下來作證，他和我一樣認得牠！」

「已經認過了。」卡萊兒說道。

「您是怎麼找到牠的？」

「我去了趟棕樹林，並且懷著不大的希望問了那些農人，因為我擔心牠已經被人宰掉。幸好這些人嗜財如命。驢販的同夥留著牠準備去騙下一個人。」

陵寢書記嚴厲地看著原告。

「你還有什麼話可說？」

「怎麼能證明這頭老驢子就是送來給索貝克隊長的那一隻？你們可以隨便到任何一個地方去牽一頭來充數！」

「事情正好相反。」智女反駁他。「當你們兩的說詞互相矛盾時，我就已經向大家解釋了這件事，可是當時我認為最好不要先揭露，等到現在才說。」

驢販的聲音已不似先前如此自信。

「您指的是什麼？」

「您賣給索貝克隊長的驢子送來的確切日期是什麼時候？」

「整整十八天前。」

「驢子是一個非常重要的動物。」智女說道：「若沒有牠，埃及也不會成為一個富裕的國家。雖說如此，有時牠會遭到狂暴的塞特神附身；因為每當一頭驢子進入真理村的領域時，必須先舉行一場儀式，讓塞特神平靜下來。按照習俗，那名警衛首先請哈托爾女神的一名女祭司，在驢子的左前腿內側畫上文字，儀式完成之後才將牠牽到棕櫚樹林裡。隨著季節與節日的不同，所畫的文字也有所差別，而在十八天前，行會的每一位都能夠證明，被選擇的文字是一綹鬈髮的象形文字。法庭可以檢查它。」

歐塞哈特小心地舉起老驢子的前蹄，叫驢販仔細看上面用紅墨水畫的象形文字。

「我已事先警告過你。」肯伊提醒他，「你不但冤枉了村子的安全警衛隊隊長，而且還謊話連篇、加罪於他。你承不承認？」

「不，罪不在小的。」

驢販低下了頭。

「不，小的乞求您饒恕我，小的只是想貪點小便宜而已。」

「首先，本法庭判你賠償五頭驢給索貝克隊長。」

「五頭！太多了，小的會因此而破產。」

「這還不夠，在未來的五年裡，你每個禮拜要為隊長做兩天的勞役，只要你缺一次，馬上就加倍刑期。你要不要到首相法庭上訴？」

「不，不要。」

「那麼，你現在宣誓遵從本庭的判決。」

驢販幾乎啞著嗓子宣誓。

「你走吧！明天一早就把那五頭驢子牽來。」

驢販垂頭喪氣地走了。

「應該要逮捕他才對！」索貝克認為道。

「如果你想控告他其他的罪名，我們再擇期重新開庭審理。」

「您難道還不了解，那些行會的敵人試圖要把我除掉！」

「你可知道你所說的話會引起多嚴重的後果？」

「讓我們睜開眼睛，面對現實吧！一旦我被撤職，被任命來保護你們的人會是誰？」

「你冷靜一下，索貝克，難道你忘了是由首相來任命安全警衛隊長？」

「他也有可能會被人利用。」

「這場訴訟把你累壞了，使得你頭腦不清醒，你先回去歇息，我們以後再討論。」

索貝克氣惱地離開了。肯伊迫不及待地對智女提出了問題。

「我從來沒有聽過這個神奇的習俗。」

「您去問娃貝特純潔。」卡萊兒微笑著回答他。「是她出的主意，不過關鍵不在於找到這頭驢子，而是要驢販的共犯誠實招供。」

「妙極！不過索貝克的偏激看法不知可不可信。」

智女握起了首長的手。

「天空將佈滿烏雲，雷電可能會打中我們……真理村的女祭司不知是否能化解這個厄運。」

* * *

驢販整夜輾轉難以入眠。他一輩子從來沒有經歷過如此難過的一天，而他原本希望計謀能夠得逞。

這天晚上，他一直在等待莫希的差使過來交給他酬勞，不管報酬有多高，還是無法彌補他的損失。法庭的嚴厲判決不僅會叫他破產，而且會毀了他的名譽。

莫希不但應該賠償他，也必需要阻止索貝克可能對他提出的控訴，索貝克一定恨透了他，也絕對不會放過害他的人。萬一索貝克把他逮捕，勢必會不擇手段逼他招。

他反覆考慮，還是認為最好馬上去找莫希總司令，並且讓他保護自己。

他才剛從驢廄旁的小木屋走出來就撞上一名農婦。

「妳在這裡幹什麼？」

「我是莫希的妻子。」

「您……您怎麼穿得這麼寒酸？」

「我不想被人認出來。」

「是總司令請您來的？」

「你為我們工作，自然有酬勞，這是事先的約定。」

「索貝克沒有被法庭判刑！那頭老驢被找到了，而且陪審團已徹底識破了詭計，我現在需要被保護。」

「你有沒有提到莫希？」

「沒有，他們以為我是一個人犯下的罪行，可是萬一索貝克把我逮捕，為了保住我的小命，也只好全盤托出。」

「事情還沒嚴重到這個地步。」賽克塔要他放心。「這次的失敗很令人遺憾，不過任何的辛苦都會有代價。所以你可拿到先前答應你的酬勞。」

「然後，你們會保護我嗎？」

「你要去的地方可以讓你不用再怕索貝克隊長。」

驢販鬆了一口氣，並且開始欣賞賽克塔剛放在亞麻盒上的兩個銀塊。它們的確是一筆小小的財富，雖然遭受到挫折，但他還是很高興自己接受了總司令的任務。

賽克塔趁他出神地看著銀塊時，悄悄地來到他背後。她從長袍的口袋裡拿出一根又長又細的針，一把刺進這個膽小鬼的頸部，而且刺在兩塊骨椎間，賽克塔第一次出手便是一個完美的出擊。

驢販吐出舌頭，發出一陣嘶啞的聲音，他伸手想扶住東西卻撲了個空，於是倒在地上，終於斷了氣。

賽克塔將長針抽了出來，驢販頸部冒出水珠似的血。她仔細地擦拭著，以免有任何作案的蛛絲馬跡留在現場。反正這個受害者的身份微不足道，屍體自然不會被製成高級的木乃伊，因此不會有人注意到這個小小的洞。

賽克塔將驢子的繩栓全解開，並拿了其中一根繩子把驢販吊在馬廄的脊樑上，他的屍體並不會比生前重多少。

賽克塔並未忘記取回那兩個銀塊，然後才消失在夜色中。

33

右隊全體工匠聚集在行會的會議堂，陵寢書記向大夥兒解釋行會需要一些特殊的材料，例如方鉛石和瀝青，而尼菲補充說明至少有一名工匠要參與遠征隊。這名工匠會有明確的指示，為村子帶回需要的數量，以便完成一個秘密的工作。

過去是圖弟負責這個苦差事，但由於他剛痛失愛子，因此首長不能強求他這個任務，於是他徵求可以第二天就出發的自願者。

肯伊回到辦公室前不斷地擔心著，果然不出所料，牛妞已經掃過他的辦公室。他還沒來得及發脾氣，就接到安全警衛隊隊長索貝克的緊急口信，要求在第五堡壘與他見面，肯伊最痛恨別人催促他，但也不得不放下他珍貴的紙莎草紙。

索貝克實在不懂得控制自己的情緒。

「您知道這個消息了嗎？肯伊！」

「我來這裡就是為了知道。」

「那個驢販！」

「他藐視法庭，沒有帶來欠你的五頭驢？」

「有人剛剛發現他死了，死在他家，是上吊自殺的。」

「這個卑鄙的騙子最後還是無法承受這種打擊。」

「繼阿布利之後，又是一樁自殺案！」索貝克叫道。

「你怎麼能把西岸總督和驢販做比較呢？後者是因為害怕你、擔心你可能會對他報仇。」

「我肯定這是殺人滅口，和阿布利的情形一模一樣。」

「這兩者不管是那一個，你有沒有證據？」肯伊生氣的反問他。

「可惜沒有。」

「你滿腦子想到的都是陰謀論，這也不好，索貝克，因為這種職業病會使你更有警覺性。可是也不要讓它病態到讓你失去理智呀！你至少拿得到那些驢子吧？」

「有人解開牠們的繩栓，所以全都跑掉了。」

「搞不好是驢販在自殺之前，自己先放牠們自由。」

「那麼這件事就太單純了。」

「事情就是這麼單純，索貝克！你不是有幾天的休假嗎？」

「我主動放棄休假。」

「你錯了。休息一陣子對你會有很大的好處。」

「村子的安全是我唯一的掛慮。那些想要除掉我的人失手，是他們犯下了大錯！」

肯伊在陵寢日誌上準備記載的內容不但會很長，而且也很特殊。卡沙不能當自願者，因為他的眼睛痛；費奈特也不行，因為他要到雙親的墳前祭拜；卡洛則要修理房子的大門；奈克特要釀造啤酒，為了下一次的節慶做準備；歐塞哈特也沒辦法，因為他被一隻小毒蠍螫到；其他的人也都有不能離開村子的充份理由，所以不能到天涯海角。

所有的人都不行，除了帕尼泊。

「你才剛剛當父親。」肯伊提醒他。

「他很順利地在成長，況且娃貝特也把他照顧得很好。不過難不成我是唯一的自願者？」

「恐怕是如此。我們一起去見首長。」

尼菲寡言顯得很尷尬。

「謝謝你的勇氣，帕尼泊，可是我原先並沒有想到你。你既不知道地方、也不知道該帶回來的東西是什麼。」

「有誰知道。」

「最清楚的人是珠寶匠圖弟，但由於他家裡有喪事，因此我無法要求他。」

「他也是行會的一份子，不是嗎？假使我們被賦予一項任務，就該忘了個人的喜怒哀樂。我對他的傷痛感同身受，然而現在我們正需要他。我想遠征隊的任務並不是沒事在沙漠裡散步而已，要帶回來的東西對我們很重要，是不是？」

「就算是西岸的實驗所和行政單位沒有要求這次的遠征隊，我們為了自己的需求，勢必也要做這種安排。金坊基於一些特定的原因，必須用到瀝青和方鉛石，可是我不能告訴你原因。」

「我去找圖弟，並試圖說服他去。兩個人一起成行，旅程上也不致於太難過。」

達克泰已經在椅子上坐不住，他不斷揪著自己的大鬍子，一遍又一遍的清點準備出發的兩百頭驢子、一百名礦工。帶隊的有三十個勘探員，他們都精於礦物及貴重石的研究，不但刻苦耐勞，而且已經習慣了冒險。這些探勘員有自己的地圖，並且也扮演保鑣的角色，防止「沙漠強盜」、兇殘的遊民及小偷的攻擊。達克泰在安全上已經做了萬全的準備，若遠征隊受到攻擊，二十名經驗豐的士兵會隨時支援。

沿途雖然沒有水井，不過仍然準備了大量的水及食物，以備不時之需。每一頭驢也都經過仔細的健康檢查，驢子上裝載貨物的籃子和肚帶全是新的。萬事俱備，只缺真理村的工匠。

「他還要浪費掉我們多少時間？」達克泰埋怨道：「總不會教我們等上一整天吧？」

「您要不要我到真理村走一趟？」一名勘探員提議道。

突然大家的目光全都放在一條試圖靠岸的小船上，它連續失敗了兩次，好不容易才靠上岸。

兩名外表截然不同的乘客跳上岸，一個是高大年輕的壯漢，另一個則看不出年紀，但顯得一副弱不禁風的樣子，彷彿一碰就會倒下來。

隨行的士兵立刻團團圍住他們，同時舉起手上的木棍。

「你們是什麼人？」達克泰帶有敵意地盤問來者。

「你們難道看不出來？」年輕高大的壯漢詫異說道：「一個業餘水手正在學習划船。以我的處女航而言，已經算不錯了。」

「快滾回你原來的地方，小子。這裡是軍方的禁區。」

「難道這兒不是遠征隊的出發點？」

達克泰嚇一跳。

「你的消息可真靈通。是誰告訴你的？」

「真理村的首長。」

「我等的是個工匠，不是兩個！」

「我叫帕尼泊，他是我的同事，名叫圖弟。」

「我需要知道更多有關你們倆的身份地位和專長。」

「你已經知道了你該知道的。」

「你曉不曉得你正在跟誰講話？本人是達克泰，是底比斯中央實驗所的所長，以及這次遠征隊的負責人！你得完全服從我，因此我命令你要達到我的要求。」

帕尼泊一個個地打量著那些士兵。圖弟馬上明白他的同事正準備衝鋒陷陣，而且還頗有勝算。

「帕尼泊，不行。」他對他低聲說道：「你忘了我們有任務在身？」

「說的也是，我不可以任性。好吧！我們只好打道回府了。」

帕尼泊轉身朝小船走去。

達克泰急急忙忙追上去，並且抓住帕尼泊的手腕。

「你去哪裡？」

「你立刻給我放手，否則後果你自行負責。」

帕尼泊威脅的眼光迫使達克泰鬆了手。

「圖弟和我，我們準備回村子去。」

「可是你們不是要跟我們一起出發嗎？」

「是跟你，但不是跟你的命令。我們是自由之身，也很清楚自己要做什麼。」

達克泰鐵青著臉。

「我再次提醒你，我是這次遠征隊的隊長，如果沒有非常嚴格的紀律是不會成功的。」

「去對你的手下講吧；我們只屬於真理村。假使你弄不清楚這點，你要對即將而來的失敗負責。」

「你至少會告訴我遠征隊的目的地吧？」

「你馬上就會知道。我們就這麼一言為定；圖弟帶頭指示路徑。」

「你簡直不把我放在眼裡，帕尼泊！」

「你想到哪裡去了？我都已經自顧不暇，還去管到你？」

「我不習慣人家對我用這種口氣說話。你願意也好、不願意也罷，這個遠征隊是由我來負責，我不會容忍你的態度。」

「好吧，那你別指望我會跟你去。」

達克泰轉身走向圖弟。

「我希望你會比較講理。」

「根據我們首長的意思。」圖弟用平靜的聲音說道：「我將帶領遠征隊直到礦區，但有一個不得討價還價的條件；依照我收到的指示去做。無論你的頭銜有多高、權力有多大，要不，你就妥協，要不，你繼續留在底比斯。」

達克泰完全傻了眼，他終於了解到要對付這個行會有多麼困難！

「我們不要再抬槓了。」帕尼泊下了結論，「準備出發吧！」

34

遠征隊自底比斯順著尼羅河下游來到科普托斯，所有的人畜都在這裡下船，準備取道沙漠，直往紅海和西奈半島的方向，那裡擁有豐富的綠松石和銅礦，於古王國時代已開採至今。圖弟非常熟悉這些地方，在他的帶領下，遠征隊離開了通往花崗石採石場的路，轉往石油山前進。

這一帶幾乎很少下雨，不過紅海的水仍帶來些許的溼氣，一些綠樹叢零星散佈在綿延不斷的山脈腳下，這些山脈有一千公尺高。

大部份的埃及人都對沙漠感畏懼，認為沙漠裡住著危險的怪物；但每個人都知道，沙漠能夠保存屍體直到永遠。此外，它含有數不盡的財寶、金、銀、以及所有「蘊含於山腹中的純石」。人們可以借道沙漠、而不能長住，因為它是人間的陰界。不但如此，穿越沙漠時必須要有經驗豐富的嚮導帶路，以避免掉入無數的陷阱之中。

帕尼泊走在圖弟的身旁，儘管他看起弱不禁風，不過在他的帶領之下，隊伍始終保持良好的前進速度。

「我覺得你似乎很喜歡這次的遠征。」

「我太喜歡這次的遠征了！」帕尼泊開心的說道：「這些風景真的好美，地上的沙子熱得像火燒般，但它們對我的雙腳卻很溫柔。幸好我們的村子位於沙漠中；沙漠的力量可以刺激人類潛能，讓人類變得更堅強。」

「你對達克泰的看法如何？」

「對我而言，這個人並不存在。他只過是一個過於肥胖、一味陶醉於特權的官吏罷了。」

「你還是小心為妙。我在卡納克工作的時候，曾經遇見這一類的人，不過沒有那麼陰險。他不喜歡我們一點兒也不足為奇，可是我覺得事情比這個更嚴重。」

帕尼泊驚訝地望著圖弟。

「你曾經在阿蒙神城工作過？」

「我在那裡學會使用珍貴木材、金子和金銀礦的鏤刻裝飾，以及把箔金包覆在門上、雕像和神舟上的技術，如果不是肯伊來找我，我本來可以爬升到很高的階級地位。真理村當時需要一名有經驗的珠寶匠，我是入會評審委員會的名單上的第三人，因為他們拒絕了前二名。」

「你為什麼不留在卡納克？」

「我從不敢嚐試去敲開行會的大門，可是我知道行會擁有這一行專業技術的秘密，也絕不對外界透露，而要進入行會總覺得是一件不可能的事。所以當這個機會出現的時候，我便決定不妨一試。」

「你聽見召喚了嗎？」

「從我第一次把金子握在手中的那一刻就已經開始，可是當時我並不知道它就是召喚，是它使我與其他珠寶匠有所不同。行會認定這種感覺就是聽見了召喚，於是接納我加入右隊。那真是美妙的一天。而現在，我必須承受喪子之痛。」

「你可以有另一個小孩呀。」

「不，我寧願保留對我兒子的回憶、他的歡樂童年、他的玩具、以及未能留住的幸福。我還得謝謝你，是你使我振作起來，因而加入了遠征隊。倘若只有我一個人，我可能會失魂落魄，有了你，就有可能完成這個艱難的任務。」

「你為何為擔心達克泰？」

「因為我們要去採集一種危險的原料，它的使用規定相當嚴格。達克泰身為中央實驗所的所長，有時可能會蓄意違反這些規定。」

「我們的責任不就是要他遵守規定嗎？」

「也就是因為這個原因，我們可能會被視為眼中釘。照道理說，這個遠征隊沒有什麼危險性，而自從我遇見了達克泰之後已經不是這麼肯定。」

帕尼泊露出一個挑釁的笑容。

「希望他來找我的麻煩！」

「我們才兩個人而已，帕尼泊。」

「根據我的觀察和了解，你在這些礦工和勘探員之中有不少的朋友。」

「這倒是真的，和同樣的人一起數次穿越沙漠可產生良好的感情。其中大部份的人不會反過來對付我們。」

達克泰在隊伍中是唯一一個坐在驢上前行的人，他的地位使得他得以享受這種特權，然而他所喝的水還是比走路的人來得多。雖然他先前已猜到這次的遠征不是什麼愉快的事，卻沒料到廣大無際的沙漠會讓他痛恨到這種地步。

壞心眼的達克泰曾多次企圖甩掉帕尼泊都未能得逞。他感覺到這個帕尼泊比毒蛇猛獸更有警覺性，而且會做出強悍的反應。況且，如果能夠除掉他、而不引起珠寶匠的懷疑？萬一帕尼泊拒絕繼續下去，他也無法探知行會最重要的秘密之一。

他只好先等到那些原料到手再說。至於下一步，他會好好想辦法。

走在他前面的礦工速度慢下來。

「我沒有下令停止呀！」

「前面不走了。」

達克泰心煩氣躁地走到隊伍前面。

帶頭的圖弟背向著太陽坐在一塊大石頭上。大夥兒和牲畜則趁機會喝一口水。

「發生什麼事？」

「一個意外。」圖弟回答他，「應該不會耽擱太久，而且休息一會兒對大家都沒有壞處。」

「你的同事到哪去了？」

「他和兩名貴重石的勘探員到那邊的一座小山丘上。」

「可是這不是遠征隊此行的目的啊！」

「你去睡一下吧！」

「立刻去把這些人給我叫回來。」

「我們在這兒等他們回來就可以了。你動得越厲害、口就會越渴。」

圖弟遞了一顆無花果給達克泰，他拒絕之後又走回隊伍的後面。沒有一個礦工對他友善，而其中很多人卻跑來和珠寶匠共同分享過去幾次的遠征回憶。

「太棒了！」帕尼泊從山丘上回來，興奮地喊道：「你來看這些勘探員讓我採到了什麼。」

攤開在圖弟眼前的，有一些十二面晶體水晶，裡面隱藏著光玉髓、雞血石和榴石。有些大的石榴石沒有雜質，而且形狀呈唸珠球體串。

「很值得。」圖弟評論道。

「我們的朋友認為沒有必要給達克泰看這些石頭，也不需要經過書記的登記。反正，它們只不過是石頭而已。」

「以平常人的眼光來看，的確是的，再說，那些文書工作已經多得做不完了。」

「我們也許該出發了，達克泰一定等得很不耐煩。」

一名士兵朝他們倆個跑過來。

「有人看到三個沙漠強盜在山丘那裡。他們在消失前，已經觀察我們有一陣子。想必是來探底的。」

「是不是準備攻擊我們？」帕尼泊問道。

「很難說。這些強盜都是膽小鬼，只會攻擊沒有周全保護的商隊，但我們還是要小心提防。弓箭手會留在你們旁邊保護你們，晚上我們也會輪流站哨。」

隊伍重新上路，大夥兒步伐變得有點沉重，而且不斷地觀察四周，深怕突然跑出身上帶著武器的壞人。

幾個小時已過去，大夥兒害怕的心情逐漸減少，沿途的井水也沒有被堵死或放藥。遠征隊的後勤補給全沒問題，大家的精神也非常良好。帕尼泊背上背著一名中暑的礦工，因此而贏得了不少的好感，也沒有人抱怨圖弟的前進速度。

勘探員一邊查看他們的地圖，一邊忙著將銅礦的樣品仔細地標上標籤，放進皮囊內。

「這將是我們最後一夜的露營，明天接近中午時分會到達採礦場。」圖弟宣佈道：「今晚大家可以大吃大喝；牛肉乾配紅酒！」

礦工們唱起歌來，歌曲皆為有關法老的光榮史蹟及貴金屬之王——哈托爾女神。這時達克泰走近兩名工匠。

「我們沿途上一句都沒有交談，是不是該講和了？」達克泰建議道。

「有何不可？」圖弟答道：「坐下來喝一杯。」

「謝謝，但我從不喝酒。」

「喝酒會讓你脾氣變得好一點。」帕尼泊激了他一下。

「我們明天就開始工作，對不對？」

「完全正確。」圖弟說道。

「現在我是不是可以知道你們打算如何進行？我在這裡的角色正是為了幫助你們，你們也可以利用我在科學方面的專長。」

「我們一點兒也不懷疑，達克泰。不過，你最好還是負責我們的安全問題吧！」

「你們的安全會有士兵負責！我所感興趣的是我們要帶回去的那些原料性質和數量。」

「該去睡覺了。」圖弟結束了話題。

35

石油山是由一小堆山所形成，離商隊所走的路徑有一段距離。它離底比斯有三百公里之遠，俯視著蘇彝士海彎，地點非常偏僻。這個礦區並不常開採，唯有在需要方鉛石的時候才會前去開採。達克泰曾聽若干礦工說過，方鉛石和金子一樣珍貴，這種說法使他為之垂涎不已。他終於了解為什麼圖弟曾經數次來到這個荒涼的地方。不過他仍然不知道行會將這種稀有的原料做何用途。

「讓我們大家首先來祭拜哈托爾女神，並且祈求她的保護。」圖弟對眾人說道。

達克泰最痛恨這種浪費時間的事，然而他很清楚要將古老的傳統連根拔去很不容易。所有的遠征隊成員在那些樸實的石碑前開始膜拜。這一帶有一些簡陋的礦工臨時住所，四周有幾個石頭蓋的小神廟，而這些石碑就豎立在神廟前。每個人都為女神奉上一項貢品，有的是一個護身符、有的是一個釉陶聖甲蟲、有的是一尊陶土製的女性小雕像、有的是一塊亞麻布。他們也祭拜敏神和卜塔神，因為前者是沙漠勘探者的守護神，而後者是工匠的守護神。

儀式一結束，圖弟便展開了工作的分配。他派五名勘探員去獵補小羚羊，另外五名去捕魚和撈蚌殼，同時命令兩名後勤人員組成兩隊人馬負責清掃，其他的人開始自驢背上把貨卸下，而士兵則分配崗哨，以保護這個地區的安全。

帕尼泊負責分發石鎬和石槌，這些工具大都以玄武岩製成。另外他選派了二十幾名尚有體力的礦工進入三公里遠的礦區。

達克泰很驚訝這兩名工匠的辦事效率，他一時之間不知道該如何盯住兩人，以免漏掉他們的任何一個舉動。兩人的行為遲早會透露出此行的目的，以及達克泰想要佔有的秘密。

「我們走吧！」圖弟下令道：「把飯菜準備好等我們回來。」

達克泰也加入採礦小組，朝礦區走去；圖弟和帕尼泊兩人完全無視他的存在。

他們越走進礦區，達克泰就發現越多的奇特礦物，有的是灰藍色，還有其他很深的顏色。他從來未看過這類礦物，而且還很訝異地發現礦產有露天的、也有的在地底下。過去在南北走向的山脈表面曾經探測到方鉛石礦脈，因此在地底下挖有三十公尺深的坑道。有些礦藏豐富的礦脈開採點甚至到達一百公尺深，其形狀像一根狹窄的管子，只有不胖的礦工才通得過。

達克泰非常地興奮，就好像發現了新大陸。

「這些岩石是方鉛石？」

「方鉛石就是灰藍色的鉛硫。」圖弟解釋道：「那些含有自深棕色到黑色成份的岩石是瀝青。你要不要參觀一下坑道？」

「當然要！」

「你可能會被弄得髒兮兮的。依你肥胖的身材看來，我們只能進入一些夠大的坑道。」

達克泰對這一切都感到非常的新奇，就算是天涯海角他也會跟著去，不過往下的坑段並不好走，他甚至滑了一跤，還好帕尼泊即時扶住他的腰，否則後果不堪設想。

前一次的遠征隊曾經挖了一些較高的坑道，以致於站姿不成問題。直徑三十公分的通風井分設在必要的地方，以便讓空氣保持流通。

一名礦工用一把鎬挖下了一點礦石塊，然後將它擊碎，以取出裡面的方鉛石。

「這就是我們要帶回底比斯的東西。」圖弟指示給他看。

「它的用途是什麼？」

瀝青可用來儲槽的防水處理，某種類型的船隻黏縫處理、甕蓋的密封以及工具的黏固。若是用於敷藥，對於治療咳嗽非常有效。至於方鉛石，可以用它製作成一種非常珍貴的產品：化妝品。有了它，美麗的女人便可以用來畫眼影。它是我們妻子的最愛，所以她們才會同意我們這次的遠行。」

這簡直是小題大作！達克泰感到無比的失望。然而他也想到另一個非常有可能的假設。這兩個工匠鐵定是在開他玩笑，所以用這種低級的謊言來欺騙他。

他很小心地不讓自己的疑心表現在外，仍然若無其事地看著工人工作。他在進得去的坑道內四處走動，甚至敢鑽入剛挖好的坑道，不過什麼也沒發現。

達克泰對那些噁心的岩塊不再感興趣，於是開始窺視圖弟和帕尼泊的一舉一動。不幸的是他們兩人分工合作，整日都不在一起，只有在夜晚來臨的時候，才會在他們兩人同一間的小屋子碰面。他無法在監視圖弟的同時，知道帕尼泊在幹什麼，反過來的情形也一樣。達克泰成功地收買了兩名礦工，可是他們所提供的情報完全沒有價值。

這兩名真理村的工匠無時無刻地運用其豐富的工地經驗，且順應當地的特殊條件、根據每天的實際狀況來調整工人的工作，以節省他們最大的體力、達到事半功倍的成效，因而深得民心。

如果真理村的秘密只不過是一個用途有限的化妝品和黏著劑產品，其所付出的努力與代價未免太不成正比。達克泰無法承認自己的錯誤。畢竟真理村是一個過於重要的組織，不可能只從事這種膚淺的活動。假使這兩名隨行的工匠帶著首長的明確指示、離開村子在外頭拋頭露面、洩露身份，一定有其重大的原因。

因此，達克泰決定改變策略。白天的時間，他盡量地休息；到了夜晚，他則保持清醒，以便觀察這兩名工匠。他心想總會有發現他們行為異常的時候。

經過三天不眠不休的苦苦守候，他的耐心終於有了代價。

整個營區全進入夢鄉，帕尼泊和圖弟不聲不響地離開了營地，朝礦區的方向走去。

達克泰悄悄地跟在後頭。

他們繞道避開那些崗哨，接著轉向一座小山丘，而它並不位於開採區內。達克泰舉棋不定，因為他怕只要一不留神絆一跤，便會立刻被他們發現。萬一真的如此，面對高大的帕尼泊，他就算插翅也難飛。然而若想知道他們在搞什麼鬼，這是唯一的機會。

幸好他們的腳步並不快，似乎猶豫著該走哪條路。事實上，他們可能正在考慮如何避開最後一道崗哨站。兩人從哨兵的後方遠遠繞過，完全沒有引起任何注意，接著他們開始爬上小丘。

達克泰也跟了上去。

突然，他們止步不前，彷彿碰見了一個看不見的敵人。帕尼泊離開圖弟，在地上撿起一塊石頭。當他舉起了手臂時，達克泰以為他準備要打昏他同事。他是否決定除掉圖弟而一人獨吞財寶？

帕尼泊將石頭猛力地往前丟出去，之後兩人又繼續往前走。

達克泰隨後也來到發生狀況的地點，看見一條黑色的眼鏡蛇躺在那裡，腦袋已經開花。他困難地嚥了一口口水，感到頭皮一陣發麻。他猛然意識到一般人不會在夜間出入沙漠，因為夜間的沙漠是毒蛇與蠍子的地盤。

達克泰的雙腳不聽話地繼續往前走。他之所以堅持下去，是因為他不認為自己找得到回營的路。他不敢再東張西望，兩眼只敢直視著工匠的背影。深怕會聽見窸窸窣窣的駭人聲音。

爬坡的路段簡直是折騰人，達克泰連續兩次因為岩石潮溼而差點打滑。

他們兩人一到小山丘頂上便消失無蹤。

「想必是礦區的入口處，」達克泰心裡想著：「他們一定是鑽入坑道，裡面一定藏有他們要帶回行會的寶物。」

忘卻了毒蛇、忘卻了溼滑的石頭以及帶有敵意的沙漠，達克泰一路爬到山丘頂上，帕尼泊和圖弟正在觀察它。然而，那裡有什麼好看？

達克泰拚命睜大眼睛，卻什麼也沒看到。難不成這兩個傢伙迷路了？

咻的一聲讓達克泰全身的血為之凝結，這不是毒蛇的窸窣聲，而是一根箭擦過他的太陽穴，劃出了一道血痕。

達克泰才一轉身，便看見三個男人帶著短刃朝他衝過來。

「救命呀！」他尖叫道。

36

帕尼泊像箭一樣衝了上來。

他一到山口，藉著月光看到三名披頭髮的沙漠強盜，正把達克泰押在地上，後者不斷地尖叫著。

「快來救我啊，你們這兩個膽小鬼！」

三名歹徒丟下他們的第一個獵物，轉身攻擊帕尼泊。

歹徒們犯了一個致命的錯誤，他們認為一刀插入對手的胸膛不是一件難事，因此不但未採取分散攻擊，反而一致撲向對手。

帕尼泊等他們快衝到面前的最後一剎那，迅速地把身子一低，用頭去頂撞中間那個匪徒的下腹部，同時雙手朝左右兩名匪徒的褲襠用力一捏。

帕尼泊不等對手有站起來和換氣的機會，便發狂地用石頭將第一個頭敲破、將第二個脖子給扭斷，第三個則反被自己手下的刀割斷喉嚨。

「不要傷害我！」達克泰求道，同時站起身。

「你在這裡幹什麼？」

「我不是他們的共犯。我……我迷路了。」

「你何不承認你在跟蹤我們？」

達克泰用手摸摸太陽穴。

「血！我受傷了，而且傷得很嚴重！」

「你說真話才帶你回去療傷。」

「你們沒有權力如此對待我！假使我不馬上接受治療，要不了多久就會死掉。」

「我們把他帶回營區吧。」圖弟對帕尼泊說道：「萬一達克泰告你，你的麻煩就大了。」

帕尼泊心不甘、情不願地用一隻手把達克泰舉起來，然後把他當成一袋穀子般扛在肩上。

達克泰躺在一個帳蓬內休養。當時的場面雖然驚險，但他所受的傷不過是皮肉外傷，要不了他的命。至於帕尼泊打死的三名歹徒，事後發現他們是窮兇惡極的強盜；二個士兵認出其中兩名犯了多起殺人案。他們常常在半夜攻擊營區、殺人、強盜和竊盜。這三個人的屍體最後留給了豺狼飽餐一頓。

整個氣氛因為發生了這件事而變得沉重，工人們一心一意只想趕快回到埃及。當圖弟宣佈只剩兩天的工作時，大夥兒精神一振。

「你出的點子真是妙招。」帕尼泊對圖弟說道：「達克泰真的跟蹤我們，以為我們會帶他去挖寶。現在我們已經擺脫了這個討厭鬼，你老實告訴我：真的有寶藏這回事兒嗎？」

「方鉛石和瀝青對我們而言的確不可或缺，不過它們的用途不光只有我告訴達克泰的那幾種用途。我必需要帶回一定的數量給首長。」

「這和光之石有沒有關係？」

「不是不可能，我知道的也不多。」

圖弟如果不是對他說謊，就是基於原則而不能透露秘密。

「我們帶達克泰去的那個火山口只不過是個幌子。」圖弟繼續說道：「他可以折回一百遍，而什麼也找不到；不過有一個地方我必須帶你去。」

兩人走出了礦區，並小心不被跟蹤。帕尼泊注意到那些岩石顏色越來越黑。

「小心走！」圖弟吩咐道：「地面很滑。」

「這些石頭還真讓人以為很油！」

「它們的確很油。我們正走在石油山上，石油從地面的裂縫中湧出來。你靠近仔細看。」

帕尼泊發現地面上有一層薄薄的油脂浮在水面上，而且兩者沒有混合在一起。

「這個奇怪的液體是做什麼用的？」

「它可以被一種危險的力量所引燃，我們的老祖先禁止我們使用它。這種石油很容易就燃燒起來，不過它又髒又臭。它在陵墓裡面會把牆面和天花板弄黑。由於它本身所帶有的毀滅力量，只能被轉變成某些木乃伊化過程用的油膏，和真理村光之石的準備。它在真理村經過了轉變後，所有的有害物質已被排除。萬一那些像達克泰這種既有野心、又貪婪的人將石油成功地開發出來，而且將其用途普遍化，我們國家將會面臨很大的不幸。人們會瘋狂得失去理智，那些沙漠強盜甚至可能大量湧入埃及和臨近國家，以奪取政權、搜刮財物，奴役人民。法老以其理性的智慧，命令所有的村外技術師不得使用這種可怕的物質。現在，帕尼泊你已成為知道此事的其中一人。」

達克泰躺在擔架上，由四名士兵抬著，並且不斷地抱怨頭痛。在回程上，遠征隊用最快的速度前行。在危險區裡，任何一個時候都有可能出現一夥沙漠強盜，準備為他們同伴復仇。他們巴不得能夠立刻離開危險區，回到尼羅河岸、看到綠油油的景色。

在這個荒涼而含有敵意的區域裡，帕尼泊感覺到他的力量增強了數倍。沙漠裡的精靈和烈日燒灼的岩石將他的疲倦一掃而光，甚至更為堅強。他想起了第一批勇於進入沙漠冒險、試圖掌握石頭之火的工匠。埃及本身即是一個天天發生的奇蹟，這正是因為它懂得將黑色的沃土與沙漠的力量結合。

「達克泰想要和我們談談。」圖弟說道。

工匠兩人來到擔架前。

「你們救了我一命，我想要謝謝你們。假使帕尼泊沒有插手，那些歹徒一定會把我給殺了。」

「你為什麼要跟蹤我們？」圖弟問他。

「我始終相信有寶藏藏在那個地方，而你們的任務就是要把它帶回村子。我並沒有要侵佔它們的意圖，只是為了滿足我的好奇心罷了。」

「等我們回去以後，你可以叫人去搜查所有保留給真理村的籃子；你會發現只有那些方鉛石塊。這就是寶藏：一個稀有而不容易採得的物質，到時你的技術師會把它用於儲槽的防水處理，而這些儲槽是用來保存穀物，以供收成不好的時候救急。我可以再告訴你一次，如果用它黏固一些工具的把柄會有非常好的效果。當然啦，還有一定的量要用來製作眼影，法老會大方地把它們送給我們的妻女。」

「可是你為什麼要參加這種例行的遠征隊？」

「國王的召令不得去違背它。」

「我不懂為什麼。」

圖弟露出微笑。

「喔，其實理由很簡單！我們對於你們的行政單位不是很有信心。因此我們寧可派自己的一個人去確認我們有權拿到的方鉛石塊量。同時，我想你應該注意到了，我們知道如何安排工作及指揮工地。」

達克泰無話可說。

圖弟所給的理由似乎很有道理，也沒有什麼值得懷疑之處。然而，在達克泰的內心深處，仍有一種被欺騙的感覺。

「你們會不會原諒我的行為？」

「當然會的。」圖弟回答道：「人們對我們的村子有這麼多荒誕不經的傳言，如果去相信那些吹牛者的大話，還真會以為我們擁有的秘密可以用來創造一切！事實上很單純；我們屬於一個為法老服務的行會，它就是我們存在的理由。」

大夥兒將危險區內的最後一把營火熄滅，準備上路。他們即將改走大路，朝科普托斯的方向前進。圖弟在前一個晚上開始較有胃口，雖然旅途勞累，他的臉頰看起來已不似先前如此削瘦。

「這次的旅程對我有相當大的幫助。」他向帕尼泊說出他的感覺。「喪子之痛是永遠不會消失的，只是我已能夠堅強地承受它。我欠你一份人情。我的感覺就好像你把自己的力量給了我一部份。我打從內心感激你。」

「兄弟之間不言謝。當隊上的同事有人碰到了困難，其他的人難道不應該去幫助他、讓船不致陷入危險嗎？首長不斷地重複這些話，我心想這個道理應該和金坊的秘密一樣重要。」

一名哨兵吹起了喇叭，緊急發佈警報。

「是那些強盜！」一名礦工驚慌地大叫著。

「大家冷靜下來！」帕尼泊用威嚴的聲音命令道：「士兵們和勘探員會圍成一個圓圈保護你們。我們擁有武器，也知道如何對抗。」

帕尼泊的話安撫了眾人焦慮的情緒，大夥兒也不再慌張，立即照著他的指示去做。帕尼泊撥開人群，走到圈子外察看敵人。

對方有百來個人，身上帶有弓箭和匕首，他們的首領騎在一頭黑色的騾子上。這夥歹徒個個留著大鬍子、披頭髮、穿著顏色很刺眼的長袍，隨時準備發動攻擊。

依這種情勢，雙方死傷的人數勢必會不少，而打鬥的結果會對埃及人較為不利。

帕尼泊上前一步，兩手各握著一塊石頭。

一名弓箭手射出了一根箭。帕尼泊等它飛到一定的距離之後，將手中的第一塊石頭瞄準它擲過去，那根箭應聲斷成兩截；然後他把第二塊石頭朝騎在騾子上的首領丟過去。

以這個距離而言，首領是不可能被砸到的，他的手下開始嘲笑這個埃及人的自不量力。石頭在空中飛得又高又快，一頭擊中歹徒首領的前額，他立刻應聲倒地不起。一名盜匪見狀，立拿下他的武器和騾子，轉身便溜了，其他人也跟著他抱頭鼠竄。

全場響起了一陣對帕尼泊的喝采聲。

37

一名敘利亞年輕女子用她柔細的雙手正為達克泰按摩，莫希這時闖進他的房間。

「你什麼時候回來的？」

「昨天晚上，而且情況很慘。」

莫希做了一個手勢，要按摩女郎離開。達克泰痛苦萬分地轉過身，再一邊呻吟、一邊坐了起來。

「我在這個恐怖的旅程上，差一點被一個沙漠強盜給宰了。酷熱、沙漠、出沒無常的盜匪……您不用指望我會再參加這種遠征隊了！下次我會派一名部下去。」

貼在達克泰右邊太陽穴上的紗布證明了他的話。

「你還活著，也會慢慢從這個不愉快的經驗中恢復過來。回到正題：你發現了什麼？」

「什麼也沒發現。」

「什麼叫做什麼也沒發現？我最痛恨別人不把我放在眼裡，朋友！」

「我怎麼敢！不過我認為那裡沒有什麼好發現的。石油山只不過是一個礦區，他們到那裡採集方鉛石和瀝青，而我現在已經知道它們的用途了。我帶回和前任所長一樣的數量，到時我會出一個好價錢賣給眼影商。那裡即無寶藏、也沒有秘密，相信我！」

「那為什麼真理村會加入這個遠征隊？」

「為了一個您和我都沒有想到的原因；要取得固定工具把柄的原料。這些人比我們想像中來得單純。我和他們接觸以後，可以肯定他們唯一的目的就是把工地的工作做好，以及為工人著想。」

莫希狠狠地摑了達克泰一把掌。達克泰左臉頰熱辣辣的，耳朵嗡嗡作響、眼冒金星，好不容易才回過神來。

「你說的話簡直像個白痴，而且得了失憶症！你被騙了，可憐的達克泰，他們想要把你催眠，而我，我要把你叫醒！你忘了我莫希親眼看到光之石？我們要挖掘的秘密就在真理村、不在別的地方。我們的對手既非白痴、也不是單純的人物，極是狡猾且懂得保護自己的人。那些騙你的人是遵照他們的首長指示去做。而這個人做每件事都有計劃的。」

＊　＊　＊

驢隊在真理村的大門前停下來。幾個助理工幫忙帕尼泊把裝滿方鉛石塊的籃子卸下來。圖弟一個一個算過，然後把正確的數目告訴陵寢書記，以便他在陵墓日誌上詳細地記載下來。接著奈克特和卡洛將這些珍貴的物品運進村子裡，他們不斷地向這兩個旅遊歸來的同事噓寒問暖。

「因為有你照顧圖弟，所以我們很放心。」卡洛向帕尼泊說道：「不過再怎麼樣我們還是希望你們回來。」

「村子裡一切還好吧？」

「我們忙得連無聊的時間都沒有，你可以相信我！首長要我們修理那些工具，準備開工，而雕匠們已經開始工作了。」

尼菲寡言過來看圖弟和帕尼泊，並且擁抱問候他們。

「一切順利嗎？」

「還好。」圖弟回答道：「那些沙漠強盜攻擊了我們兩次，還好帕尼泊最後都化險為夷。此外，達克泰試圖要了解我們在這遠征隊的真正角色，不過我們把他騙過去了。」

「你確定？」

「我們也不敢百分之百肯定。這個傢伙不喜歡我們，而且看起來非常地奸詐。我們要特別小心他的企圖。」

「你把需要的東西都帶回來了嗎？」

「這次的收獲很豐富，你甚至還可以有庫存。」

「帕尼泊知道了？」

「我給他看過石油，他也已經知道其危險性。我要特別強調他的工作態度可圈可點。」

圖弟一交代完便趕回去看他的妻子。

「如果我想得沒錯。」尼菲對帕尼泊說道：「沙漠已經成了你的朋友了。」

「它和我很相似，而且彼此了解；若沒有了它，我們村子也不會存在。我們大工程準備要動工了嗎？」

「後天。」

「太好了！我是開工的第一隊嗎？」

「我本來不太想，但圖弟令我改變了主意。」

帕尼泊高興得跳起來。

「我要用跑的回去抱老婆和兒子。」

帕尼泊說完便開始跑，不過他卻跑不了多遠。

短短的紅裙、細細的珍珠項鍊、可人兒碧玉靠在她家的大門前，正在梳她長長的頭髮。

「有一個能幹的老婆把家管得井井有條，是一種無可取代的幸福。」她輕輕地說道：「理所當然要愛她、感謝她不但身兼數職、而且具有無可挑剔的美德。你幹嘛停在我家門口？」

「妳會讓我進去嗎？」

「你知不知道你這樣做會有什麼後果？」

「你可曾想像過一個可憐的人在酷熱的沙漠中、沒有女人的日子？」

碧玉挪開身子讓他進去、帕尼泊抱起她的腰、溫柔地把她放在前廳的愛之床上。他永遠抗拒不了她的魅力及美麗，也不想抗拒。

當她全身一絲不掛時，他解開一只皮袋，拿出一些圖弟已雕琢好的石榴石，放在他情人的腹部上。

「它們美不美？」

「你也開始浪漫起來了，帕尼泊？」

「門兒都沒有！」

不等碧玉有時間把玩它們，帕尼泊如同久旱逢甘霖、展開了熱烈的擁吻。她已無意再抗拒，於是將她身上比沙漠珍石更動人的部份獻給了他。

*　　　*　　　*

娃貝特純潔坐在一張有靠墊的高椅上休息。一名僕人為她按摩著足部，廚房裡有一隻小猴子抓著一個無花果，正啃得津津有味。這隻小猴子有一天自己跑到村子裡，從此再也不離開。牠每天晃到這家、逛到那家，有時住個兩三天。村民也不趕牠，因為牠總是和孩子一起玩，比任何一個玩具都來得有趣。

胸部豐滿的奶媽坐在娃貝特對面，正在給帕尼泊貪吃的兒子餵奶。

「我從來沒見過這情形。」奶媽驚嘆道：「不久以後，妳家裡就會有兩個壯丁了！」

為了餔乳，奶媽都喝無花果汁，而且吃很多新鮮的魚，以使分泌的乳汁有角豆樹果粉般溫和的味道，可是這種飲食已不再能滿足阿沛弟的饑餓，而阿沛弟已經開始吸收固體食物。

有時，娃貝特懷疑自己是否有能力同時做好她女祭司、持家、教育小孩的責任；但一想到將來兒子大部份的時間都會在外面玩耍，而且他父親鐵定會訓練他角力或類似的活動，因此也不再煩惱。

「我的鄰居都說她在村子大門那兒看到帕尼泊。」娃貝特說道：「妳知不知道他是否真的回來了，奶媽？」

奶媽顯得很尷尬，眼光不敢正視她。

「我今天早上沒有經過那裡。」

「這麼說他是去看碧玉了。」娃貝特心裡有了底，「這樣也好。等他傍晚回到家裡來，他熾熱的慾火也已平息了。」

廚房裡的小猴子衝了出來，一把跳到剛進門的帕尼泊肩上。嬌小的猴子和高大的帕尼泊形成非常特殊的對比。

「我希望大家一切都很平安。兒子，過來給爸爸看看！」

奶媽將阿沛弟交給他父親。帕尼泊溫柔地搖著他，小猴子也用手指頭羞怯怯地摸他的黑髮。

「真是個漂亮的小子！」帕尼泊得意地說道：「這都是妳的功勞，娃貝特。咦，怎麼了？妳的臉色看起來不太好。」

「我的確是有點累。」

帕尼泊將小孩交回給奶媽，然後把一只小皮袋擱在妻子的腿上。

「這是什麼？」

「打開來看。」

娃貝特解開繩子看裡面的東西。

「是光玉髓，還有雞血石！」

「妳要為我戴上這些項鍊，讓其他的女人吃醋和眼紅。」

「我要麻煩你一些小事：我們需要為奶媽準備更多新鮮的魚。因為你的兒子太貪吃了，所以她得補充一些營養，而且她的奶量也不夠他吃了。」

「我會處理。」

「真抱歉打斷了你們夫妻的天倫之樂，陵寢書記緊召見帕尼泊。」

38

帕尼泊真想一拳打昏這個矮小的男人，可是他不能忽視肯伊的命令，再說這個突如其來的召見令他覺得很奇怪，因此便隨著伊姆尼離開。這傢伙忸忸怩怩的態度很令他受不了。

「我事先跟你說，帕尼泊，陵寢書記非常不高興。」

「江山易改、本性難移。」

「如果是因你而起，我可不願自己是你。」

「要當我，你還差得遠，伊姆尼。」

帕尼泊加快了腳步，使得伊姆尼不得不用跑的。

牛妞正在肯伊房子的大門口掃地。

「他在等你來。」牛妞對帕尼泊說道。

伊姆尼也想跟進去，但牛妞用她的掃帚擋在門口。

「你不行。」他交待過：「除了帕尼泊，其他人都不能進來。」

伊姆尼一肚子不高興地轉身離去。帕尼泊來到書房，陵寢書記、首長和智女都在裡面。

「我是不是被傳喚出庭？」

「別在那兒胡說八道了。」肯伊說道：「坐下來專心聽著。」

陵寢書記這回看起來真的事心事重重。

「我要告訴你們一件很嚴重的事，你們必須發下重誓，不能將我所說的事情洩露出去。」

尼菲、卡萊兒及帕尼泊全都發了誓。

「所有比較珍貴的工具都被鎖在保險室裡，只有首長和我本人有鑰匙。」肯伊解釋道：「為了避免被偷竊，我們一直沿用過去的一種防盜系統，那是阿孟霍特普三世統治時期的一名細木匠所發明的。」

「偷竊？」帕尼泊驚訝地說道。「偷竊、在這個村子裡？」

「只要是人都會有其弱點，我剛剛才掌握到證據；有人試圖潛入我們的保險室。」

「實在令人難以相信。」

「事實的確是如此！小偷不但打破了陵墓泥章，而且企圖鋸掉第一根木條。就在這個時候，他可能發現自己觸動了第二道機關，甚至懷疑還有第三道。他怕被發現，所以放棄了。不過他所留下的痕跡非常明顯。」

「假使這些話不是出自陵寢書記的口中，我是一個字也不會相信的。」尼菲說道：「既然如此，只得面對現實，我們之中存一個不老實的工匠。或者說，有一個貪心的人想要將行會的財物據為己有。」

「這件事情不能等閒視之。」肯伊思索道：「是不是該通知索貝克隊長？」

「這是我們自己的事！」帕尼泊反對道：「我們自己解決它，不需要外界插手。」

「我只信任你們三個人。」肯伊認定道：「首長和智女是這個行會的父母，而潛入者把鎖撬開的時候，你，帕尼泊，你並不在村子裡。」

「圖弟也不在。」

「沒錯，但他有可能是小偷的共犯。」

「我就不可能？」

「你這個是一輩子也不會去幫助壞人的。」

「此事也許不該小題大作。」尼菲思忖道：「有人企圖闖入而失敗的確不容否認，但這個人一定不敢再犯了。」

「你未免太樂觀了吧？」肯伊答腔。

「明天我會和左隊隊長先討論工程，再召集所有右隊隊員，將兩地的工作分派每個人；而我相信我們所肩負的偉大使命，一定會讓大家的精神為之一振。」

「世上需要尼菲這種人來實現理想。」肯伊心想著：「也需要我這種人能面對現實。」

「智女有什麼看法？」他問道。

「對使命要有信心、對人要有戒心。」

* * *

帕尼泊首先來到捕魚塘，這裡的專家飼養了鱸魚、鯔魚、光鰓魚、長頜魚、尖吻鱸，以供應真理村食用。如此一來，無論漁夫在尼羅河的漁獲量如何，行會永遠有新鮮的魚可以吃。魚塘的四周種有楊柳和洋桐槭，一年四季都很涼爽，而且西岸的行政部門對魚塘的作業有非常嚴格的管理。

在魚塘有一間漁販使用的鹽倉，他們將鮮美的肥魚自背部一直線剖開，取出內臟後放在太陽下曬乾，然後再抹上鹽。那些較小的魚全被堆放在籃子裡，而較大的魚則吊掛在竹竿上。

帕尼泊走向一名魚販，後者手上拿著一把銳利的魚刀，正在殺一條肥大的鱸魚，其他的同事則在處理及製作烏魚子。

「嗨，朋友，我是帕尼泊、娃貝特純潔的丈夫。我需要一籃新鮮的魚和一甕魚干，這是為我兒子奶媽準備的。」

「不管你是誰，你什麼也拿不到。我們有明令規定：魚塘的魚要送到村子裡，而且要經過陵寢書記助理登記確切的數量。我們不能直接給任何一名工匠。」

「即使為了奶媽也不例外？」

「沒有任何例外。」

帕尼泊有能力輕易地將漁販和他的同事撂倒在地上，但他並不想為他們帶來麻煩，因為這些人可以說是為村子在認真賣力的工作。

「你到河邊去看看。」他對帕尼泊建議道：「那邊的漁夫也許較能體諒你的情形。」

一名漁夫坐在洋桐槭的樹蔭下修補網結，他的同事在另一頭使用不同的技術撈美味的魚。有些漁夫用一種三角支架、加上撈網的工具捕魚；這種工具操作方便，可是一旦裝滿魚的時候，需要有強壯的手臂才能將它從水中拉出來。

「老伯，請問這裡有沒有賣魚？」

「這裡沒有：我的工人只為拉美西斯大帝神廟的祭司捕魚。」

「哪裡可以找到為真理村捕魚的人？」

「在水渠那邊，往北邊大約一百多公尺左右。」

水渠邊有六個人分成兩組，一組在岸上，另一組在船上，他們合力把網張開橫置在水渠上，漁網的兩邊盡頭各有一根堅固的繩子以供收網用。

「用力拉緊，你們這些懶骨頭！」留著大鬍子，有個啤酒肚的老闆吆喝道。

「你以為我們拉好玩的啊？」一名同事回嘴道，他的長像更是其貌不揚。

「來吧，大家一起拉上岸！」

網子裡裝滿了烏魚、鰻魚、鯉魚，收穫非常的豐富。

「把這些活蹦亂跳的魚拿出來。殺好後放在楊柳樹下的籃子裡。動作快一點。」

帕尼泊走近他們。

「我叫帕尼泊，我想買一些新鮮的魚。」

「我呢，名叫尼亞。你打算出什麼價？」

「合理價：一個護身符交換一籃今天捕獲得鯔魚。」

尼亞拍拍肚子。

「很合理。你把這個護身符帶在身上了嗎？」

「在這兒。」

它是用帕尼泊自沙漠裡帶回來的光玉髓雕琢而成，形狀為一束綻放的紙莎草，象徵富裕。

尼亞接過護身符，放在手上掂一掂之後，便把它收起來。

「正點，真的很正點！你的護身符的確值一籃鯔魚。」

「那就給我吧！」

「我是很想給你，不過這是不可能的事。高不高興是你家的事，小子。我的魚是不賣給隨便什麼人的。不過，東西到手，概不退還。我的人都可以作證；你根本沒拿什麼護身符給我。我看你還是快滾吧！」

另外五名漁夫全靠攏在老闆的背後。

「你們是用這種態度來對待真理村的工匠嗎？」

尼亞哈哈大笑。

「我叫你滾。否則，我讓你連自己姓什麼、叫什麼都不知道。」

帕尼泊狠狠一拳打在尼亞的肚子上，力道大得使他整個人往後仰、連帶著也撞倒了其他幾名幫兇。其中兩名掙扎著站了起來，也立刻被帕尼泊擊昏，剩下的人則連滾帶爬逃之夭夭。

「我把我應得的魚籃帶走，護身符留給你，尼亞。但願祂讓你做人較誠實。」

39

在帕尼泊及圖弟遠行期間，其他右隊工匠把行會所在地重新裝修過。帕尼泊完成了淨身的儀式後，一進入會議禮堂便注意到有兩個全新的甕被固定在地面上，天花板和牆面也重新粉刷了一遍，他深吸了一口空氣中淡淡的檀香味。

首長對祖先行禮如儀後坐在他的位子上，同時請兄弟們坐下來。

「帕尼泊和圖弟從石油山帶回來製作光之石所需要的原料。」他對大家說道：「金坊的秘密工作因此得以接進行及完成，而它的光明也將繼續照亮我們的路。動工建造梅仁達法老陵寢和其百萬年聖殿的時刻已來臨。我與左隊隊達成協議，決定讓各位來進行第一部份，他們則繼續完成其他進行中的工作。」

剎那之間，所有的工匠都屏住呼吸、不發一語。大考驗終於來臨了。

「陵寢的地點做最後的決定了嗎？」烏奈士問道。

「國王已同意我們的提議。」

「特殊的工作要有特殊的工具。」卡烏用沙啞的聲音提醒道：「我們是不是真的一樣都不缺？」

「陵寢書記已向我保證過了。」首長回答他。

「我們是否可能有幾天遠離家人、待在國王谷地？」

「為了要趕工作進度和節省我們的精力，到時的確有必要這樣做。」

「那個地方沒有村子來得舒適愉快。」

「很抱歉，帕依，完成任務比什麼都重要。」

「我想工地剛開始的時候，我並不需要在場吧？」傑德冷淡地說。

「從一開始，所有的人馬都必須集中在這個地方，將我們每個人的才能匯集起來，形成一股神奇的力量。為了成功，我們需要這股力量。」

「國王谷地的工程將為時多久？」雷努貝問道。

「還不知道。這個陵墓的規模很大，不會輸給拉美西斯的陵墓。」

「看來幾年的時間跑不掉，」卡洛嘀咕著。「而且還不能有任何的瑕疵，我說的對不對？」

尼菲微笑了一下。

「說得沒錯。」

「你有沒有首府那邊的消息？」狄弟亞問道。

「沒有什麼消息。」尼菲應道：「不過梅仁達國王已頒佈御令，明定了真理村的責任與義務。」

「也就是說我們會永久繼續下去。」歐塞哈特自己做了註解。

「我們要以永久的前瞻性來做事，也要把每一刻當作是最後一刻。光是盡最大的努力還不夠：創造這座陵墓時，必需要忠實地將它神秘的真理表達出來。」

帕尼泊一從碧玉家走出來，便碰見了傑德。

「你永遠都會那麼愛她嗎？」

「碧玉難道不是村子裡最美的女人？」

「希望這種美能夠給你帶來靈感。不過，除了這個，你沒有想過該為國王谷地的工作做準備？」

「老實說，傑德，我沒有想過！」

「所以說，你是初生之犢不畏虎。」

「既然您是我的師傅，您做何建議？」

「跟我到工作室。」

兩人緩步走在村子的主街上。傑德看起來很嚴肅，講話不似平日貫有的冷嘲熱諷，就如同他正在面對一個非常重要的時刻。

「你或許知道我有一間小木屋靠近尼羅河、一小塊田、一間裝油甕的倉庫、一間穀倉、一個牛棚和幾條牛。這些不算是什麼龐大的財產，不過它們讓我有一筆固定的收入，而有很好的生活條件，同時也可以為我自己買顏料，假使你願意，我把這些財產都留給你。」

「絕不可能。」

「你為何拒絕？」

「我有您的教導就已足夠了。剩下的，我要自己去努力爭取。」

「我的建議可以讓你省下不少時間。」

「我一點兒也不擔心時間的問題。它不會耗損我，只會讓我越來越堅強。況且，我最不喜歡人家送我禮物了。」

「你該不會認為我試圖要收買你吧？」

「我的答案是不，就這麼簡單。您不妨把財產留給您的家人，我們也不要再談這件事了。」

傑德推開了工作室的大門。

室內散發著奇怪的光線，彷彿來自於那些畫筆和刷子，它們被清洗得如此乾淨，簡直和新的沒兩樣。另外有一些草圖整齊地列成一排靠在牆上。

「學到一個完全的技巧，不等於得到真正的學問，帕尼泊。然而還有什麼比成為一個有學問的人來得更重要?它會讓你了解各種形式與顏色的奧妙、會為你顯示這個行業的神聖性，它將是你唯一真正快樂的泉源，也會讓你正直無私。活在瑪亞特心中，等於是從無知轉變成智慧，特別是用心去了解、去感受。」

傑德將一塊紅色的顏料加水稀釋，然後用一枝很細的畫筆沾上顏料，以靈活的手法畫出一隻隼眼。

「你看這是什麼，帕尼泊？」

「禽類的一隻眼睛。」

「你到底有沒有觀察能力？什麼時候你才會了解，我們這行的藝術是需要能夠看清真相的人，而不是空洞的模仿者。到處都有畫眼睛，在牆上、神廟、木乃伊棺、石碑、神舟天上的眼無時無刻不在凝視著我們，你身為畫匠，要用同樣的目光來透視一切。你可以做到嗎？」

「你可以考驗我。」

「願你的心不要因為所學而變得自大，切記『三人行必有我師』的道理，連微小的露水都能使田園茂盛。你是否真的準備要看了，帕尼泊，而且很清楚一旦發現了這個全新的世界後，你就再也不能走回頭路了？」

「我絕對不是一個膽小鬼。」

「好，這個給你，你永遠要把它帶在身上。」

傑德解下他身上戴的護身符交給帕尼泊。它是一個用塊滑石刻成的眼睛，以象徵性的方式涵蓋世上所有的度量衡。

「虹膜、瞳孔、淚管、眼角膜，這隻眼睛的每一部份等於分數單立。如果你將所有的部份加起來，結果只有六十四分之六十三。你假使能夠成為一個真正有眼力的畫匠，你的手便能發現所缺的六十四分之一，因為懂得看就懂得創造。」帕尼泊入神地凝望著這個小小的傑作，從此以後，它將永遠守護著他。

「我想謝……」

「什麼都不要說，開始準備吧。」

傑德走出了工作室，他如何能夠向徒弟坦承自己已開始失去視力？

首長戴著金胸章、儀式假髮、手持一根非常重的木製鑰匙，身後跟著右隊的所有工匠來到陵寢書記面前。

「你是否願意為我們打開保險室、將法老所屬的工具交給我們？」

「說出口令。」

「熱愛使命。」

肯伊使用那把鑰匙開啟第一道鎖，再反轉鑰匙解開第二道機關。

接著他把保險室的大門打開，裡面有五百把中型及五十把大型的銅鑿、三十巴銅鋤及二十把橫口斧，這些銅來自西奈沙漠。尼菲檢查過它們的品質後，轉向陵寢書記問一個儀式上的問題。

「這實物是否含有天上的金屬？」

「請首長選出能使永生之工程有效的工具。」

尼菲找出一把隕石做的角尺和一把水平計，然後面向工匠舉起它們。

在肯伊的注視下，工具開始被分發給每個工匠，大家的心情既尊敬、又感動。

突然，烏奈士把他的銅鑿扔在地上。

「這個工具根本不能用！你們看，它上面有一道長長的裂縫！」

「我的也是。」狄弟亞驚慌的說道。

「我們遭到了毒眼的攻擊！」帕依喊道。「就算建造陵墓也沒有用，因為必定會失敗！」

首長和陵寢書記皆無言以對。的確，只有毒眼才能如此破壞保存在保險室的銅鑿。

「我們請智女協助。」肯伊決定道。「唯有她能驅走這個邪氣。」

40

女祭司們穿著紅色的繫肩帶貼身長裙，共同聚集在主神廟前。有些女祭司歌頌著哈托爾女神，有些打擊太陽形狀的鼓伴奏，其他的女祭司則在智女卡萊兒的四周圍成一個圓圈。

緊接而來的是一陣長長的靜默，女祭司們一個接一個地離開，這時行會最年長的一位老者出現在神廟前。

「當光明創造生命時。」老者說道：「光明選擇了太陽的形體做為生命，太陽的眼睛在蓮花中盛開，當它的淚水滴到地面上，便化了名為『神之金』的美女。她是女太陽神，照亮了全世界；而妳，智女，妳就是她的女兒。妳是否有勇氣冒著生命危險去完成一個男人的工作、成為工匠的女首長及行會的長老，能夠驅走毒眼？」

「真理村賜給我生命，而我也會為它奉獻我的生命。」

「妳要進入這個神廟，去面對你的命運。」

卡萊兒戴著有一朵蓮花的假髮，毫不遲疑地邁步向前。

而廟裡有一座雕像，底座是花崗岩，雕像本身是托特神化身的一隻狒狒，左手持著裝有一個紙莎草紙的袋子。它紅色的眼睛凝視著卡萊兒，而她迎視著它的目光，以接收托特神想傳達給她的訊息。狒狒的手彷彿正在交給卡萊兒一只文件，她鞠躬行禮收下了它。

「過來我這兒，穿越我的門檻。」一個冷靜得令人害怕的女性聲音響起。

她自狒狒雕像旁邊經過，來到第二座雕像前。卡萊兒的眼睛適應了周遭的黑暗之後，看見一小尊用金子雕成的隼，頭上有一個太陽金環。在雕像的腳邊有一條豎起上身的眼鏡蛇，牠的脖子膨脹得很大，有如法老額頭上戴的那隻聖蛇。

卡萊兒看到眼鏡蛇的姿態，知道牠正要發動攻擊，但她並未因而退後。她在西峰頂上已有了十足的經驗，因此繼續不斷地注視著眼鏡蛇，準備隨時跟著牠的擺動起舞。

然而這個怪物一動也不動。

她感到很好奇，於是走上前去一探究竟。

眼鏡蛇的雕刻手法太過於出神入化，宛如是一條真蛇。卡萊兒小心溫柔地撫摸它的頭。

「取下金環。」

平靜的聲音指示道，「將它貼在妳的胸口上。如此一來，妳在黑暗中便可以看得見。」

卡萊兒取下了這個珍貴的象徵物，並且感受得到它發出的熱力。幽暗的神廟內立刻亮了起來，她發現有七個手持刀子、戴著恐怖面具的魔鬼。藉由托特神傳達給她的紙莎草紙內容，她得知他們是：反面人、燒焦者、誹謗者、叫吠者、利刃者、嚷嚷者和吃蟲者。

他們一起上前團團圍住智女。她舉起身上唯一擁有的武器：太陽及紙莎草紙。七個惡魔立刻倒退，稍後消失無蹤，取而代之的是一名戴著豺頭神阿努比斯面具的祭司。

「跟著我走在神水之上。」他吩咐她道。

卡萊兒跟隨著他走在一片銀質地面上，它象徵著原始生命初現的廣大海域。

阿努比斯洗淨智女的足部，然後為她穿上一件復生的緊身白袍，而且緊得使她幾乎無法移動腳步。

他帶她來到一處陰暗的祭殿前。

「此地是幽靈化身之處，它們變成其他的形體，夾雜出現在活人之中。但妳是否有勇氣承受能驅走毒眼的力量？」

「我願接受考驗。」

「妳要小心：這股力量能把妳摧毀，先人知道如何收住它，將它留置於廟裡面，但極少有人世間的肉體承受得了它，而且沒有人知道妳是否有能力承受。」

「我要盡一切力量來幫助行會，請讓我迎接這個挑戰。」

「妳進入這個祭殿，讓女神來決定吧！」

卡萊兒困難地舉步前行，來到奈特女神的雕像面前，奈持女神曾經用七個句子創造了世界。女神的雕像和卡萊兒一般高，兩眼炯炯有神，彷彿天空閃亮的星星，它們凝視著卡萊兒，後者在一公尺遠之處，手掌攤開向上，對女神伸出雙手。

剎那之間，女神的雙手射出兩道波光，直通向卡萊兒的心臟，使得她搖晃起來。這股力量透入卡萊兒體內，流通到她的每一根血管。它的力量是如此的強列與灼熱，以致於卡萊兒幾乎無法承受下去。

只有女神可以中斷這項考驗，可是智女必須撐下去，因為她需要這股力量來幫助她驅除毒眼。

肯伊不會對尼菲寡言隱瞞任何事情。

身為智女，遲早要面對奈特神，才能知道她的活力是否比得上女神。

可是就正常的情況而言，過去的智女總是先經過很長一段時期的沉思冥想，以做好萬全的準備，不似卡萊兒在這種緊急的情況下直接面對女神的雕像。

「有人企圖潛入保險室。」肯伊對尼菲說道。「不過他卻沒有成功，毀壞工具的罪魁禍首的確是毒眼，假使無法驅散毒眼，你將無法建造國王的陵墓。」

「為何不請朝廷的法師來幫忙？」

「有誰會比智女成功的機會來得更大？她是行會之母，一定會用盡她最後一分力量來援救行會。」

「這是無庸置疑的，肯伊，但她是我的妻子，是我最親愛的人，而您蓄意讓她置身於危險之中，卻沒有事先通知我。」

「這點我承認，此乃由於我的職責所在。當情況需要時，陵寢書記必需忘卻每個小我，只能為行會這個大我著想。我們大家一致的目的是創造法老的永生之所；然而只要毒眼阻礙著工匠之手，真理村將陷於動彈不得的困境。」

在尼菲的眼中，他看到了陵寢書記真正偉大的一面。他不只是村子的單純管理者，同時也和其他兩名工匠隊長一樣，必需保證村子能夠徹底履行它的任務。

「就算您的決定將我推入焦慮的深淵，我也不會反對。」

「這才是對的，首長，否則卡萊兒也不會同意你，你自己也很清楚。」

尼菲望著祭殿，他的妻子正在裡面承受凡人幾乎無法忍受的力量。他想起了她溫柔的笑容、寧靜的眼神和永無止盡的愛，她會活著回到他的身邊嗎？

「我和你一樣的擔心。」肯伊輕輕地說道。「我認為我們所要服從的法則有時太過於嚴苛了。」

碧玉和娃貝特純潔攙扶著卡萊兒走出祭殿。卡萊兒已換上了一件較為寬大的長袍，並用一條紅色的腰帶繫著。她的眼睛半閉，彷彿沒有兩位女祭司的支撐便站不住。

尼菲想衝上前去，但被肯伊一把拉住。

「等一下！她需要先吸收光源。」

智女的眼睛睜開了，如同重新誕生到這個世界上。她疑視了好一會兒太陽，才又找回了失去的平衡，於是兩名女祭司離開她身邊。卡萊兒這時看見了尼菲，後者衝上前去把她抱在懷裡。

「我以為自己會死。」她告訴他，「女神的力量是如此的強大，然而是祂將我從黑暗中救出來的。

「妳去休息一會兒。」

「晚一點，我們先到保險室。」

「妳已經累壞了！」

「我必需馬上歸還這股力量。」

工匠們看到智女泰然自若地經過他們的身邊，開始覺得放心而充滿了希望。

那些工具被擺在保險室前面的地面上。沒有人敢再去動它們，怕因此而招致毒眼更嚴重的損壞。

卡萊兒在保險室內焚香，以便淨化及驅走所有摧毀的力量。接著她用手中的磁力將受損或輕或重的工具一個接一個地撫過。所有的裂縫又重新合起來，銅製的工具又再度發出全新的光澤。

「毒眼已被清除。」她說道。「也不會再阻礙行會的工程。」

工匠們對卡萊兒發出一陣歡呼，她縮在尼菲的懷裡，後者已分不清自己此刻對她是敬還是愛。

41

「這個就是罪魁禍首。」肯伊對尼菲寡言說道。

尼菲檢視這堆佈滿銅綠的方形銅片，上面刻有一些咒語。

「我知道這些咒語。」陵寢書記一邊繼續說道，一邊用手指甲去刮它；「它們是抄自妖術手冊的一部份，如果一個貪婪者無法得到某些東西而寧可摧毀它們，便會用這咒語來使之腐爛解體。」

「這個不祥之物在哪裡找到的？」

「它被嵌在保險室盡頭的牆壁內，我已經檢查過每一個小地方。幸虧有智女作法化解，這塊金屬已不帶邪氣。」

「這麼說來，我們其中有一個人確實是居心叵測，才會做出這種事。萬一他再犯呢？」

「他絕對會有這種想法。」肯伊同意說道，「但不會再這麼容易得逞。智女和哈托爾女祭司們會在真理村的所有建築內作法，形成一道保護網，此人將無法穿越它。」

「不，我不相信這個惡意的攻擊是內賊所為。一定是來自於外界。」

「希望是如此，尼菲，不過事實可能是殘酷的。你有沒有想到過挖築國王陵墓的工作將隱藏許多的危機？」

「您認為我沒有卡萊兒的勇氣？」

「陵寢書記需要為首長的安全著想，也必須採取一切措施來保護首長的安全。」

「您認為帕尼泊的存在還不夠嗎？」

「這是最基本的，我寧可再加強。」

「我應該要想如何去完成任務，而不是保護自己。」

假使有人開始懷疑到他頭上，肯伊和索貝克隊長早就會採取行動，因此這個叛徒一點也不擔心；他仍繼續在他的隊上工作，並且一絲不苟地遵照首長的命令，同時也加強與同事之間的情誼。

儘管如此，他仍冒了很大的危險將銅片嵌在保險室的兩塊石頭之間。他這麼做是為了讓工具無法使用，以便擾亂工匠的工作情緒和延誤工程的進行。由於他害怕被發現，所以未能如願將它仔細藏好，他的計劃也因而失敗。陵寢書記和智女結合兩人的力量，化解了這場危機，他怕事跡敗露，也不能再有同樣的行動。

在國王谷地的陵墓工程不但令他的工作加重，同時也延誤了他取得在村外等著他的財產，而萬一尼菲成功了，他所獲得的地位將令事情更加棘手。

一開始，叛徒只為自己和他的財富做打算，並不希望與行會做對。但他受到再三的挫折，逐漸意識到對立已無可避免。無論如何，他必需要幫助那些想要摧毀真理村的人，以免真理村反過來對付他。

右隊的工匠逐一親吻他們的妻子和小孩，道別的時刻已來臨，他們將出發到國王谷地，並且在山口過夜九天，然後才回到村子。

在尼菲的帶領下，工匠先向塞奈吉恩首長（達爾邁迪一號陵墓）的陵墓默禱，接著便穿過陵園，走入一條滿是石子的狹窄小徑，通往西邊山丘的山脊。他們需要沿著陡峭的懸崖邊緣小心前行，對肯伊來講是一件苦不堪言的事，不過他帶了一根堅固的枴杖，只是仍然一邊走、一邊不斷地咒罵這座山。

在他們的左手邊即西邊，有西峰和它成金字塔形的頂峰宏偉地矗立著，而他們的右手邊即東邊，有貴族的陵墓、百萬年大神廟，以及許多一直延伸到尼羅河的農田。

尼菲凝望著這個壯麗的景色，希望因為加上梅仁達的神廟而變得更美麗。帕尼泊也為它著迷，他感謝上蒼賜給他一個令人興奮、充滿奇蹟的生活。

尼菲重新走回小徑，這時奈克持抓住他的手臂。

「小心，否則一不留神便會滾到陡坡底下！這一段路特別危險，已經發生過許多意外。我看還是讓我走前面。」

「你收心，我會留神的。」

奈克特顯得有些失望，不過還是走回隊伍中。他們一路走到山口才停下，也就是界於村子和國王谷地之間的休息站。這裡蓋了一處小山寨，有七十八間用石灰岩塊抹上土坏蓋成的小石屋，還有五十幾座小神廟背靠著懸崖壁。

陵寢書記帶著大家來到「令人好運的阿蒙」小廟前，所有的工匠向祂默禱祈求工程順利成功。

帕尼泊驚訝地發現這個奇怪的地方有許多的石碑，每個石碑都刻著村子的工匠向諸神獻祭的畫面；很明顯的，這個山口不僅是一個歇腳處，它尤其是一個沉思之處，也是和主宰此地的無形力量所接觸的地方。

「風很大，而且阿蒙神的聲音也聽得更清楚。」肯伊對他說道。「如果阿蒙神不讓我們看見祂，我們便會找不到路，現在去把東西安頓下來吧。」

每一個石屋的屋頂都是用石板和枝葉築成，裡面有兩個房間。第一間有一張刻成U字型的石椅，有些會刻上主人的名字；第二間沒有任何的窗戶，只有一張石台，上面舖著床草蓆，供來者睡覺用。

陵寢書記擁有最大的一間石屋，因為它多了一個房間，可以用來當作書房。這間石屋在小山寨的東邊，因而避開了風吹和日曬。

「有沒有人可以好心幫我打掃我的屋子？」肯伊問道。

「我來幫您。」帕尼泊回答道。

帕依、雷努貝、卡沙、奈克特和烏奈士將帶來的兩天份食物放置到屋子裡。第二天開始便會有助理工在警衛的監視下把必須品運送過來。以後每天都是如此，直到他們的工作結束。

卡洛及卡烏分送水甕，而狄弟亞和圖弟則將麵包、洋蔥、魚乾和無花果放在一個大石塊平台上，準備讓大家用餐。在山口的小山寨裡禁止生火和煮食。克難的生活條件令許多人懷念和珍惜家庭的舒適與溫暖。

費奈德、歐塞哈特和伊普到山口的簡陋工作室，開始製作若干工匠祈禱狀的小雕像，它們將被安置在神禱室裡。同時，他們也刻一些工具形狀護身符，如水平計、鶴嘴鎬或角尺，讓每一個工匠都戴在身上，以防躲藏在山裡的惡靈。

只有傑德一人沒找事做。他坐在自己的屋子前面，正在畫一個擺滿了食物的貢桌。

首長向他走過來。

「我知道你怎麼想。」傑德對他說道，「但你錯了。若大夥兒其中有一人不去做這些粗活兒，而用腦去想，是好事一件。」

「就算我同意你的看法，你不認為這個人該由我來指定嗎？」

「我的觀察力難道不是隊上最好的一個？我在畫畫的同時也保持警覺。」

「你認為有一個危險在威脅著我們？」

「這座山並不是人住的地方，還是小心為妙。」

帕尼泊已打掃完陵寢書記的屋子，接著開始打掃自己的房間。

「我們在這裡應該可以睡得很甜。」他對尼菲說道，「可是我第一個晚上要凝望天空。多麼美妙的地方呀！在這兒會令人想起先人的存在，他們在創作之前先在此地思考，而寂靜與西峰的偉大為他們帶來了靈感。我真希望一輩子留在這個小山寨。」

「這裡只是一個過境，帕尼泊，沒有人能夠長久生活在此處。」

「開飯了！」帕依喊道。

所有的工匠都坐下來吃飯。除了帕尼泊，每一個人似乎無胃口。他們很清楚有沉重的工作正在等著他們去做，因為國王谷地的工程完全不似其他的工作。一般平凡的人是不屬於那裡的，他們需要以真理村的生活經驗，做好心理上的準備，才敢勇往直前，挖掘岩石時，也不能打擾到陰間的力量。每一個工匠都知道，只要有一個小小的環節失敗便會毀了他們的事業，甚至涉及到村子的存亡問題。

「為什麼你們都哭喪著臉？」帕尼泊生氣地問道。「人家還會以為你們不久之後便要羞愧而死！」

「你是因為感覺不到即將來臨的考驗。」卡烏反唇相譏。

「什麼考驗？我們大家在一起一條心，而且我們要能與一個偉大的事業，它讓我們有機會接觸到永生！還有什麼好的要求的？」

「我的徒弟很有幽默感。」傑德咐和道，「而且他抨擊我們的恐懼一點兒也沒錯。」

「因為你根本什麼都不怕！」卡沙反駁著。

「我們之中也許我是最害怕的一個，但表現出來又有什麼用？」

「我始終不了解你們。」帕尼泊接著說道。「擔心、害怕、憂慮……你們怎麼老是懷有同樣的情緒？未知的世界和愛情一樣強烈，必需要全心去投入它。」

「與其在這裡瞎抬損，你們倒不如去休息。」肯伊答腔道。「再過四個小時，再過四個小時，我們就出發到國王谷地。」

42

上山的路有多難走，下山至國王谷地的路就有多輕鬆。首長走在最前面，後面跟著帕尼泊。後者因為即將進入「犯罪者不得進入之大草原」而感到極度的興奮。然而，這也是尼菲寡言所擔心的其中一件事，萬一他隊上的確有人試圖使用毒眼破壞，他就等於是將一個壞人帶入此一聖地，可是他既無法肯定，也沒有行得通的辦法來認出這名可能的罪犯，因此他只好背負著這個額外的重擔，繼續前行。

「強光使得石頭都噴出了火。我是不是唯一看見這種情況的人？」帕尼泊問尼菲。

「我們每個人都感覺到了，只是程度有所不同。而且，如果我們不配去完成使命，它就會將我們消滅。願西峰之神保護我們。」

「你是否也準備像他們一樣垂頭喪氣、悶悶不樂？」

「你放心，帕尼泊，我有太多的事要做。」

「當然不是，它只會讓我更振奮，問題是有一名叛徒藏匿於我們之中，企圖讓我們失敗。」

「你真的這麼認為嗎？」

「我尚未排除這種假設。」

「假使真有這麼一個壞蛋，他會採緊簡單卻非常有效的手段；將你除掉。一旦群龍無首，整個隊馬上便會亂成一團。可是這個賊人忘了我的存在。只要我活著一天，你就不會有事。」

「我非常感……」

「你忘了自己叫寡言嗎？」

國王谷地設於岩石的入口處，相當狹窄，而且有索貝克隊長的部下日夜輪流站崗。索貝克親自出來迎接工匠隊，他先向陵寢書記及首長打招呼，然後要每名工匠報上姓名。

「沒有特別的情況需要報告？」肯伊問道。

「沒有，我的手下始終保持警戒狀態，只要有人擅自闖入，會立刻被發現。」

「我需要你兩名最好的部下來看管工作室和工地。」

「那就派班布和圖沙。他們的經歷非常優秀，沒有人逃得過他們的眼睛。」

這兩名努比亞警衛來到陵寢書記面前，他們的眼神顯得很正直，體格也很健壯。

「大家走吧！」首長命令道。

工匠魚貫地穿越入口，進入了與世隔絕的國王谷地。這裡只有光明與石頭，凡人只是它的過客。聳立的懸崖形成了一片靜默，只有藍天與它為伍。

「你，班布。」陵寢書記交待道。「你看守物料倉。只有我和工匠首長擁有鑰匙。此外，分發工具的工作也是由我們來做。萬一少了任何一樣東西，我就唯你是問。」

肯伊打開倉庫的大門，並且清點鶴嘴鎬、銅鑿、顏料和燈芯的數量。它們的總數與他上一次清點的數量完全相符。他不放心地再數一遍，同時檢查它們的品質。右隊所帶的這些工具足夠讓他們開始進行工程。

工具的分配在沉默中進行，肯伊在一塊木板上記下每名工匠所拿的每一種工具，到了晚上都得一一歸還。偷竊的情形將不可能發生，而損壞的工具也會被送回村子裡去修理。

「你，圖沙。」陵寢書記吩咐道，「等我離開的時候，你得看管工地，直到我們回來為止。萬一有人闖入了警戒線，而且避開了索貝克佈下的安全系統，一律格殺勿論。我再強調一次，不管來者是誰。」

雕匠組長歐塞哈特在物料倉的門邊放置了一座石碑，上面刻有七隻耳朵，它們可以使警衛連最微小可疑的聲音都聽得見。

尼菲帶著右隊來到挖築梅仁達陵寢的預定地，位於拉美西斯大帝陵寢的西邊。

費奈德和伊普伊便花了很長的時間查看岩石。

「恐怕不是很容易。」伊普伊估計道。「我不能在遠一點的地方開始嗎？」

「法老和我已做了最後的決定。」尼菲說道。

「好吧！只好將就了，不過下手的力道得很大，動作及位置必須拿捏得很精準。這裡的岩石很頑固，而且要很小心，才不會出錯。」

費奈德將手放在一塊凸出的地方。

「第一鋤要擊中這裡，它的共振會改變石壁的硬度，才比較容易沿著裂痕繼續下去。」

陵寢書記交給首長一把金銀配製的鶴嘴鎬。自國王谷地創立以來，這把鋤一直作為動工典禮用。尼菲舉起它，用力朝費奈德指示的凸點敲下去，誤差僅有幾公釐。接著他用一把鑿刀將洞擴大。

岩石發出一種奇怪的聲音，如同一種低吟聲伴隨無限的希望。

費奈德露出了笑容；他又再一次猜對了。奈克特拿起一把石鎬，開始正式挖掘起來，其他的同事跟著輪番上陣，其中唯有帕尼泊的工作效率可以和他媲美，奈克特感到有點氣惱，於是下手更猛，而帕尼泊絲毫不費力地跟上他。兩人的較勁維持了很長一段時間，最後奈克特終於疲累不支。

「你們兩個先休息。」首長指示道。「其他的人用較輕的鶴嘴鎬。」

替代上陣的工匠們拿的是一把黃銅包住青銅的鎬，重約兩、三公斤，它能夠緩衝反彈力量，使金屬不致受損裂開。

接下來的幾天，大夥兒情緒高昂地繼續工作；石匠們使用一種很重的木柄刮刀和銅鑿，將岩石一小塊、一小塊地卸下。逐漸地，出現了一層層的白色石灰岩，夾雜著顏色較暗的火石層。這種景象令尼菲很開心：岩石的質地非常好，做為雕刻和繪畫的底部最理想不過。

肯伊在陵墓入口處的左邊為自己挖了一個小洞，並且直接了當地在上頭刻著：「陵寢書記肯伊之位」。他坐在小洞裡的陰涼處，如此一來便可以觀工程的進行。

「除了傑德，所有的隊員都很賣力的工作。」他向尼菲說道。「壯觀的入口已有了雛形，想必你馬上就要開挖下坡道。」

「我不敢太倉促。」尼菲，「怕岩石會受到傷害。我們可能會因此而浪費時間，但至少不會下嚴重的錯誤。此外，傑德也不是不做事：他正在為陵墓將來的裝飾壁畫構思和打草稿。」

「他向來都是這個樣子。等到他一面對牆壁，就不會有絲毫的猶豫。他真是個怪脾氣！」

「傑德曾不曾未盡到他的責任？」

「從來沒有。不過，他是個怪人，我不欣賞他的態度。」

「他有什麼地方讓你不滿的？」

「沒有，還沒有。」

「這只不過是一個模糊的感覺罷了，也許我不該向你提起。」

「正好相反，您對我不要有任何的隱瞞，就算我應該知道的事會讓我傷心，至少總比被瞞在鼓裡好。」

「我答應你，尼菲，不過你可能要有心理準備，去面對殘酷的現實。即便是真理村的人也有可能會辜負你對他們的期望。」

「如果任務得以完成，又有什麼關係？」

「那萬一任務無法完成呢？」

「所以您認為我會失敗？」

「老實說，我不知道，我做過幾個惡夢，我很擔心這個工程會有很悲慘的結果，雖然你才幹十足。毒眼的攻擊剛好印證了我的隱憂。」

「智女不是把它消滅了嗎？」

「我希望是這樣。」

「您儘管放心，懷疑和繼續悲觀，肯伊，這對我而很有幫助。」

陵寢書記穩坐在他的石洞寶座裡，不知道咕咕噥噥地說了些什麼。肯伊有時雖然多心，但幸虧有他的多心，工具不但一件也不少，而且總是準時被磨得光滑銳利。

能夠令肯伊真正樂觀的原因，那就是尼菲寡言，他的認真和他的耐心，加上他的領袖特質，教人如何能不欣賞他？

岩石的開鑿進度完全如尼菲先前的計劃，而且每一尺、每一寸都經過仔細的檢查，彷彿那是他生命的寄託。工匠們被他平靜的態度所感染，同時也知道他不能容忍任何的馬虎，因此大家都全力以赴。

尼菲只需要用短短的一句話、一個動作，便能夠將困難解決，或避免同樣的錯誤再度發生。石匠們已留意到他們的首長能理解這些有時很頑固的石頭，也能令它們服從他的計劃，卻不會讓它們受到委屈。

挖掘的工作已經超過了五公尺，這回輪到帕尼泊和烏奈士把碎石裝入皮袋裡扛在肩上運走，或是倒在滑板車上用粗繩拖曳，而卡洛和奈克特則繼續用鶴嘴鎬工作。

奈克特一個猛力幾乎失去平衡，手上鶴嘴鎬的尖端擦過了卡洛的太陽穴。

「你很可能要了我的老命，你這個白痴！」

卡洛氣沖沖地拿著鎬威脅奈克特。帕尼泊撲過去抓住他的大腿使他動彈不得，尼菲則把奈克特抵在牆上。

「你敢對你的首長動手嗎？」

奈克特於是冷靜下來，帕尼泊也鬆手讓卡洛站起來。

「你們兩人馬上握手言和。」尼菲命令道。「這個事件就此打住，不許再有這種情形。」

43

賽克塔的一頭紅髮染得極為成功，豐滿的乳房也比任何時候來得更誘人，身上只蓋著薄如蟬翼的麻紗，此刻的她正極盡能事地挑逗剛進門的丈夫。

「你對今晚的我感覺如何？」

莫希將手上的財務報告遠遠地丟在一邊。

「妳真是條不折不扣的母狗。」他邊說邊捏著她的胸部。

「今天過得可好，我的親親？」

「好得不能再好！」

「你真的很適合權力遊戲的競逐。」

他一如往常地將麻紗一把給扯破，然後像一隻發情的公羊般侵略了她的身體，她就是喜歡他這種調調，粗魯而永不滿足。人生舞台只不過是一場暴力，隨時需要表現出自己最強悍的一面；由於兩人完美的同謀關係，莫希和賽克塔從來不怕任何的對手。

「我們已得不到有關真理村進一步的消息。」她遺憾地說道。

「我們還是知道行會已開始在國王谷地挖築梅仁達的陵墓。」

「這對我們有什麼用？我們並沒有掌握到它的任何秘密。」

「妳要有耐心，我的小寶貝。妳也知道我們正式的身份地位不容我們出任何的差錯。對於取得機密我很有信心，不過，為了要達到它，一定要讓陵寢書記和工匠首長信得過我。」

「你已經有了主意，對不對？」

「一個非常正點的主意，妳等著瞧吧！」

＊　　＊　　＊

帕尼泊懷裡抱著兒子，肩上坐著一隻小綠猴，正在欣賞哈托爾女祭司們隨著碧玉曼妙的姿勢起舞。

小猴子被大家視為吉祥的小精靈，牠自由地穿梭於每一戶人家，品嚐鮮美的食物，並且非常喜歡和孩子們玩耍。此刻牠選擇待在帕尼泊高高的肩膀上，以便就近觀察小寶寶，並且用牠的手指輕輕地逗弄他的額頭。由於阿沛弟被逗得發出小小的笑聲，他的新玩伴也因此玩得更起勁，最後引來帕尼泊的制止。

帕尼泊一直把傑德送給他的護身符戴在身上，並感覺到自己看事物的角度更為廣泛與精確。如同此刻，他更懂得欣賞七位女祭司為了保護村子及工匠的工作所跳的舞。

七名女祭司穿著短裙，前襟開叉、頭戴長長的辮子假髮，辮子上掛一個釉陶製的小圓球，象徵著太陽。

碧玉手舞著一把鏡子，不斷地原地旋轉，而後轉身面對其他舞者。其中一名以左腳上前攬鏡自照，而另一名移動身子用雙手遮住鏡面，碧玉接著將鏡面朝天，以吸收太陽的光芒，然後再播散於四周。

「不要一味地注視自己。」美麗的碧玉朗誦著。「而要將我們的鏡子朝向光明。如此我們將受到保護、遠離邪惡。」

卡萊兒花了很長的時間仔細的檢查阿沛弟，然後將他遞給帕尼泊。

「你兒子的健康情形非常良好，帕尼泊。」

「妳確定？」

「一點病痛的徵兆都沒有，而且和你一樣精力充沛。在村子裡的所有小孩中，沒有人像他一樣。」

「那最好！等到他真正站得穩的時候，我就要開始教他摔角的基本動作。」

卡萊兒還來不及講出她對教育的看法，烏奈士已在這時走進診療室，而且臉色看來不太好。

「我的上背部很疼痛。」他解釋道。「可能是因為不斷地用鎬工作，使得背上的一塊肌肉拉傷了。」

智女將右手放在疼痛的部位。

「你的一塊脊椎骨偏離了整個脊柱。」她診斷道：「我現在幫你按摩。」

烏奈士照著卡萊兒的指示，將兩手手掌交叉合併放在頸部後方。卡萊兒雙手自底下環過他的身體，然後用槓桿方式一邊下壓、一邊拉向她自己，接著便聽見骨骼發出喀啦一聲。

「我覺得好像有一股熱流在整個脖子上。」烏奈士發現道。

「太好了。」

「我對這個技術很感興趣。」帕尼泊說道。「妳願不願意教我？」

「不瞞你說，我一直想要找一個助理，因為你的同事對我而言太壯碩了！前任的智女教了我許多的動作和技巧，但我的力氣沒有大到全部都能做。如果你要我教你減輕背部疼痛的方法，必需要找一個試驗對象。」

烏奈士準備溜之大吉，帕尼泊立刻抓住他的肩膀。

「我相信你一定還有其他地方不舒服，也自願讓我們做示範。」

「不、不，我好得很！」

「大家不是常說為了團體的利益而應該犧牲小我？難道你對我沒信心？」

「怎麼說才好……」

「謝謝你的合作，烏奈士。」卡萊兒邊說邊露出和藹可親的笑容，令人難以拒絕。

智女教帕尼泊如何矯正不正常的姿勢及脊椎側彎，無論是來自頸椎、胸椎或腰椎。此外她還教他治療腰痛或斜頸的有效方法，告訴他每一塊椎骨和每一種器官之間的關係，同時可能引起的病痛，從心律不整到胃酸過多等等。

帕尼泊展現出這方面絕頂的天份，很快地便吸收了卡萊兒所教的一切。他甚至還矯正了烏奈士的骨盆，使他得以擺脫長期以來受到髖骨不正的折磨。

「真有你的！」帕尼泊生平第一個病人叫道：「你居然讓我年輕了十歲！在工地裡，你學的這套會很管用。好了，我要回家去了。」

烏奈士踩著輕鬆愉快的步伐離開。卡萊兒仍繼續教帕尼泊其他的專業技巧。

「我們需要好幾堂課來訓練，在你休假的時間裡，我會試著讓你治療病人，以後你便可以在我不在場的時候實際操作。」

「我真的很高興能夠幫得上你的忙！」

「你的力量是一種天賦，帕尼泊，可是你不要以力量去樹立威望，否則你會被力量制服。」

卡萊兒正準備關上診療室的門，卻在這時看見傑德自陰暗中走出來。

「妳可否給我一點時間？」

「當然沒問題。」

傑德溜進了屋內，彷彿怕別人看見。

「你怎麼了，傑德？」

「沒有什麼大毛病。我的眼睛有一點不舒服，眼皮也有點痛。」

智女檢查了以後，拿給傑德一小瓶藥膏，成份有磨碎的洋槐葉、木屑、方鉛石和鵝脂肪。

「到了晚上。」她告訴他，「你將它擦在眼皮上，再用一塊布覆蓋著。此外，你用禿鷲羽毛管沾眼藥水，在眼睛上各滴三滴，一天三次，這個眼藥水是用蘆薈與硫酸銅調製，可減輕發炎的現象，但不會創造出奇蹟。我想你對我有所隱瞞。」

傑德驚異地望著卡萊兒，彷彿從來沒見過她。她此刻有如皇后般高貴。

「智女會允許我說謊嗎？」

「你難道不知道這個問題的答案？」

「可不可以把燈熄了？」

卡萊兒熄了燈，室內一片黑暗。

「每一個人的生命都是如此。」傑德用疲倦的聲音說道：「它來自於看不見的地方，以光明為食，最終又回歸到黑暗，無論是堅硬如花崗石或柔軟如情感，所有的形體都會溶於黑暗中，我的徒弟帕尼泊對這一切尚無所知，因為他堅信自己精力無窮，認為他的力量可以戰勝一切。他錯了，但就算他很清楚又有什麼用？還是讓他去克服一個接一個的障礙，直到有一天他的毅力和手腳都不中用了，這個時候他才會了解到自己庸庸碌碌地過了一生，卻什麼也沒做，而死亡卻是最熱情歡迎他的情婦。可是在此之前，他必須先要開天闢地，成為一個前所未有的畫匠，而且深信人類可以創造一切！一定要幫他的忙，卡萊兒，不要讓他體內的惡魔主宰他，因為真理村將會需要帕尼泊。」

「你的視力已經不行了，對不對？」

「妳已成為我們的母親，所以要愛你的孩子們，僅管他們之中有人失去了希望。除非妳可以給我一個希望。」

「我沒有權利欺騙你，我知道這個病，卻無法治癒它，你的病情會慢慢的惡化，我也許可以減緩它惡化的速度，但也只能做到這樣。」

「是哪一位神殘酷到對一名畫匠做出如此悲慘的懲罰？想必是我對西峰拜得不夠勤，但後悔也來不及後。千萬不要讓任何人知道。我叫傑德救生員，所以拒絕成為被救之人。」

「你應該去看底比斯和孟斐斯的眼科大夫。」

「有什麼用呢？他們並沒有妳的神力，我會承受這一切，直到我完全瞎了為止，而且我也不會接受妳的治療，除非妳守口如瓶。這件事不能讓任何人知道。」

「只有一個人我不能對他隱瞞。」

「妳的丈夫、我們的首長。他名叫寡言，所以我可以相信他。」

「以目前而言，我沒有辦法把你治好，傑德，但我並未放棄希望。」

44

牛妞很會做菜，尤其是烘烤家禽的技術一流，因此肯伊很快的又再度活力十足。自從她為肯伊做事以來，肯伊較有精力處理他的陵寢日誌、監管國王谷地的工程、繼續他個人的文學作品。他已完成新版的卡得士戰役，文中讚揚拉美西斯大帝近乎神化的角色。之後，他列了一張國王的名單，其中列舉了所有在西岸建築神的國王，最後，他要完成一個描述第十八王朝的故事，試著以詩詞、淵博的學識和象徵性的文字，來活化規模龐大的埃及偉大文化。

「您有客人來訪。」牛妞進來通知他。

「不見，尤其是現在！你沒看到我正在寫作嗎？」

「那我只好把尼菲寡言擋駕在外囉？」

「不可以，當然不可以！請他進來。」

平日很冷靜的尼菲，這時看起來很生氣。

「負責幫我們送銅料的驢隊剛剛抵達。」他說道。

「太好的消息了！我們原先以為明天才會到。」

「驢子是來了，但卻沒有銅。」

「怎麼可能？」

「您來看就知道了。」

陵寢書記丟下他的作品，與尼菲一起來到村子的大門口。

驢隊隊長坐在他旅行用的蓆子上，正在和鐵匠歐貝德談話。

「你把應該送來的銅弄到哪裡去了？」肯伊問他。

「驢隊在科普托斯被警察攔下來搜檢，結果認為這批貨不符合規定。我當初接到的命令是直達這裡，所以我就來了。我可不想有什麼麻煩，您在我的出差單上簽個名，我就要回底比斯。」

「不符合？到底不符合什麼規定？」

「我怎麼會知道！您簽是不簽？」

肯伊簽了字，於是驢隊離開了助理區，準備前去搭船。

「那我呢？我現在要幹什麼？」鐵匠兩手插腰地問道。「沒有原料，我只好在這兒數指頭？」

「有一些舊的鎬和鑿子需要磨利。」尼菲應道，「雕匠師傅會把它們交給你。」

陵寢書記和首長離開了村子大門。

「如果預定的銅料數量不在兩個月之內送來。」尼菲說道，「我就會沒有足夠的工具，而不得不中斷工程。」

「這種情形也不是第一次發生。」肯伊提醒他，「不過這一次來得的太不是時候，我看只有一個辦法，通知莫希。」

西岸中央行政辦公廳裡的人群熙來攘往，許多的書記、送件的差使在辦公室之間穿梭個不停。書記們先後接見情緒不滿的納稅人、抗議地籍有問題的農民或是等著受檢的送貨員。

一名帶著短棍的警衛叫住肯伊。

「你是什麼人？」

「陵寢書記。我要立刻見總督。」

想要直接會見總督的厚臉皮有不少，警衛總是向他們指點某一位書記的辦公室，讓他們等個夠。可是今天這個大人物可不能有所怠慢！

「請您跟我來。」

警衛將肯伊帶到總督接待貴賓的一棟中央建築物。助理秘書一得知陵寢書記的到來，便立刻通知他的上司莫希，後者馬上就趕來見肯伊。

「親愛的肯伊，真高興再見到您！您需要我為您效勞的地方嗎？」

「是的。」

「請進來。」

高級木製辦公家具、數不清的油燈、擺放紙莎草紙及木板的櫥櫃和架子、水甕、啤酒。莫希的辦公室簡直豪華舒適到極點！

「您請坐。」

「我時間很趕，所以我直話直話。」

「是不是有什麼嚴重的問題？」

「真理村應該要收到的銅料被卡在科普托斯。」

「為什麼？」莫希驚訝地問道。

「不符合規定。」

「您能不能說得清楚一點？」

「很不幸的，不能。這些原料對行會非常的重要，它們是要用來製造一些工具，以便繼續行會的工作。」

「我了解，我了解。不過至少應該有人通知我這件事才對！」

「這麼說來，您並不知情？」

「如果我知道，親愛的肯伊，我早就出面干涉了！我擔心可能是我的某個部下犯了嚴重的錯誤。

您可不可以等我一下?我馬上去把這件事情弄清楚。」

陵寢書記看見莫希生氣的眼光，了解到他不喜歡如此出糗。

等到莫希像一陣龍捲風再度回到辦公室時，天色已不早。他的手上拿著一份紙莎草紙文件。

「確實是有一份文件通知我有關你們銅料的問題，只是負責與科普托斯連絡的人居然將文件歸到非急件類!就算我跟您說這名公務員已被我調離我的單位也於事無補。這個傢伙將會被調到鄉下的小辦公處，教他好好的重頭學習過，我會親自監視這幾年裡不讓他有任何升遷的機會。我向您道歉，肯伊，不管我部下犯的是什麼錯，我都有責任。」

「您知不知道為何這批貨被視為不符合規定?」

「這是行政上一個愚蠢的錯誤。礦場的老闆沒有正確地填寫貨運清單，結果使得科普托斯的警察以為是一件走私。那邊已予展開了調查，可能要花上幾個月的時間。」

「幾個月!這下子可嚴重了，您有沒有什麼辦法。」

「寫一份嚴正的抗議函，並且命令科普托斯的警察立刻把貨送到底比斯。」

「這麼做會不會成功?」

莫希了一個無可奈何的表情。

「或許，但無法肯定。尤其是偵查的工作仍會繼續進行。」

「您能否取得一批新的銅料?」

「不可能的。分配給你們的數量就是這麼多，沒有更多的了。銅的配額限制很嚴格，我沒有權力去更改。」

「這可是關係著真理村。」肯伊提醒道:「難道沒有例外可言?」

「如果是由我做決定，這個問題早就不用談了!可是它涉及到整個行政系統，您也非常清楚它有多複雜。」

「看來我只好告訴首長這個壞到極點的消息。」肯伊失望地說道。

「也許只剩一個辦法。」莫希思索道。

「什麼辦法？」

「我親自到科普托斯走一趟。我去見那邊的當局，向他們說明我們的意思。雖然不能保證會成功，但我會盡量說服他們。」

莫希收起那份相關文件，然後踩著堅定的步伐向辦公室門口走去。

「我馬上出發。」他決定道，「希望不會空手而歸。」

「無論如何，莫希，行會都會感激您的。」

「我的責任不就是要保護它嗎？請原諒我們長話短說，因為我不能再浪費任何一分鐘。」

莫希又像一陣龍捲風般出去到走廊，並吆喝他的車伕備車，準備立即上路，同時心裡暗自高興自己的計謀策劃得天衣無縫。既然是他自己製造出來的問題，要解決它當然不是問題。他也因而成了工匠的救星。

很明顯的，肯伊並沒有懷疑，莫希自導自演的天份使得肯伊掉入了圈套，肯伊將會告訴尼菲他是真理村最盡職的保護者，為了救援他們，不惜丟下一切去處理這個問題。

等到他回到底比斯，帶著行會需要的銅料出現，莫希將被塑造成英雄的形象。

45

首長仍然決定使用現有的工具繼續梅仁達的陵寢。他向右隊工匠解釋了目前的情況，有些工匠如卡烏或費奈德因此為之洩氣，幸而有帕尼泊為他們打氣，他深信尼菲一定會設法脫離這種困境。因此工作的進度並未落後。

七個禮拜過了，氣氛顯得越來越沉重。右隊工匠在下山回村子休息兩天的路上，心裡不斷地想著是否兩天之後會如期折回國王谷地工作。

「用磨損不堪的工具做事，效果會大打折扣。」卡洛抱怨道。

「你放心，首長不會讓這種事發生的。」奈克特答腔，「換句話說，工程將因此而停擺。」

「我不喜歡這樣。」費奈德說道，「遲早一定會重新繼續工程，可是這麼一來就無法一鼓作氣。發生這種事情是一個不好的兆頭，冥冥中有一股邪惡的力量在作祟。」

「如果我們沒有收到這批原料。」卡烏接續道，「可能是為了一個重要的原因。沒有原料、沒有工具、沒有工作……會不會是當局已經決定要關閉這個村子？」

「你們要有信心。」帕尼泊安慰道。「情況一定好轉的。」

「你為什麼如此肯定？」帕依問他。

「因為沒有別的可能。法老來過村子，也作了承諾。」

「你太天真了。」卡沙反駁道，「萬一朝廷發生了動亂，梅仁達只會擔心如何鞏固他的政權，根本不會想到我們。」

「而你呢，你忘了法老不能沒有一個陵寢。」

一路大夥兒你一言、我一語，不斷地討論著。

當隊伍接近村子時，帕尼泊第一個看見他們。

「你們看，是驢隊！」

「你別再幻想了。」狄弟亞插嘴道，「那只不過是送食物的驢隊罷了。」

「在傍晚這個時間送食物，怎麼有可能！」

帕尼泊從山坡上衝下來，差點撞倒鐵匠歐貝德，後者扛著一個沉重的大木箱。

「是銅料嗎？」

「多到可以製造一百多把鑿子，不蓋你！我這就開始趕工。」

莫希總司令客氣地站在一旁，望著鐵匠的助理工將最後一隻驢背上的貨卸下來。陵寢書記和首長向他走過來。

「非常感謝您的大力相助。」肯伊說道：「這批原料來得正是時候。」

「我有一個意外的好消息，它的數量比原先預計的還要多。我提到你們有幾個龐大的工程要準備，更何況真理村在任何一個時刻都不能缺少材料。科普托斯當局原本沒當作聽見，可是我向他們威脅要一狀告到比拉美西斯，並且會將他們的行為做一個詳細的報告，他們這時才了解到我不是在開玩笑，態度也變得很好商量，我便趁機要求他們賠償這次的損失。你們已經看到結果了。您們不用感激我，我只不過是盡自己的責任罷了。」

「我會寫信給首相，向他強調您對我們的鼎力相助。」肯伊保證道，「法老也會得知這件事，您要知道，您這次對皇室陵墓的建築有很大的貢獻。」

「我會因此而感到到非常的榮幸和自豪。」莫希說道。「您要不要現在檢查一下送貨單？」

「也好。」

莫希將文件交給肯伊，這時尼菲寡言一句話也沒說便離開了。

「不好的現象。」莫希心想著。「這個首長似乎比書記來得難纏，而且很難知道他在想什麼。要讓他認為我是忠誠的盟友，需要再費很大的功夫。」

「信差烏普弟送來一封國王蓋有泥章的御令。」牛妞告訴肯伊。

「妳為什麼不早說？」

「您才剛回來呀！」牛妞很有耐心地提醒他。

陵寢書記咕噥著把泥章弄碎，信中的內容令他大吃一驚。

「我要去尼菲家裡。」他說道。

「可是晚餐已經準備好了。」牛妞抱怨道。

「飯菜要熱好等我回來。」

牛妞聳聳肩，肯伊當作沒看見，儘管已經很累了，他仍然拄著枴杖加快了腳步。

當他到達尼菲家裡時，後者剛從浴室走出來，而卡萊兒經過了一天累人的看診，正躺在前廳的床上休息。

「真抱歉打擾你們，不過這件事很緊急，國王傳來的消息！」

「你請坐。」尼菲招呼他，「我幫您倒點喝的。」

「我的確口乾舌燥，麻煩你了。誰會想得到這麼一個命令?梅仁達要求立刻建造他的百萬年大神廟，不管他的陵墓工程進行到什麼程度。不過他和皇后兩人都無法離開首府到這兒主持動工典禮。」

「在這種情況下，要如何執行這個命令？」智女問道。

「由於首長也被授予宗教性的職權，因此將代表法老，而身為哈托爾女祭司總長的智女則將代表皇后。」

「你確定沒看錯？」尼菲擔心地問他。

「它的內容寫得一清二楚。」

「我們有沒有舉行此種儀式的文獻？」

「在我們最古老的資料裡面有記載。國王匆忙做了這種決定，可能是因為他需要這個每天來自神廟的能量，想必他為了鞏固拉美西斯遺留給他的政權，而面臨一場艱苦的奮戰。」

「我們立刻通知左隊隊長，然後採取必要的措施。」尼菲決定道。

帕尼泊輕輕地搖著兒子哄他睡覺，奶媽從未見過其他的小孩長得如此快、個性如此猛烈，只有他的父親才能讓阿沛弟安靜下來。

「好像發生了不尋常的事情。」剛自神廟回來的娃貝特猜測道。「智女今晚要召集所有的女祭司，而且你的同事三三兩兩地聚集在一起討論。」

「等阿沛弟安靜下來，我再去打聽一下。」

儘管娃貝特必須和碧玉分享她的丈夫，她還是很快樂。這裡才是他的家，只有在這裡他才能真正的休息。碧玉懂得帶給他感官上的刺激，娃貝特在這方面已放棄與她競爭，無論帕尼泊再怎麼漂泊，他終究會回到這個安詳的家，而她是孩子的母親，也總是美麗而愉悅地迎接他。

很少有女人願意做這種犧牲，可是娃貝特深愛著他，而且他賜她一個和他一樣特殊的孩子，她並不認為隨著年齡的增長，帕尼泊會變得較為理性而不衝動。她要用她平淡而穩定的愛來平熄帕尼泊體內的火。

「妳的眼神好奇怪。」他發現道。

「我在看你們，你、還有你的兒子。」

「妳把一個漂亮的壯小子帶到這個世界上，娃貝特，可是他卻很不容易睡著！」

「他居然有比你厲害的地方？」

「這就要看以後了。啊！我終於成功了。」

小寶寶已睡著。帕尼泊輕手輕腳地將他放在母親的懷裡，接著便離開家裡。

帕依叫住他。

「我剛睡午覺醒來，聽說我們有麻煩了？」

「我什麼都不知道？」

「我原以為銅料的事件結束後，就不會有問題的！」

右隊大部份的工匠全聚集在尼菲家門口，奈克特表現出不滿的情緒。

「聽說我們要挖築好幾個貴族的陵墓！我們到底什麼時候才可能有休假日？光是一個國王陵寢就夠我們忙了，為什麼不叫左隊來幫忙？」

「是誰告訴你的？」卡沙問道。

奈克特想了一下。

「喔，我不記得了，傳說是這樣。」

「我聽到的是另一版本。」烏奈士說道：「國王準備叫我們其中幾名到首府去蓋一座新的阿蒙神廟。」

「我可不幹！」歐塞哈特斬釘截鐵地說道。「我生在底比斯，死也要死在這裡。」

「我的想法和你一樣。」狄亞弟附和道，「沒有人可以讓我離開這個村子。」

「我們何不乾脆等首長的指示？」帕尼泊向大家提議。

「我們不知道他在那裡。」雷努貝說道。「可見得一定有什麼不尋常的事！」

「搞不好是去左隊隊長家裡。」卡洛接口，「他們一定是兩人先達成協議，然後才對我們宣佈壞消息。」

「既然如此，我們就去找他們吧！」帕尼泊決定道。

大夥兒才剛走沒多遠，便碰見了尼菲寡言。

「我們要知道一切。」卡沙急燥地要求道。「國王谷地的工地是不是停擺了，而且我們要被調到別的地方去？」

「聖人是不是叮嚀我們不要聽信任何的謠言？」

「那麼，事實又是如何？」

「法老下令要我們馬上開始建造他的百萬神廟。所以兩隊都要出席工地的動工典禮。之後我們再繼續陵墓的工程。」

「為什麼要這麼趕？」圖弟擔心地問道，「是不是朝廷發生了動亂？」

「所有的法老都需要來自神廟的力量，梅仁達也不例外，我們的工作也就是要讓這個神廟變得有生命。」

「國王會來底比斯嗎？」

「智女和我本人將代表國王夫婦。」

46

背叛行會的工匠很肯定一件事，對於百萬年神廟這種如此重要的工程，在其動工典禮上一定會使用光之石。首長會從它的藏身之處把它取出來，而這是知道它藏在何處的大好機會。

這個計劃雖然很吸引人，但執行起來卻困難重重。首長必會在半夜行動，而且應該是在曙光初現及工匠起床之前。叛徒必須在半夜出門而不吵醒妻子，更重要的是不能被尼菲寡言發現。

為了解決第一個問題，叛徒首先想利用含有金絲桃成份的安眠藥摻入熱牛奶，讓他妻子在晚餐時喝下去，然而他不知道正確的用量，因此怕會失敗，經過再三的考慮，他決定告訴妻子他的意圖。

「妳信不信任我？」

「你怎麼會問這種問題？」她驚訝地反問。

「因為我決定要成為有錢人。」

「最好不過。可是用什麼方法？」

「我不像其他的同事，只要有一點點錢就心滿意足。我只能對妳透露這麼多，妳也不要過問我的行動。我們將不會在這裡過一輩子，因為我的才幹在這個村子裡沒有受到應有的肯定，既然等待沒有結果，我乾脆另謀出路。」

「你這麼做會不會很冒險？」

「妳知道我是一個非常謹慎的人。將來有一天，我們會住進一棟漂亮的房子，有僕人侍候、有土地、還有一群牲畜，妳也不用再煮飯做家事了。」

「我原先以為你對錢財不感興趣，只會熱愛你的工作。」

「一定要讓整個村子的人也繼續這麼認為。」

她沉思良久。

叛徒目不轉睛地盯著她看。只要他的妻子有一點點的反對，她立刻便成了他必須除去的絆腳石。

「我從來沒想過你會有這種想法，不過我很了解你的心情。」她說道。「倒也好，我贊成你，說實在的，我也希望很有錢。」

他的妻子既不美麗、也不聰明，不過她和他一樣貪戀財富，這是他們壓抑在心中已久的慾望，所以成了他的共犯，叛徒只對她談到未來的計劃和已經到手的財產，而有關幕後的老闆則隻字不提。她知道的事情愈少愈好，而且他現在已經確定她不會說出去，因此可以行動自如而無後顧之憂。

他的運氣很好，當晚的夜色很暗，他藏在一個大水甕後面，兩眼緊盯著首長家的大門。如果他的推斷正確，尼菲會親自去取光之石，然後在工匠們醒來之前將它帶到村子的大門入口處。

如果他沒有仔細留意，可能就會錯過這一刻。他看見尼菲正輕手輕腳，悄悄地走出大門。首長沿著牆壁往議會堂的方向走去。他回頭看了兩次，差點就發現有人跟蹤他。

可是尼菲仍然繼續往前走。

議會堂！叛徒曾經想過這個地方，因為當工匠聚集在這裡的時候，光之石必需要放在神龕內，有時略為看得見它的光芒，但工匠認為這個地點太過於明顯，而排除了這個可能性，結果他錯了。

尼菲用一把木製的鑰匙將門打開，在裡面停留了好一會兒。等到他出來的時候，手上多了一個沉重的東西，並且用布覆蓋著。

叛徒心裡非常高興。現在，他知道了。

他腦海中突然閃過一個瘋狂的念頭，要不要把首長殺了，帶著這個無價之寶逃離此處？

可惜他並未攜帶任何武器，也沒有工具在身上，再說東方已出現曙光，夜色很快就會褪去，萬一他無法一拳打昏尼菲並且立刻將他勒死，尼菲一定會反抗和大聲求救。太冒險了。

叛徒繼續跟蹤首長，想要知道他如何處理光之石，也許他在集合所有工匠之前，會把它藏在一個較不隱地透出奇異的光芒。

陵寢書記和智女已站在那裡等他，在他們兩人的腳邊有一個立方形的東西，用赭黃色的布包著，並且隱隱地透出奇異的光芒。

光之石看起來鐵定是肯伊帶著它！

尼菲將手上沉重的東西揭開，一個木盒子，他從裡面拿出幾塊金屬片檢查一下，然後又把它們放回原處。

叛徒選錯了方向，不過還有機會。

「你有沒有被跟蹤？」肯伊問尼菲。

「有可能，可是我不確定。」

「我還是堅信在工具上施毒眼的人一定會想辦法找出隱藏光之石的地點。」

「他會試著這麼做。」肯伊猜測道。「我們要加倍小心，假使他跟蹤你，便會發現他跟錯了對象；他很快就會知道我們要了他，因為我們已經有所警覺。」

「又多了一個理由令他不敢再有任何行動，以免自己的身份被識破！我承認有一名罪犯藏在村子裡，不過我相信他已經不能再做什麼壞事。」

「你太樂觀了。」肯伊不以為然。

「您忘了智女的神力?它會保護我們不受任何的攻擊，無論來自村內或村外。」

一陣接一陣的猛烈敲擊打破了拂曉的寧靜。帕尼泊跑遍整個村子去敲每一戶家的大門，目的在叫醒仍在沉睡中的人們。

帕尼泊將早餐的熱餅、鮮奶、乳酪和肉凍一一大口吞進肚子裡，親過妻兒後便出了家門。他的心情好得不得了，打算將自己的活力感染給那些有氣無力的人。

當他開始四處去敲門時，曾經瞥見一個人拔腿狂奔，彷彿怕被他撞見。八成是一個不忠的老公急急忙忙趕回家，或者會不會是下毒眼的人在村子裡到處遊走作法？

那天用晚餐的時候，智女和首長曾經提醒他一個令人傷心，卻不得不承認的事實，村子內藏有一名叛徒，而且決定要毀掉行會。

帕尼泊既震驚又難過，最後接受了這個事實，僅管真理村內盡是菁英份子，人終究是人，其中有人甚至忘了他們的神聖使命。不過這一層領悟並未減少帕尼泊的熱情，只要光之石有存在的一天，縱使叛徒再狡滑，也阻擋不了任務的完成。

而光之石就在這裡、在他的面前。

「假使這個村子還有人在睡覺，我發誓從此以後滴酒不沾！」

「你最好小心自己說的話，帕尼泊。」智女奉勸他，「搞不好我前一天開了很強的安眠藥給某個病人吃。」

「那我剛剛說的話不算數，因為我不知道會有這種情形。」

「你的法律常識實在有待改進。」肯伊嘲笑他。

「我想我看見他了。」帕尼泊的語氣突然間變得很嚴肅。

「你是指那名叛徒？」尼菲問道。

「沒錯，我想是他。」

尼菲感光到喉嚨一陣緊縮。

「你有沒有認出是誰？」

「沒有，我只看見一個模糊的人影，然而，我越想就越覺得是他。」

卡萊兒試著讀帕尼泊的思想，想要知道他是否有所疏漏，但卻沒有這種景象。

「所以，他的確跟蹤了首長。」肯伊斷言道。

「這實在太危險了！」帕尼泊抗議道，「為什麼你們沒有找我去保護尼菲？」

「因為我決定當誘餌。」尼菲說道。

「簡直太瘋狂了！在這種情況下，我如何去照顧你？」

「我並沒有冒什麼危險，這個不成材的人只想奪取我們的寶物，也有可能想破壞我們的工程。」

「你是一個無可救藥的樂觀主義者。」肯伊嘆息道。

工匠們全體集合在一起。左隊隊長海伊一如往常的冷淡。他要隊員帶了動工典禮的必備品，所有的工匠組成一個隊伍，由尼菲帶頭領隊。

這一天的天氣非常熱，帕尼泊背著十來個大水袋，總是嫌隊伍走得太慢，而對有個啤酒肚的帕依和雷努貝卻高興都來不及。

「昨晚的時間過得好快！」雷努貝抱怨道。

「你有沒有盡情玩樂？」帕尼泊問道。

「我和我老婆大吃了一頓，也多喝了一點。今早起來，頭疼得要命。都是因為這一大堆等著我們去進行的工作，你力氣大，根本沒事。」

「只要運動一下，包你沒事。」

「聽說我們會用到光之石。」雷努貝接口道。

「我也聽說了。」

「你從來不曾想過它被放在什麼地方？」

「從來不曾。」

「難道你不會好奇嗎？」

「那你呢？」

「老實說，我也不會，反正這一切只跟首長有關。」

47

達克泰被莫希狠狠地羞辱了一頓，可是他一點兒也不怪他，因為他的責備很有道理。他身為一個科學家，應該隨時具有批判的精神，卻被真理村的兩個工匠給耍了一頓！

達克泰內心深處受到嚴重的傷害，對行會也更加地深痛惡絕，他會與之奮戰到底，直到它完全滅亡，就算要採取最卑劣的手段也在所不惜。

在行會被毀滅之前，他首先要奪取它的秘密和技術。它們被如此嚴密地守護著，以致於他費盡心力，甚至數次正式的接觸，仍不得其門而入。

他可否從方鉛石和瀝青著手去尋找線索？達克泰相信帕尼泊和圖弟所帶回來的原料不僅只是為了嵌填船縫、黏固工具的把手或製造眼影用；至於在祭典方面的用途，也不過是一些過時的傳統，終有一天會消失。

根據現行的法規，達克泰應該將採自石油山的所有原料交至神廟：但他寫報告時稍微變更了數字，在不引起任何的注意的情況下，將一些方鉛石塊據為己有，以便私下進行實驗。

初期實驗的結果很教人失望，但他不因此而感到氣餒，反而再接再勵，終於有了令人興奮的發現，他必須立刻讓莫希知道。

「他何時才會回來？」達克泰問莫希的特別助理。

「他去視察底比斯的軍營，會很晚才回來。」

「我可以在這裡等他嗎？」

「如果你願意的話。」

達克泰沒有做任何的筆記，他不能留下絲毫的證據，只能口頭上告訴莫希。

莫希的馬車在天色變黑時來到了院子，達克泰立即跑出去迎接他。

「我需要馬上和您談談！」

「我有一些信函要處理，你明天再來吧。」

「等您知道了結果，您會感激我打斷了您的辦公。」

莫希的好奇心被引起，於是帶他到辦公室，並且親自把門關上。

「說吧。」

「今天早上，我的實驗室發生火災。損失不大，不過沒有人受傷。」

「為什麼會發生火災？」

「我自己造成的。」

「這表示什麼，達克泰？」

「表示我已發現了瀝青的秘密！這是一種易燃的物質，會散發熱與火光。」

「它散發的火光是純淨的，還是有黑煙？」

「它的火的確是很髒，可是……」

「你可曾想像過陵墓和神廟內的壁畫被這種物質弄髒的情形？」

「的確沒有，但那些工匠一定是有某種的用途！」

莫希想到光之石，但方鉛石應該只是其中的一種成份。

「石油對我們將會很有用。」達克泰繼續說道，「我們可以把它用來燃燒任何一種建築，包括那些堡壘，而且能對敵軍造成嚴重的殺傷力。」

「你趕快放棄這種念頭。」

達克泰開始緊張。

「我可以向您保證……」

「法老剛下令關閉石油山，礦區將有警衛日夜留守，若沒有朝廷的允許，任何人都不能靠近。」

「我敢打賭一定是真理村從中運作才造成這種決定！」

「這是無庸置疑的，達克泰。那些工匠已經意識到你在研究上沒有任何的節制與分寸，陵寢書記對首相提出了警告，所以使得沒有人能取得這種危險的石油。」

「一定要上面干涉這件事，並要求國王更改這項命令。」

「你別指望我會去做這種愚蠢的事情，現在還不是與梅仁達正面衝突的時候，我們搞不好會因此而被冠上造反的罪名。」

「假使有了石油，總司令，我們就等於擁有了一種新的武器！」

「如果要得到它，我們必需先征服最高政權，唯有如此，我們才可以盡情使用國家的天然資源。」

「不管怎麼樣，還是讓我發現了真理村的一項秘密！」

「你不過是略有接觸，行會的首長一定是需要一點瀝青來製造光之石，不過它可能只是許多成份的其中一種，你有沒有向你的部下提起這個發現？」

達克泰覺得很委屈。

「你是唯一知情的人，我甚至沒做任何的筆記。」

「很好，達克泰，你的聰明會讓你有遠大的發展，我會正式命令你改良底比斯的軍備武力，我需要更好的刀、劍及茅頭。銅你要有多少就有多少，鐵也是一樣，一旦你有了令人滿意的結果，不要告訴別人，馬上通知我。」

* * *

在首長和智女的陪伴下，圖弟不斷地觀測天空。他們找出了塞特神保護下的水星位置，與鳳凰復生有關的金星、代表紅色何露斯的火星、負責照耀埃及上下兩地及開啟奧妙之門的木星、以及象徵天牛的土星。圖弟同時參考一些天文與星象的書籍，其內容對恆星、行星及分為三十六宮的黃道有相當的研究。每隔十天就會出現新的一宮，每一宮經過了天上復生室之後就會變得清晰可見。

「這是最理想的一刻。」圖弟宣佈道。

在方位完全正確無誤之後，便將進行梅仁達百萬大神廟的定位儀式，如此一來，一旦建築完成，它的每一部位將會與天上的和諧相呼應。

首長將覆蓋住的光之石安放在未來的神龕所在位置，然後將皮質藍圖捲軸交給左隊隊長，等到工程結束後，這份藍圖會被埋藏在一間地下室裡。

尼菲檢查了每一個角度，它們必須都是直角形。他用一把以結成十二等份的肘尺，在地上畫一個直角形，再畫出每邊三：四：五的直角三角形，象徵父親奧塞利斯、母親伊西斯及兒子何露斯等三神。

尼菲用鋤頭挖一坑道做為地基，目的為了讓聖殿能夠與原始能量的海洋努神開始接觸，接著他做了一個母模，所有其他的石頭將自此誕生。

帕尼泊在遠方觀察著儀式的進行。他始終感到不安，彷彿有某種危機環伺於兩隊工匠的周遭。由於傑德的護身符，他感覺自己在黑夜中就像一隻窺視的貓，能夠看得很清楚。

然而，儀式在正常與平靜的氣氛中進行，每個工匠皆很明白他們正在參與一個萬古長存的重要使命，這種沉重的寧靜感染了每個人的心情。

在地基坑內的兩端各植有一根用繩索連結的短樁，上面有聖殿的尺寸，尼菲和卡萊兒各自面對一個短樁，兩人手上拿了一把木槌將它們一舉敲入地基坑內。

從這一刻起，隱藏在光之石內的神光開始在神廟上發揮神力。

「這座神廟是多麼的美麗！」尼菲朗頌道，「它是絕無僅有的聖殿，所有的形體都依瑪亞特神的正直規劃而成，它的設計在快樂中蘊釀，其誕生與竣工也將於喜悅中完成，願它與天一樣永存於世。」

「願它的光芒照耀整個國家。」卡萊兒讚頌道。「願它的光芒為國家帶來幸福，遠這座聖殿將永恒的生命不斷發揚光大。」

首長將幾塊珍貴的金屬片及一把角尺、一個水平計及一把肘尺等模型工具放入地基內，其中肘尺上刻有一組梅仁達神廟的精確比例。他們接著用一塊石板蓋上這些寶物，從此埋在底下。

尼菲以焚香的方式來淨化這塊地，然後用一把權杖進行聖殿的「開口」儀式，再輕觸一下其關鍵之處。根據古老的傳統，尼菲「將房子交還給它的主人」，創世主已接受在此地化身。

帕尼泊兩眼盯著一座小山丘，堅信一定有人在監視著他們，然說他卻沒有發現絲毫可疑之處，儀式最後大功告成，兩隊工匠在真誠的的默禱中走上通往村子的路。

帕尼泊猛然回頭察看，沒有任何的人影跟蹤他們。

達克泰內心失望不已。

儘管他用腓尼基進口的望遠鏡觀望，仍然沒有發現有任何奇特之處。他特別了選擇一個理想的地點，以便觀察儀式的每一個步驟，可是那些都不過是一連串的傳統儀式，絲毫無科學價值可言。

從頭到尾光之石都被覆蓋著，沒有人去碰它，在動工典禮的過程中，首長曾將它拿起來，然後在它原先的位置上放了蓋神龕的第一塊石頭，它同時也是聖殿的心臟地帶，將會優先完成，以便儘快進行早晨的祭祀。

「仍然只是一些過時的典禮。」達克泰心裡想道：「真正的秘密仍隱藏在村子裡。」

48

經過了梅仁達百萬年大神廟如此重大的聖典，跟隨而來的自然是盛大的慶祝活動，再加上諸神的節慶。陵寢書記答應首長的要求，決定放兩隊工匠一個禮拜的假，由於首相對真理村的工作很滿意，因此為他們送來許多的魚肉、鮮蔬、糕餅及葡萄酒，讓大夥兒盡情地大吃大喝。

叛徒無法利用這個休息的機會溜開，因為這是一個家庭的節慶，村子裡的居民沒有人願意錯過。大家用鮮花裝飾他們的房屋、將酒甕裝滿新鮮的葡萄酒，在節慶的同時也不忘在祖先的貢桌上擺滿祭品。大大小小、男男女女的笑聲是延續使命的象徵。

連小黑都與貓兒和平相處。牠肚子裡填滿了牛肉與蔬菜，再無意去追逐那些難以捉摸的貓隻，至於小綠猴，牠仍是孩子們的最佳玩伴，帕尼泊將所有的小孩聚集在一起，並教他們一些赤手空拳和手拿小木棍的基本博鬥動作。

「莫非你找不到更好的對手？」奈克特挑釁地說道。

「你又在找架打？」

「沒有打鬥的節日就不叫節日。大家都知道你我是最強悍的人，我們乾脆今晚在鐵鋪旁直接比出高下，你意下如何？」

「我沒興趣。」

「我會去那裡。不過你的遲疑也不無道理。你是不是終於了解到自己根本不是對手？害怕是最好的忠告者，而在某些情況下，怯懦是最好的解決之道。」

假使帕尼泊身邊沒有圍著這麼多的孩子，奈克特恐怕早已逞不了口舌。

「你還是小心一點。」奈克特諷刺他，「搞不好哪個乳臭未乾的小毛頭會把你給打傷了。我可不想因此而佔你便宜。」

碧玉撫弄著帕尼泊的頭髮。他瘋狂地與她作愛，宛如這是兩個人的第一次結合。

「你真是熱情如火！哪一天你這把火才會冷卻下來？」

「而哪一天妳才會停止妳的美麗？」

「這是遲早的事。歲月不會饒過我的。」

帕尼泊凝視著在床上一絲不掛的她，她的體香、她的性感都要比從前來得更強烈。

「你錯了，碧玉。在妳身上有一種特殊的美，時間永遠改變不了它。」

「是你錯了，因為這種奇蹟只會發生在智女的身上。」

「我的直覺是不會錯的，而且我知道我們倆的慾望永遠都會如此強烈。」

碧玉故裝相信狀，看他因此而感到快樂讓她覺得有趣，他總是如此太過自信而不聽話，卻也如此的大方，對生命如此的熱愛，令人情不自禁地陶醉在他的烈火中。

「我今晚要和奈克特博鬥，好好給他一個教訓。只有這樣，他才不會再來煩我。」

碧玉停止了對帕尼泊的愛撫。

「你應該放棄這場打鬥。」

「為什麼？」

「它令我感到害怕。」

「碧玉，妳應該和我一樣，對什麼都不害怕才對！」

「你要接受我的勸告。」

「如果我不面對奈克特的挑戰，隊上的同事會視我為膽小鬼，我會因此而失去我的地位。妳放心，奈克特沒有機會贏我的。」

在這個炎熱的夜晚裡，所有的節慶活動正處於高潮。帕尼泊的兒子坐在一張燈心草編的椅子上，正專注地觀看著活動的進行，娃貝特純潔已放棄強迫他睡覺的念頭，免得引來另一場大叫。

「我先前不知道你是天文學家。」帕尼泊對圖弟說道，後者已喝了不少來自哈爾喀的紅酒。

「老實說，是智女教我觀測天上的星象，去了解到那些星星『是如此的完美無缺。』我被任命負責觀測時間，以便找出最適合進行儀式的時辰，同時觀察每隔十天新的一宮升起，並告知首長它的影響，真理村必須無時無刻與天上的動向相連繫，才能不失其正直性。你知不知道那些永恒之星不斷地圍著一個無形的中心繞轉？它所構成的整體會因世界上的軸歲差而移動。觀察星星及星球的動向、了解它們如何在努神的巨大體內移動，不正是得知創世主如何創造宇宙的最好方法？」

帕尼泊感覺有一個眼光在注視著他的肩膀。他一轉身便看見卡萊兒並未隨著眾人大吃大喝，反而獨自走向哈托爾神廟。

「留在這兒不要走。」圖弟試著留住他，「宴會還沒有散呢！」

帕尼泊站起身子，跟著智女走過去。他感到有一種無法抗拒的召喚，彷彿他有個機會可以開啟一扇緊閉的大門。

他並未看到傑德，後者背靠在牆上，嘴角露出一絲淡淡的微笑。

卡萊兒穿過神廟的屋頂與她在一起，她正在凝視著圓圓的月亮。

「宇宙充滿了智慧。」她說道，「是它創造了我們。生命來自於這個無邊的空間，而我們是星星的子民。你仔細看月亮，它是何露斯之眼，塞特神企圖將它打破成千萬個碎片，都未能成功。人們以為月亮會死去，但它為了照亮黑暗而重新誕生。滿月時，月亮以天空的形像化身為埃及，它與其所有的省份代表完整無缺的眼睛，以便奧塞利斯自陰間重生歸來。你身為畫匠，要使這隻眼睛平靜，並用你的作品將它重新組合，讓它照亮我們的路途。托特神每年會有三次找回失去的眼睛，同時會將它組合起，再放回原處（第一次在首季的第二個月的第二十一天，第二次在第二個季節當月的第五天，第三次也在當月的第二十九天），而我們正處於第三次。從今以後，傑德送你的護身符能讓你與天上所刻的畫聯繫在一起，使你的手看得見一切。」

帕尼泊獨自留在神廟的屋頂上。他沐浴在一片月色中，對村子四周的慶祝聲充耳不聞。他照著卡萊兒的建議，將護身符置於月光下。

這一刻，托特神化身的圓月開啟了他的眼界，帕尼泊不再夢想一個美好的世界；他可以將這個世界帶到現實生活中。除了已學到的繪畫技巧，現在又多一項要素，他內心的視野能夠藉著手表達出來。

對於這種新的變化，傑德和智女是最大的功臣。

傑德這麼一位冷淡的人，居然大方地將象徵力量的護身符送給了他的徒弟，而智女為帕尼泊揭開了其中的象徵意義。

智女是行會的母親，剛剛賦予了他一個新的生命。

在慢步走回家的路上，他的腦海中湧現一些圖案，不久將經由畫筆躍然而出。他急欲把這一切告訴傑德，也許會有機會將它們畫在皇室陵墓的牆壁上！

「你忘了我們的約會，帕尼泊。」

奈克特的聲音不但帶著濃濃的酒意，而且咄咄逼人。

「回家睡覺去吧，你醉了。」

「我的酒力比你好，臭小子！我打賭能把你壓在地上，賭注是一把凳子。」

娃貝特純潔正巧需要一把凳子，她在哄阿沛弟睡覺時可以用來墊腳。可是帕尼泊想起了碧玉的警告。

「不要破壞了節慶的氣氛，奈克特。我不想打傷你。」

「你只過是個膽小鬼，因為畫畫，你的肌肉已經變得軟趴趴。而我是一個石匠，不是一個娘娘腔！」

「你什麼都不是，而是一個準備向我道歉的混蛋。」

帕尼泊換回來的是一陣刺耳的笑聲。

「好吧，奈克特。我們馬上就把事情做一個了斷。」

在鐵鋪旁坐著其他幾名石匠，有卡沙、費奈德和卡洛，他們每人手上都拿著一個酒杯。

「你們終於來了！」卡沙叫道。「我們三個是裁判，參賽者要光明磊落，不許有小動作！」

三個工匠本來眼皮已經快垂下來，剎那間被奈克特突如其來的攻擊驚醒。

帕尼泊立刻跳到一旁，避開了對手突如其來的拳頭。

「你居然逃走，娘娘腔！你怕我是不是？來，靠近一點，如果你有種的話！」

奈克特的一團肌肉雖然嚇人，但卻不夠靈活。因此帕尼泊決定撲向他的腿，打算舉起它們，讓奈克特失去平衡。然而他的手卻滑過奈克特的皮膚，反而是他倒在地上。

儘管他迅速閃躲，肋骨仍被狠狠地踢了一下，同時伴隨著一聲大笑。

「我在身上擦了油，量你也無法抓住我，我可是無懈可擊的，而你馬上就有苦頭吃了！」

假如奈克特看見帕尼泊眼中的憤怒，也許會立刻停止打鬥。他還來不及怎麼一回事，肚子便被這頭公羊迎頭狠狠撞個正著。他四腳朝天地向後倒，帕尼泊將他的肩膀壓在地面上。

「明天早上把凳子送到我家來。」帕尼泊對三個裁判撂下話，「否則我就把奈克特的房子一磚一瓦地拆個精光。」

49

狄弟亞跑來敲帕尼泊家的大門。娃貝特純潔手上抱著孩子出來為他開門。

「我把椅子帶來了。」狄弟亞說道。

「可是我沒有向你訂任何東西呀！」

「石匠們告訴我非常緊急。所以我就從庫存裡挑了這把最堅固的，妳可以相信我！」

「帕尼泊還在睡覺，我去把他叫醒。」

帕尼泊仍在好夢中。夢裡有好幾面牆，所有的牆上畫滿了熱愛太陽及月亮的碧玉肖像。他從夢中回到現實世界，並且感到左胸隱隱作痛。奈克特這個大老粗打斷了他一根肋骨。

「狄弟亞來找你。」娃貝特輕柔的告訴他。

「他幹嘛放假天一大早跑來吵我們？」

「因為一把凳子。」

儘管帕尼泊仍然頭昏腦脹，卻想起了一切，忍不住開心地大笑了起來，並且緊緊擁住妻兒。

「那是一個送給妳的禮物，娃貝特！」

「我的確有需要，但也沒有急到這個程度呀！」

「良機不可錯過，我餓了！為了慶祝妳的凳子，我們請狄弟亞一起用餐好不好？」

巷子裡傳來一陣爭吵的聲音。帕尼泊趕緊出去查看，發現伊姆尼正在和狄弟亞鬥嘴。他個子雖小，脾氣卻一點也不小。這個書記助理似乎一點兒也不怕大個兒狄弟亞。

「你讓我耳根無法清靜，伊姆尼。你給我回去你的辦公室，不要來煩我的同事。」

伊姆尼被帕尼泊嚴重激怒，於是開始對他叫罵起來。

「這個村子裡是有法律存在的，不是你我可以隨便去觸犯它！」

「你又來胡謅些什麼？」

伊姆尼得意地將一隻腳踩在凳子上。

「這是不是一把凳子？」

「它是我的財產，你無權過問。」

「正好相反！我必須知道它是不是準備放在陵墓內的一個家具，還有你和狄弟亞是不是在幹一些不合法的勾當。」

帕尼泊雙臂交叉、用懷疑的眼光盯著伊姆尼。

「你一天到晚亂放屁乃司空見慣、不足為奇，可是你卻在送貨的這個節骨眼兒跑來這兒，倒是另我很意外，莫非有人向你通風報信？」

「這並不重要。叫狄弟亞立刻證明這把凳子不是挪用公物，否則我要告發你們兩個人！」

「在我尚未洗澡前，脾氣都很爆躁，而今天早上到現在，我還沒有時間洗澡。是誰告訴你的，伊姆尼？」

伊姆尼發覺帕尼泊改變了口氣，知道自己不要過度火上加油。

「是奈克特他跟我說，你逼狄弟克給你一把凳子，而我可以告你偷竊及敲詐。」

「依我了解你的為人，我想你的起訴狀已經準備好了，對不對？」

伊姆尼垂下眼睛望著皮袋裡的一張紙莎草紙。

「事實在我看來已相當清楚。」

「在我看來也是。」帕尼泊下了結論，語氣冷靜得教人發毛。

「這麼說，你承認了？」

「你實在不該被准許胡亂寫些謊言，伊姆尼。假使你繼續這樣下去，很可能會成為真正的害群之馬。我必須幫你改邪歸正。」

帕尼泊一把扯下伊姆尼的東西，將皮袋及紙莎草紙撕得破爛，並且折斷毛筆、顏料和墨水瓶。

伊姆尼害怕被痛毆一頓，於是夾著尾巴逃走了。

帕尼泊抓起那把凳子。

「娃貝特一定會很開心。」他告訴狄弟亞。「進來和我們一起吃早餐。」

「我的喉嚨像火在燒一般。」伊普伊抱怨道，他比平時來得更焦躁。「我老婆覺得我的脖子腫大，而且體重減輕。我想我的發燒越來越嚴重，不知道等到節慶結束時，我是否還有辦法回去國王谷地工作。」

卡萊兒為伊普伊身上多處把脈。他不是個怕疼的人，不像某些人，只要有一點點的病痛，馬上試圖從智女這兒獲得一些額外的休假日。

「你心臟的聲音有些不正常。」她診斷道：「你應該早一點來看我。」

「嚴重嗎？」

「嘴巴張開、頭往後仰。」

卡萊兒的判斷沒有錯。

「我知道這是什麼病，而且我能夠治好它。」她說道：「不過你默默承受太久了。這種勇氣不值得鼓勵，伊普伊。你的發炎情形原本可因此而惡化，最後變成無藥可救的惡性腫瘤。」

智女為他準備藥方，裡面有大蒜、青豆、小茴香、海鹽、酵母、細麵粉、小白菊子、蜂蜜、橄欖油及棗子油，同時參考前任智女在書上所記錄關於炎症的配方比例。

「你將這個小藥丸吃下去。」他對伊普伊吩咐道。「每天二十顆，需要吃一個禮拜，裡面的膿會很快的消失，你就會感到比較舒服。接下來我會減少劑量，直到病情完全康復。」

求救的呼喊聲打斷了他們的診療。

伊姆尼高聲喊叫，要村民前來聚集。

尼菲寡言終於讓大家靜下來，並且聽取了伊姆尼詳細的控訴。後者在工匠們驚異的眼光下仍不斷全身發抖。

「他砸壞了我所有的東西，他是一個瘋子、一個野蠻人！」

「你在說誰？」

「帕尼泊！應該要叫警察把他抓起來，否則他會砸了整個村子。」

除了奈克特臥床不起，所有的石匠忍不住想大笑，伊姆尼掉進了他們的圈套，而帕尼泊的反應則超出了他們的想像。

「去把帕尼泊找來。」首長命令圖弟。

圖弟帶著帕尼泊和狄弟亞一起來回來，後者嘴裡還不斷地嚼著熱蠶豆餅。

「你們要保護我！」伊姆尼一邊尖叫，一邊躲到石匠們的背後。

「你是不是把書記助理的東西全砸了？」尼菲問帕尼泊。

「我只不過是把他的一派謊言塗去，而且我自認對行會做了一件好事。如果我沒有給伊姆尼一點教訓，他會以為自己無所不能。只要他謹守本份，好好地執行陵寢書記的命令，一切都會沒事的。」

伊姆尼氣得滿臉通紅，開始發動攻勢。

「帕尼泊是一個小偷、一個詐欺者，而且還毀了我寫好的起訴狀！」

「這次你要倒大楣了！」帕尼泊吼道。

首長居間調停。

「不許使用暴力，帕尼泊！你對這件事做何解釋？」

「你居然要求我回應這個人渣？」

「我只求事實。」

「我來把事實說出來。」狄弟亞插話，「那些石匠叫我十萬火急送一張凳子給帕尼泊，於是我把一張自己做好，準備賣到外面的凳子送過去，這件事既沒有偷竊，也沒有敲詐，此外我也很想知道是誰該付我錢！」

「是奈克特。」帕尼泊應道，同時揭露事情的真相。

「這件事仍嫌不夠清楚。」烏奈士研判道，「是不是應該召開法庭？」

「阿蒙神的神杖就夠了。」首長果決地說道，「因為這件事比你想像中還要來得簡單。」

帕尼泊大為光火。

「我有一個證人，伊姆尼無中生有，加上石匠們想要為奈克特的失敗報仇，而你卻反過來審判我？」

「你砸了書記助理的東西是不對的行為。」尼菲提醒他道。「真理村是教我們去建設，而不是去破壞。無論在何種情況下，你都應該記住這點。」

左隊隊長來到帕尼泊面前，他嚴肅得像個陰間的門神，並且手上拿著一根很重的神杖，上端刻有一個戴著鮮紅色太陽光環的公羊頭。

智女站在神杖的一邊。

「帕尼泊，你有沒有勇氣直視神羊的目光，肯定你沒有說謊？」

「我不做虧心事，自然有信心。」

帕尼泊凝視著金色木雕的公羊頭，它的黑玉眼睛彷彿有生命，通常村民向阿蒙神的公羊祈禱或有所祈求，而現在首長託付它，請它用隱藏的力量在沉默的眾人面前審判他的朋友。

在村子創立的時期，有一位具有法力的祖先製造了這根神杖，並賦予它神力，它的力量足以摧毀一個人的意志力。帕尼泊馬上感到了這股力量。

為了避免這個無形而嚴厲的火光，他曾經一度想要垂下目光，並祈求祂的寬恕。

可是他所擁有的真理力量使得他昂然面對，完全不屈服於羊頭神。

羊頭神的太陽環光芒剎那間似乎不再如此強烈，沉重的神杖也隨之遠去。

「帕尼泊並未做出對不起行會的嚴重錯誤。」智女宣佈道，「而且阿蒙神也沒生他的氣。」

「我要求他至少要賠償伊姆尼全新的東西。」首長命令道。

帕尼泊沉默不語。

躲在石匠背後的伊姆尼心想尼菲和帕尼泊之間的友誼恐將不會持久。

50

陵寢書記召集了智女和兩隊工匠隊長到家中，休假期已近尾聲，所以應該要有所決定。

「左隊將根據首長的藍圖，負責百萬年大神廟的工程，你有沒有其他的意見，海伊？」

「沒有。」

「在施工期間，警衛會看守工地，只要有任何一點狀況，馬上通知索貝克隊長。」

左隊隊長點頭表示同意。

「另外要向你們提出的兩件事情較為敏感，繼續國王谷地的工程是否妥當，還有，是否要告知索貝克我們所發現的事情？」

「挖築國王的陵墓是很重要的工作。」尼菲堅決說道。「不管有什麼危險，我都要繼續。」

「在這種情況下，我們得向索貝克承認有一名叛徒藏匿在我們之中。」

「我反對。」左隊隊長果決地說道。「這是我們的問題，不關別人的事。」

「我很了解你有這種反應。」卡萊兒說道，「但索貝克並不是我們的敵人，他愛這個村子，也希望它生存下去，況且我們需要他的幫忙。」

「可是對我們而言是奇恥大辱！這麼一來不等於是破壞了行會的團結嗎？」

「有心破壞的人是這個違背誓言的叛徒。而這個恥辱來自由於我們不夠謹慎。」

「我有一個條件。」海伊要求道：「索貝克必需對這件事守口如瓶。」

肯伊在第五堡壘裡佔了唯一較為舒適的椅子，索貝克只好在他對面的一張蓆子上坐下來，表情顯得很複雜。

「您所揭露的事情我一點也不感到驚訝。」他向陵寢書記坦承道。「在這十年裡，我不斷地尋找殺害我一名部下的兇手，卻始終沒有結果，而且我很肯定他就藏在這個村子裡面。還有什麼地方比這個藏身之處來得更理想？現在這個兇手企圖要毀了你，而且就在行會裡面。您要面對現實，肯伊，這是一個計劃已久的陰謀。由於我沒有權利進入真理村辦案，這個工作只得落到你們頭上。你們千萬要小心，這名兇手已經殺了人，如果他覺得自己的身份可能曝光而安全受到威脅，就算再多殺幾個也無所謂。」

「你打算採取什麼行動？」

「這名叛徒一定得跟外界的共犯連繫，遲早有一天他會露出馬腳的。」

「到目前為止還沒有這種跡象。」

「我曉得，肯伊，我曉得大家總感覺抓不到他，我還因此嚴重失眠，但捉到他是我最大的心願。」

「你要答應我守住這個秘密。」

「我應該要向上級寫一份報告。」索貝克說。

「你的上級是法老、首相和我本人，我會為您擔待，索貝克，如果有必要，我會向國王解釋，可是不能向其他的警政單位透露真理村所發生的事情。我們只信任你。」

索貝克似乎很感動。

「我以法老之名發誓，絕對會保持沉默。」

＊　＊　＊

有人走近。

警衛圖沙負責看守梅仁達的陵墓，他非常肯定有人悄悄地走近。雖然對方赤腳踩在沙地上幾乎沒有弄出任何聲響，但他的聽力好得足以發現潛在的危機。

圖沙將匕首自鞘中拔出來，全身緊貼著大岩石，準備給對方致命的一擊。

帕尼泊第一個來到工地，很驚訝沒有看見看守的警衛。

就他對索貝克部下的了解，事情只有一個可能性，圖沙被人殺了。

萬一兇手仍在現場，帕尼泊絕不會讓他跑掉。假使他聽見自己走近的聲音，一定會在陵墓入口處靠著岩壁躲起來。

帕尼泊蹲下身子，一聲不響地順著岩壁前進。

對方在那裡，他可以感覺得到，他嗅到對方害怕，同時又想殺掉他的情緒。

帕尼泊出其不意地跳到陵墓入口處，並且在地上打了一個滾，警衛吃了一驚，雙手撲了空，帕尼泊橫掃他的腿，同時一拳擊向他的手腕，力道大得使圖沙鬆了手上的武器。

「你不是看守的警衛嗎？」

「而你，你是工匠隊的人！」

「你非常的盡職，朋友。」

「如果你想改行，索貝克一定很樂意雇用你。」

「那可不一定。」

「首長和其他的工匠都來到了工地，圖沙和帕尼泊站起身來。

「發生了什麼事？」尼菲問道。

「對安全措施進行一個小小的測試。」帕尼泊應道。「有了圖沙，陵墓不會有什麼問題。」

肯伊坐進他在岩洞的專屬位子，陽光照射不到這裡，而且可以監視工具的分配工作。右隊工匠遵照首長的指示，繼續進行挖掘的工作，只要傑德和帕尼泊例外。帕尼泊剛拿到一把很細的銅鑿。

「我們要開始進行精密的工作。」傑德說道，「我們在挖掘清理乾淨的地方先準備一面牆，而且牆面要盡可能的光滑，若沒有良好的底部，就沒有傑出的畫作。」

帕尼泊下意識地摸摸脖子上的護身符。

「你變了。」傑德說道。「熱情依舊，卻多一些力量。」

「是你開啟了我的視野，傑德，我不知道該如何感謝你。」

「成為一個比我更好的畫匠。其他的畫匠都根據我的指示去做，而你，我對你的期待不僅於此。」

「我想向你建議一些圖案。」

「我大概一個也不會接受，這樣才會刺激你的創造力，可是不能忘記配合皇室陵墓所需的計畫。如果你能夠忠於它，所有繪畫藝術的技巧都會在你的掌握之中。」

在山口過夜的夜晚，帕尼泊都在觀看群星和月亮，然後用一顆卵石將表面拋光。已是石膏專家的他再塗上一層薄薄的石膏和透明膠。接著畫匠們會在牆面上準備方格子，以便每一幅圖都在它正確的位置，才能與整個景象產生諧和感。

雕匠已完成了大門的過樑，上面刻有一隻聖甲蟲與公羊，象徵太陽的復生，而法老的靈魂在伊莉斯與奈夫蒂斯女神的保護下，將與太陽同化。

整隊工匠繼續進行工程，同時間傑德開始向帕尼泊解釋應畫在牆上的圖案內容。

*　　*　　*

賽克塔刻意慢慢地脫下她帶有紫色流蘇的綠色長袍，換上另一件刺眼的鮮黃色，胸部露在外。

「我美不美？親愛的？」

「美得不能再美了。」莫希讚美道，繁忙的工作了一天，他很高興看她這種表演，讓自己輕鬆下來。莫希天生就有收買別人的能力，他又讓不少人欠他一份人情，在底比斯西岸及東岸，他有越來越多熱情的支持者，這些人不斷地讚揚他的幹勁和他的管理才華，而由於他那妖媚的妻子很會對一些老頭子賣弄風情，使得他們也非常喜歡這對有錢有勢的夫妻。

莫希用這種方法繼續經營他的人脈。讓每一個有影響力的人都在他的掌握之中。在他進攻整個國家之前，底比斯正是他最好的實驗場所。

賽克塔以極為淫蕩的姿態再度脫光衣服，剛進門的總管只好垂下眼睛向莫希通報。

「請他到接待廳，順便送上飲料。」

賽克塔用身子摩擦著她的丈夫。

「我可以在帷幔後面聽你們的談話嗎？」

「那是最好不過了。」

「我們是不是該除掉這名軍官？」她呢噥道。

「有可能，不過還太早。」

賽克塔一想到要進行新的暗殺行動，全身忍不住興奮起來，並且讓莫希無法忽視她的需求。那名軍官只好耐心等待。

「有什麼新消息？」總司令問道。

「梅仁達實施鐵腕政策。」軍官回答道，「不過有人私下說他的健康情形不太好。」

「誰最有可能繼承他的地位？」

「他的兒子塞特裔，更嚴重的事在後面，那些其地進行許多的軍事訓練，而且國王下令要比拉美西斯的兵工廠製造大量的刀劍、矛和盾。」

「是不是演習？」

「這是最有可能的假設。若在敘利亞與巴勒斯坦一帶進行兵力示威，有助於嚇阻可能的造反行為。那些部落的首長可能以為梅仁達要比拉美西斯來得懦弱，因此而煽風點火。」

「你有明確的證據嗎？」

「沒有，總司令。依我看，您應該要到比拉美西斯一趟，以便更能了解實際情形。光是留在底比斯對您並不利，更何況您的名氣越來越大，而且有一些國王的親近大臣都希望見到您。」

軍官的話不無道理，但他需要有一個很好的藉口才能成行，而莫希會讓真理村給他這個藉口。

51

經過了八天的辛勞，右隊工匠盡情地享受他們難得的四十八小時休息時間，之後再回到國王谷地工作。

一對夫妻的叫罵聲打擾了他們的安寧，只聽見兩人互相咒罵，同時摻雜著杯盤被砸破的聲音。

「好像是來自費奈德家裡。」娃貝特純潔告訴丈夫，而後者和他的兒子阿沛弟玩得正高興。他把他拋向空中，在落下的最後一刻才抱住他，兒子快樂地發出一連串的笑聲。

「不過是和他老婆鬥鬥嘴，聽說她脾氣很壞。」

「我看比較像是肢體衝突，你是不是該去看看？」

帕尼泊頗喜歡費奈德這個人，於是把兒子交給了娃貝特之後便走出大門，沿著小路一直到到費奈德家門前，大門是開著的。

一個漂亮的方解石盤子從帕尼泊的側面飛過。

「你們倆冷靜一下！」他叫道。

費奈德自白色的小房子內跳出來衝向帕尼泊。

「我們快逃。」他吩咐道。「我老婆已經瘋了。」

由於杯碗瓢盆不斷地飛射出來，帕尼泊也跟著費奈德頭也不回地拔腿狂奔。

遠離了射程之後，他大口地喘著氣。

「謝謝你的幫忙，可是就算一個軍團也抵擋不了一個狂暴的妻子。這一次她實在太過份了，我要離婚。」

「你還是考慮一下你對她有什麼不滿？」

「我們什麼都合不來，最好還是分開算了。」

「這是一個很嚴重的決定，費奈德，也許你們還有機會和好。」

「我們之間的誤解太深了。」

費奈德踩著堅定的步代走向肯伊的接見廳，後者正忙著寫陵寢日誌。

「我要離婚。」

陵寢書記連眼皮都不抬一下。

「你知不智道你必須搬離住處，留下至少三分之一的財產給你的妻子，而且她鐵定會要更多？」

「這是生死存亡的問題。」

「既然事情已經到了這種地步，我的助理會準備好必要的文件。」

肯伊把正在整理紙莎草紙的伊姆尼叫來。費奈德很驚訝他的態度和氣而諒解；幸虧有他，費奈德才能夠樂觀地面對現實。村子裡的法庭會試著做最後一次的調解，聽取兩方的說辭，並分配他們的財產，在這段等待的期間，伊姆尼讓費奈德住他家裡。

帕尼泊若有所思地回到了家裡。

「要不要緊？」娃貝特問道。

「費奈德正在辦理離婚。」

「這太可怕了！」

「看他的樣子，似乎一點都不可怕。很奇怪，我甚至覺得他在演戲。」

「村子裡離婚的情形總是比別得地方來得少見，因為在來村子之前，工匠們會把自己的的責任事先告知他們的妻子，而她們也知道丈夫的工作與祭祀儀典的影響範圍。不過為什麼費奈德要裝模作樣？」

「為了要讓人相信他和妻子不合。」

「有什麼理由要這樣做？」

「我一點概念也沒有。」

「你引起了我的好奇心，帕尼泊。我會和她談談，試著了解內情。」

帕尼泊在傍晚時分點燃了油燈去提水，正在這時歐塞哈特和伊普伊來敲他家的門。

「首長找你。」

當晚是他們最後的休息日，第二天便得回到國王谷地去工作，娃貝特已經準備了美味的大餐。

「這是一個令命嗎？」

「你來不來隨便你。」歐塞哈特回答道。

這個答案勾起了帕尼泊的好奇心，他轉身望著妻子，娃貝特對他露出一個笑容。

「我們晚一點再開飯。」她說道，語氣有點奇怪，彷彿她是其他兩名來者的同謀。

「尼菲有什麼事？」

歐塞哈特聳聳肩。

「我們什麼也不知道。你的答案是什麼？」

「我們走吧。」

「祝你好運。」娃貝特低聲說道。

三個人朝神廟走去，奈克特在入口處守著。

如果是為了要找他算帳，他隨時準備迎戰。

「我們陪同一名工匠前來，他要走上兩條路。」歐塞哈特說道。「請讓我們進入。」

奈克特讓三個人進入了中庭，裡面有一個裝滿水的水槽。

「將你衣物脫下。」伊普伊要求他，「為了淨身，你要全身浸入這個液體。」

帕尼泊從水槽出來之後，被請到神廟的第一間大廳。

黑暗中，右隊的工匠坐在沿著牆壁的石板椅上。

突然間跳出了一把火光。

「你有沒有勇氣越過這種障礙，並且進入這個火圈？」歐塞哈特問他。

帕尼泊正欲向前，被伊普伊一把拉住。

「把這枝畫有一隻眼睛的槳帶著。它不會被火燃燒，我們的祖先使用它走上水與火之路。」

所有的工匠站起來在他的四周成一個圓圈。

神殿的地面上畫了兩條彎彎曲曲的路，一條是藍色，另一條是黑色，在兩條路的中間有一個水缸，火舌從裡面冒出來。

「這條艱難的路通向奧塞利斯之聖皿。」首長宣稱道。「藍色的是水路，烏色是陸路，它們被一個火湖給分割開來。在火湖內，太陽與得道者之靈魂皆獲得重生。而這兩條路是對立的，唯有透過聖言及對事物的直覺才能走過它們。但是你希望一探知識的秘密嗎？」

「我衷心的希望。」

「願這條萬物化身之繩打開，也願正直之人追隨瑪亞特之路。」

歐塞哈特接過木槳，卡烏和烏奈士將繩子放在兩條路之間。

「跟我來，帕尼泊。」尼菲交待他。

兩人進入了一間幽暗的大廳，它的盡頭有三間關著門的祭堂。

「我要拔出門閂。」尼菲說道，「你將不會忘記你所看到的事物，而且你的目光也將有所轉變。

在聽到火之音後，你若想放棄還來得及。」

「拔開門閂吧！」

首長把中間祭堂的門打開。

覆蓋住的光之石上方有一個手肘一般高、瓶口被封住的金色的瓶子。

「火在沉默與黑暗之中保護著器皿。在它的裡面裝有奧塞利斯的淋巴液，世俗之人無法接觸到它。能夠凝望此一奧秘之人不會有第二次死亡，因為他掌握了知識的用語，在陰界有了它便不會腐化。」

尼菲靠近瓶子，帕尼泊彷彿看見自瓶子中冒出了強烈的光芒。尼菲向它出示瑪亞特女神的小雕像。

「我們是真理村的子民，同時送你正直的女神，唯有祂能夠驅散黑暗。讓帕尼泊的靈魂升上天、穿過蒼天與星星做伴。」

祭堂變得一片明亮。

帕尼泊在它的三角楣上看見帶著翅膀的太陽，這一刻的光芒與正午時分一樣光亮。

「為真理村的使徒照亮路途。」首長祈求道。「讓他不受黑暗的拘束，可以來去自如。」

尼菲把瓶子上封泥除去，同時拿掉光之石上面覆蓋的布。它的光芒迫使帕尼泊閉上了眼睛，隨即又睜開雙眼，並且用手臂遮在眼睛前方。

「這塊石頭永遠不會被征服。」首長揭示道，「為了陰間的旅程，在它裡面刻有取代人心的聖甲蟲，因為光明永遠會保有其本性，所以光之石不會有絲毫的實體流失。要知道天空是我們的礦場、是我們作品的物料來源。」

尼菲將瓶子倒向光之石。瓶頸處冒出一股美得不可思議的金色火焰。

首長轉身面向帕尼泊，手中握有一個堅硬無比的小綠石聖甲蟲。
「你已擁有了眼睛，而這個就是你的心。」

52

傑德和他的畫匠們聚集在挖好的第一個走廊內。他們研究如何在牆上為法老、諸神的畫像、以及象形文字構圖。這些文字將以「太陽之祝禱文」做開頭，其內容揭示了神光的各種形體。

「首長，我們碰到了一個很大的困難！」卡洛焦慮地喊道。

尼菲正在陵墓的外頭和雕匠討論事情，一聽見這個消息，便立刻進入陵墓和石匠會合。

「你看這個。」卡洛叫道，「一塊巨大的火石！假使我們照著你的藍圖直線挖下去，就得把它挖開，這麼一來會花上很多的時間。」

首長觀察這塊大石。

「它實在很美。」

「我也有同感。」費奈德贊同道：「說不定整個谷地裡找不到比它更美的。」

「讓它留在原地，還是繼續直線挖下去。」尼菲決定道。「這塊岩石屬於陵寢，也將會保護它。」

右隊工匠準備回到村子好好享受兩天的休假。當他們逐漸接近村子時，村內傳來陣陣的狗吠聲及憤怒的喊叫聲。尼菲瞧見許多女人在大街小巷裡跑來跑去。

他腦海中閃過一個念頭，以為是真理村受到攻擊和入侵，但他並未看見任何武裝的男人。

美麗的碧玉第一個跑到工匠的面前。

「快來，有好多的猴子，多到我們無法控制局面！牠們在廚房偷吃東西，而且玩弄碗盤！」

捕捉的行動整整維持了半個多小時，終於抓到了二十幾隻的母猴。牠們驚嚇得不斷發出哀嚎聲，最後全被聚集在奈克特家門口，所有的狗兒在一旁虎視眈眈，工匠們手裡也拿著木棍，母猴驚慌得緊緊摟在一起。

「我們乾脆殺了這些畜牲！」卡沙提議道，「否則牠們又會再來！」

石匠粗壯的小腿、方型的大臉、栗子般充滿憤怒的雙眼，就算是再兇猛的野獸也會畏懼三分。小綠猴跳到他的肩上，彷彿在乞求他的憐憫。卡沙用手按住牠的脖子，小綠猴眼中佈滿了恐懼。

「不要弄傷牠！」帕尼泊吼道，「你難道不知道牠是我們的吉祥小精靈？」

「這個吉祥小精靈卻呼朋引伴來搗亂村子！我們得趁牠還沒傷害到孩子之前先把牠給除去。」

智女出面干涉。

「你們可曉得這些動物是採集無花果的高手？要讓也們安靜下來很容易！碧玉，妳吹這個小笛子。」

一聽見樂聲響起，母猴們立刻爬上無花果樹採集果實，然後把果實放進籃子裡。牠們安靜了下來，並且用溫柔的眼神望著人類。

卡沙窘態畢露，轉身便走回家裡。小綠猴跳上帕尼泊的肩膀尋求庇護。

「為何這麼調皮？」他對小淘氣問道。牠因為想讓母猴們看這個新的遊戲場所，以致引來這個麻煩。

受到責備的小綠猴在帕尼泊的寬肩上縮成小小的團。

「不可以再犯了。」帕尼泊警告牠，「我們在這裡要守規矩。」

卡萊兒指派四名婦女用布條牽著母猴，送回去給牠們的主人，整個隊伍高高興興地離開了。

「外頭的混亂結束了沒？」肯伊問他的助理。

「那些母猴都已被送走了。」伊姆尼回答道。

「我總不能什麼都不管！假使這樣繼續下去，一切都會無法無天。」

「我向你保證一切沒事了。我想告訴您，我們剛收到莫希總司令的來信，他要求見您和首長一面。」

「我何時才有清靜的一刻。」

「還有一件事。」

「什麼？」

「牛妞堅持要打掃您的辦公室。」

陵寢書記一陣心煩，心想倒不如去找尼菲，並且帶他去見西岸總督。

＊　＊　＊

莫希將遮板關上，以避免陽光照射進入接見室。

「今天的天氣讓人熱得受不了，希望兩位不致於太難受。」

「為何要見我們？」肯伊問道。

「我必需去一趟比拉美西斯，向國王報告一些行政業務。首先是關於我對真理村的保護責任，所以我想知道兩位是否對我的行政態度感到滿意？」

「我們很滿意。」肯伊承認道：「我猜您是希望我寫一份報告做為證明？」

「如果可能的話，我將感激不盡。此外，我也想告知法老有關工程進展的消息。」

「這是我們的工作，只有我們可以直接給他這個訊息。」

「我很明白，但我能不能當您的信差？」

肯伊用詢問的眼光望著首長。後者並無反對之意。

「您打算何時啟程，莫希？」

「您們的報告一交給我，就馬上出發。」

「明天您就會拿到它。」

陵寢書記在油燈下完成了準備交給莫希的報告。

「你對莫希似乎一直懷有戒心。」他向尼菲說道，後者正在查看梅仁達百萬年大神廟的藍圖。

「我寧可謹慎一點。」

「莫希身為西岸總督和底比斯軍隊總司令，的確是很有野心；但是在運送銅料這件事情上面，他幫了我們很大的忙。」

「我承認。」

「我想我知道莫希真正想要的是什麼；能夠獲得法老的賞識，成為朝廷的一份子，而或許也能成為國王的顧問之一。儘管他不斷地討好我們，實際上根本不在乎真理村，他一心只想到決定國策的首府。」

「有可能，不過把工程進度的詳細報告交給他，不會有點大意嗎？往常都是以特別郵件寄給法老的。」

「你擔心莫希會過度好奇，以致於打開紙莎草紙的泥章而閱讀它的內容，對不對？」

「沒錯。」

「你太不了解老肯伊了！我知道中央政府充滿了許多陷阱，到處都是野心份子，而且也是劃陰謀和圈套能手，如此才能保住他們的權位。為了與莫希維持良好的關係，我接受了他的提議；但如果他們偷看了我的信函，就必須為這個錯誤付出很大的代價。等我們挖過火石這一段、完成百萬年大神廟的聖殿部份，我再寫一份真正的詳細報告，並用符合規定的方式把它寄出去。」

莫希乘坐的大船在湍急的水流上航行。船上有三十個經驗豐富的船員，如果船長估計正確，大概十來天就會抵達首府。

賽克塔在舒適的船艙內一邊品嚐新鮮的葡萄，一邊喝著來自薩伊斯清淡而果香味極濃的白酒。這次的旅行讓她很開心，她也不忘出現在甲板上，對水手極盡挑逗之能事，對他們而言，卻又高不可攀。

她的丈夫看在眼裡覺得很有趣，因而更加粗暴地與她翻雲覆雨，整個船上都聽得見她毫無節制的放蕩叫聲。

「尼菲寡言似乎真的不欣賞我，而且他是名符其實的寡言之人。」他向正在補妝的妻子說道。

「這是一種策略。」她揣測道，「在陵寢書記和你說話的同時，尼菲在一旁觀察你，以便更能認清你這個人。最重要的是，他們接受把寫給國王的機密文件交給你。」

莫希將封上印泥紙莎草紙卷拿在手上掂一掂。

「你應該把它打開來看，親愛的。父親曾經交過我如何成功地仿造印泥，因此不會有人發現的。你不但不會冒任何的危險，反而可以得知信件的內容，並加以利用。」

莫希猶豫不決。

「他們似乎給得太爽快了一點。」

「你不是已經向他們表現了永恒不變的友誼嗎？」

「他們懷有戒心，我感覺得到！再說，這些人是工匠，他們最擅長於操縱任何的材料。假如他們對我設下陷阱，結果我開了這封信，等於是向他們證明了我的好奇心超出了範圍，以後他們再也不會信任我。」

賽克塔坐在莫希的大腿上，她也掂了掂這份文件。

「你想他們會狡猾到想得出這一招嗎？實在是太刺激了！你說得有道理，親愛的，還是不要去動這份文件。等到國王看了之後，我們就可以知道是否決定正確。現在，我們先快樂一下！」

賽克特把莫希壓在床上，隨即跨坐在他身上。

53

莫希和賽克塔對比拉美西斯一點兒也不失望，它是拉美西斯大帝在三角洲上建立的「綠松石之城」。這個新首府靠近敘利亞、巴勒斯坦等騷亂較多的一帶，所以有許多的衛戍部隊，若有動亂發生，他們可以隨時進行干預。拉美西斯很清楚東北邊有一個國防上的缺口，亞洲的部落民可從此處侵入，若干世紀以來，他們對於埃及的財富覬覦已久。

房屋外牆的藍色琉璃瓦在陽光的照射下閃閃發光。皇宮的外觀更是美侖美煥，它的四周有一些花園，裡面種植了許多橄欖樹、石榴樹、無花果和蘋果樹。有一首民歌唱道：「住在比拉美西斯是多麼快樂呀！窮人與富人受到一樣的重視，洋塊和洋桐槭大方地讓人納涼，輕風徐徐吹來，小鳥在水塘邊鳴唱。」

尼羅河的兩條支流包圍著比拉美西斯，一條是「太陽神拉之水」，另一條是「阿瓦利斯之水」。首府內有四座神廟，分別祭祀阿蒙神、塞特神、「青翠女神」瓦婕特、以及敘利亞女神阿斯塔爾特。城內有四座軍營，士兵的居所都非常的良好。此外還有許多的大倉庫可存放尼羅河運來的貨品。

一名軍官引領莫希來到皇宮的接見大廳，入口處有一個宏偉的階梯，上面用戰敗的敵人圖像做裝飾，他們是黑暗的象徵，法老必須不斷地與他們繼續抗爭。

莫希很喜歡那些花園。花園裡的百花怒放，池塘內有無數顏色鮮艷的魚，而且鳥兒飛翔在它的上空。可是莫希的眼光很快地便被埃及之主吸引。

梅仁達未戴假髮、皺紋很深，他給人一種很有力量及嚴肅的印象。

「請容微臣向陛下祝賀即位第一週年，並祝陛下能夠長久的統治下去。」

「這是由諸神來決定，莫希。你前來看朕、正好猜到了朕的心意；朕原本正打算命令你來比拉西美斯，向朕報告底比斯的情況。」

「底比斯一切都非常的好，陛下。它仍舊很繁榮，您的子民也對您忠貞不貳。」

「軍隊呢？」

「陛下也知道我對軍隊特別的照顧。部隊訓練有素，而且擁有精良的武器。軍官們的素質很高，所以底比斯的安全無慮。」

「運輸船隊的情形如何？」

「只要陛下一聲令下，它們隨時可以出發。」

「你對你的部下很有信心？」

「他們都是優秀的菁英份子，和我一樣希望國家強盛，並誓死捍衛國家。」

「等你一回到底比斯，立刻加強訓練。步兵和車騎兵要能夠隨時應戰。」

「陛下，我可否知道是不是發生了動亂？」

「若是在邊境上發生了動亂，我們要能夠雖時迎面而戰。」

「請容我將陵寢書記的一封信交給陛下。」

梅仁達顯得有點驚訝。

「這與以往的慣例不同。」

莫希將紙莎草紙交給國王，後者把它拆開，並當場閱讀內文。

「肯伊讚揚你對真理村所盡到的責任，而且他很信任你的為人，因為你將這份文件原封不動地交給了朕。由於只有書記會使用一種特殊的墨水，只要有誰試圖看它的內容，裡面的文字一接觸空氣便會立刻變成綠色。你去聯絡主要軍營的同事，下一次的作戰會議將於後天舉行，朕要你出席。」

莫希向法老鞠躬退下，同時捏了一把冷汗。

宴會舉辦得很成功，會中美酒佳餚不斷。由於莫希的人緣極好，因此拉攏了兩名將軍，一名是車騎營，另一名是步兵營。賽克塔則是不斷地對士兵工廠的廠長撒嬌，而他也完全被她故作孩子氣的媚態所迷惑。

夫妻倆人在這個高級的邀請夜晚，第一次接觸了比拉美西斯的上流社會，以及民政和軍事階層的達官貴人。

宴會接近了尾聲，侍者送上石灰岩製的水盆以供來賓洗手，隨後來到花園散步。夜晚空氣中的花香令人感到無比的舒暢。

一名舉止優雅、高傲、二十來歲的年輕人向莫希夫婦走過來。

「我是阿孟美斯。您就是莫希總司令？」

「在下隨時為您效勞。這位是我的內人賽克塔。」

「您太客氣了，親愛的莫希！我只不過是我們敬愛的法老指定繼承人塞特裔的兒子。有人告訴我您在底比斯的工作表現可圈可點。底比斯是我的出生地，也永遠是我心中的最愛。」

「我只是盡我所能。」

「您的軍隊真的如您的朋友所說，是南部最好的一支軍隊嗎？」

「我總是留意軍備是否完善無缺。」

「我多麼希望能夠回去底比斯。這裡的氣氛太嚴肅了，一天到晚接觸的只有邊境的安全、兵工廠、軍營等等真是不勝其煩。」

「您是否懷疑會發生動亂？」賽克塔用天真的口吻問道。

「那些軍官從早到晚在首府和東北軍防之間來來去去。我雖然問過父親為何會有這些舉動，卻得不到任何的答案。他總是認為我遊手好閒，不可能會對國家大事有興趣。」

「我認為他錯了。」賽克塔溫柔地說道。

「他當然錯了！可是你們不了解他，他的名字其來有自！而且他的性格多疑，如果別人不服從，他就會勃然大怒。我在比拉美西斯簡直快要窒息了！」

「您喜歡騎馬嗎？」莫希問道。

「騎馬是我最喜愛的消遣活動！」

「您是否願意賞光、接受我的邀請到底比斯？我可以讓您騎一匹舉世無雙的千里馬。」

「這個計畫真是太好了，莫希！未來的日子開始變得有意思多了。跟我來，我給您們介紹幾個朋友。」

莫希和妻子兩人認識了一些阿孟美斯支持派的主要成員，其中大部份的是一些達官顯要的兒子。賽克塔又開始施展她的魅力，而莫希則大談自己的職務管理，以強調他的能幹。

當宴會結束時，阿孟美斯似乎非常高興擁有了這份新友誼。

莫希和賽克塔睡在一間特別為他們準備的大房子裡，它是專為前來比拉美西斯拜訪的高官所保留。賽克塔躺在偌大的床上。

「我好累，可是今天真是美好的一天！我們不但見到了國王，而且首府的上流社會也已經完全接納了你！」

「我們不要高興的太早，反而要小心那些上流社會人士的虛偽，況且今天尚未結束呢！」

「你準備了什麼節目？」

「我在等一位訪客。」

提供莫希情報的人是比拉美西斯的一名高級軍官，就在這時前來敲門。

「有沒有人跟蹤你？」

「我一直很小心，而且等一下我會從後花園離開。」

「是不是真的會發生戰爭？」

「這很難說。沒錯，首府的軍隊的確處於警戒狀態，而且東北邊境也加強了軍力，但這有可能只是統治初期一個單純的兵力展示。梅仁達要讓那些可能的搗亂份子知道，他的統治將和拉美西斯一樣的強悍，同時也不容許敘利亞、巴勒斯坦一帶有任何的叛亂。依我看，目前的情勢還好，萬一情況變得很緊急，我們也會被事先通知。」

「梅仁達可以說是鞏固了他的政權。」

「這一點不容懷疑。有些人以為他懦弱無能，實際上他們錯了。」

「但他已經是七十歲的高齡。」賽克塔提醒道：「朝庭裡一定充滿了許多有關未來繼位的謠言。」

「梅仁達試圖要消弭這些謠言，他以非正式的方式指定塞特裔為未來的法老。四十六歲的塞特裔是一個成熟穩重的人，很有執政的經驗，不過他的個性很難相處。」

「有沒有反對派？」

「梅仁達的反對派已不存在。若是指塞特裔的反對派，情況便有所不同甚至令人相當意外。他最主要的對手反而是他的兒子阿孟美斯。他很痛恨自己的父親。」

「為什麼？」

「阿孟美斯的母親去世後，塞特裔和美麗而聰明的塔歐賽再婚。他的兒子視這件事為一種背叛的行為，因而不能原諒他。此外阿孟美斯對於自己不受到重視也感到很生氣，最後生活得像公子哥兒般無所事事。」

「一旦梅仁達去逝，阿孟美斯有可能與他父親對立嗎？」

「我覺得他做不到，但有些人認這父子倆人之間的衝突是無法避免的。塞特脅的想法與事實正好相反，阿孟美斯不但沒有遊手好閒，反而組成了一個年輕的反對派，因此而肯定了自己的地位，進而要求掌權。」

軍官接著又提供了莫希駐紮比美拉西斯軍隊的詳細情報，然後才離開。

「這個阿孟美斯在我看來很具影響力。」賽克塔研判道。

「我也這麼想，但還是要非常小心。我們已經如此接近國家的權力高峰，只要走錯一步，便足以毀了我們。回底比斯以前，我們禮貌性的去拜訪塞特脅。不管父子兩人的對決誰勝誰負，我們要在他們身上分別下同樣的賭注，才能成為贏家。」

54

這是一條又大又兇的六鬚鯰。假使肯伊跳入水中嘗試逃走，他一定會淹死。只有一個辦法；往這個大怪物衝過去時用牙齒狠狠地咬牠的肉、把牠吞進肚子裡。

正當他開始吞下第一口時，陵寢書記從惡夢中醒過來。

「今天又是倒楣的開始。」他心裡想著：「夢見吃六鬚鯰表示會受到公務員的打擾。」還好這個惡夢不致於太嚴重；根據肯伊所抄的古書《夢之鑰》，夢到自己變成一個公務員表示接近死亡。

陵寢書記感到脖子痠痛，舌頭也很乾澀。他舉步艱難地走到矮桌，桌上放了一張昨夜寫好的文件。他不放心地把每個字再看一遍，以確定無誤。文中他告訴法老，真理村的兩隊工匠日夜趕工挖築他的陵寢及神廟，同時首長也克服了所有的困難。

牛妞為他送來鮮奶和熱餅。

「您今天起得較晚。」

「沒有別的可以吃嗎？」

「依您的年紀不可以太胖。信差已經等您快半個小時了。」

「那些夢對我總是很靈。」肯伊咕嚕道。「請他進來。」

烏普弟手上拿著一根木杖，出現在他面前。

「要讓你交給法老的信已經準備好了。」肯伊說道：「你一定是給我帶來了壞消息。」

「這些消息的確是不怎麼樣。比拉美西斯的軍隊已經進入警戒狀態。」

「有戰爭嗎？」

「現在下定論還太早。敘利亞人及巴勒斯坦人始終是麻煩的製造者，梅仁達向他們證明他和拉美西斯一樣強悍。」

「你該不會一個人送信到北方吧？」

「既然你的信是要給國王的，我不妨讓護衛隊陪我去。放心好了，你的信會平安抵達目的地的。」

＊　＊　＊

帕尼泊用木頭做了一個陀螺、關節會動的士兵、小鱷魚及河馬，阿沛弟與它們玩得很高興。他很喜歡把鱷魚的嘴巴打開又闔上，不過因為他的力氣過大，因此已經弄壞了好幾個玩具。

「我要送你一個模型船。」他告訴兒子，「可是你要愛惜它。如果你很乖的話，我們就可以玩布球。」

帕尼泊甚至想給他做一個騎在馬上的士兵，而且配上一個有鞍轡的戰車，不過他的兒子必須聽話才可以。

「破壞是一個非常不好的事情。」帕尼泊教導他。阿沛弟專注地看著他，彷彿聽得懂他說的每一個字。「人的雙手其實可以做出很好的事情。」

娃貝特純潔手中提著兩個裝滿新鮮蔬菜的籃子，她很感動地望著玩在一起的父子兩人，對她而言，這就是最大的幸福。

「我和費奈德的妻子談了很久。」她嘆道：「她再也受不了他了，而且也堅決要離婚。」

「她會離開村子嗎？」

「不會，她要留下來。有一件事情比他們的分手更嚴重。」

阿沛弟彷彿感受到母親的憂慮，他用小手緊緊地抓住父親的大姆指。

「根據信差的說法。」娃貝特繼續說道：「首府的精兵已進入警戒狀態。」拉美西斯派兵攻打赫梯人的卡得士戰役仍記憶猶存。埃及與赫梯人簽訂的和平條約迄今仍然被遵守，然而其他的好戰民族難道不會覬覦埃及的土地與財富？

帕尼泊馬上去找首長，以便得知更詳細的情況，他在路上碰見歐塞哈特，後者手上捧著一座石碑，上面刻有奇特的卡得女神，祂的正面全裸、頭上有月亮的光環、右手握著一束花、左手握著一條蛇，而且站在一隻獅子上面。這個怪異的畫面讓人感覺很不舒服。

「智女要我把這座石碑放在村子的大門入口處。」他解釋道：「祂會保護我們不受外界的侵犯。」

「她有沒有提到北方的動亂？」

「沒有，不過她寧可防患於未然。如果你想聽我的意見，我可以告訴你事情不太妙。」

卡萊兒來到帕尼泊面前。

「我在找你。」她說道。

「是不是已經爆發了戰爭？」

「我不知道，但是要用神力來保護村子。幸好我們已進入了七月，而且也接近阿孟霍特普一世的大節日。」

阿孟霍特普一世是真理村的創始者，也是行會敬愛的領袖，許多的石碑、過樑、貢桌和壁畫都有他的肖像（阿孟霍特普一世，第十八朝的第二位法老，約為公元前一五一四—一四九三）。

在紀念他的這個節日裡，工匠們扮演祭司的角色，組成遊行的隊伍，同時手上抱著他採坐姿、身著傳統纏腰布、兩手平放在大腿上的塑像。

「妳找我做什麼？」

「我要你將艾荷梅斯・奈費達莉的雕像漆成黑色，她是阿孟霍特普一世的母親，總是位於他的身旁，正如瑪亞特總是在神光之父拉的身邊。雷努貝用雪松木雕刻她的塑像已有幾個禮拜了，今天就可以完成，你要負責把最後的顏色部份處理好。」

帕尼泊感到很不解。

「為什麼要用黑色？」

「因為她是行會之母，帶有一切事物的潛在創造力，正如同我們肥泊的黑色土壤（kemet一字為「埃及」之意，由兩個字根所組成，kemet是指「黑色」代表河泥，意即尼羅河氾濫所帶來的黑土及富裕）。她在黑暗中引導我們，讓我們在黑暗的天空中發現原始生命的光源。」

黑皇后頭上戴著厚重而華麗的假髮、身著亞麻長袍、臉上帶著淺淺的微笑，並且手上特有一根蓮花權杖。

帕尼泊很成功地運用亮黑帶藍的顏色，使得雕像看起來栩栩如生，也引來了無數讚嘆的眼光。

「你愈來愈有名氣了。」傑德稱讚道；「同事們總有一天肯定你的才華。」

遊行的隊伍開始出發，石匠和雕匠捧著阿孟霍特普一世和黑皇后的雕像，沿途伴隨著孩子們的歡呼聲，小黑和小猴也小心翼翼地跟在一旁。

這對雕像被安置在主神廟的入口處，村民們向它們獻上鮮花及水果。

「遠在祖先時代。」智女朗頌道：「世界上展現的是一片富裕與正直，刺不會刺人、蛇不會咬人、鱷魚不會吞噬獵物，所有的牆也屹立不搖。願我們行會的始祖與皇母賜予我們力量，讓我們用它來建築原始諸神的廟殿，願祂們以金色年代之精氣激發我們的創作力。」

叛徒夾雜在同事之間參與這場慶典，儘管內心焦躁，他仍然表現出若無其事的模樣。如果埃及捲入了戰爭，真理村會有什麼命運？政府當局肯定是會保護真理村和國王谷地，但他也勢必無法與外界聯繫。

他原本快到手的財富又逐漸離他遠去。萬一他幕後的主子在動亂中喪失了性命，那麼他為了改變命運、成為有錢人而做出的一切努力不就化為烏有？

也許他不該如此悲觀。莫希總司令有許多的管道，一定能將情勢轉為對自己有利。

他不能失去信心，反而應該繼續暗中行動，把首長隱瞞的秘密全挖出來，他擁有的秘密愈多，手上的籌碼也會愈多。

尼菲寡言在陽台上觀看村子的活動。居民們熱情地為他們的行會始祖和黑皇后慶祝，把煩惱暫時放在一邊。帕依引吭高歌，大夥立齊聲同唱，豐盛的佳餚不斷地從廚房裡端到戶外，小黑和其他的狗兒在一旁監視著。大家對娃貝特純潔所做的糕點讚不絕口，帕尼泊在大夥兒的杯子裡斟滿美酒，烏奈士和卡沙情不自禁多喝了兩杯而大開黃腔，使得哈托爾女祭司滿臉通紅。

卡萊兒緊緊地依偎在丈夫的身旁。

「他們很快樂。」他輕聲說道：「可是我始終無法忘記有一個壞人隱藏在村子裡。妳能不能認出他是誰，而且看穿他的陰謀？」

「很不幸我不能，因為有一層厚厚的盔甲在維護著他，這是他多年以來所打造的防線。」

尼菲輕撫著妻子的頭髮。

「只有妳的愛能讓我面對所有的考驗，和完成我所肩負的責任。若沒有妳，我只不過是一個迷失在黑暗中的流浪者。」

「你難道認為若沒有你，我有能力承傳前幾任智女的角色？」

「所有的村民都是妳的孩子，卡萊兒，不管在何種情況下，他們需要身為母親的妳來照顧和支持他們。而這個大家庭的要求很多，可是他們工作是如此的重要，因此只能往他們的優點去想，而不是他們的缺點。」

「我們已經為他們付出我們的生命。」卡萊兒說道。

「然而，其中卻有一個人背叛了他的誓言。」

「他立下誓言時，心中是否真誠？他的誓言對自己、對別人都只不過是一個幌子。真理村給了他一切可是他卻只要謊言。」

「萬一我最後失敗或是不存在了，妳千萬不能讓真理村的火把熄滅。基於我們的愛，卡萊兒，妳要答應我繼續下去。」

她用熱情的擁吻來回答他，尼菲也在繁星點點的夜空下暫時忘卻了煩惱。

55

「我需要最好的砂岩塊來繼續百萬年大神廟。」左隊工匠隊長海伊對尼菲說道。「依目前的工程進度，需要哈托爾女神照亮神龕以及我們使用的材料。」

「你的要求很正常。」尼菲回答道：「這些要求甚至應該很迫切。」

「你有什麼建議？」肯伊一邊讓雷努貝為他剪髮一邊問道。

「您繼續監視國王谷地的工程，海伊負責神廟，而我則去一趟鏈子山的採石場。」

「我們需要獲得行政部門的許可，同時讓士兵護送你去。」

「您可找莫總司令處理。」

陵寢書記嘆了一口氣，他不但不能專心繼續他的文學作品，反而要大老遠跑一趟西岸總督的辦公室。

「我想順便去雙火盆這個地方。」尼菲說道。

「你到其他的哈托爾神殿不是來得比較容易嗎？」

「雙火盆所含的神力較為特殊及強烈。您自己也很清楚，肯伊。」

「你說的是沒錯。但換句話說，你要帶智女一起去？」

「我們不在的時候，您絕對可以把村子的事情應付得很好。」

肯伊放棄討論，因為就算尼菲說話心平氣和，但他比肯伊還要來得固執。況且只要是涉及到法老的工程，他是一點也不會讓步的。

「沒問題。」莫希熱心地說道：「您需要多少士兵，親愛的肯伊？」

「那一帶很平靜，十幾個就夠了。」

「我給您派四十名士兵，首長的安全最重要。此行的目的地是何處？」

「鏈子山的砂岩採石場。」

「聽說它是國內最好的採石場。」

「沒錯。請您交代士兵，他們要幫忙運輸那些石塊。」

「我會照辦，此外我要謝謝您在國王的信中為我美言。梅仁達在我面前親自看了您的信，我承認自己的確感到無上的榮幸。不瞞您說，我很有野心，也希望前途事業大好，不管是軍事或是行政方面。這不但是為了滿足我個人的慾望，同時也是為國家效勞。我熱愛我的工作，也希望有所表現，這是我成功的關鍵。有人一定會批評我自大，但重要的是我做事的成果。」

莫希的自白令陵寢書記頗為驚訝，也更相信自己的看法，不久之後底比斯將不能滿足他，不過他仍然感到放心，因為如此一來莫希必須好好照顧真理村，而不能有差錯。

「您可否透露工程的進度是否令您滿意？」

「鏈子山的砂岩是為了梅仁達的百萬年大神廟，也就是說築牆的工作馬上就要開始，真理村的工匠必須全力以赴，而且不能有任何的失敗。」

「我真為它高興。」

「最近有一些謠言四處散佈。你剛從首府回來，有關戰爭的傳說是不是真的？」

「我自己也很想知道，肯伊！我們已加強了駐紮在邊境的軍隊，但這並不意味著戰爭的腳步已接近。相反的，我認為這是為了避免戰爭而採取的一種方式。此外，我可以向您保證國王非常重視你們的行會，也一定會讓行會在無後顧之憂的情況下繼續工作。」

莫希一邊滿口保證，心裡卻一邊計劃也許可以趁機除掉首長，而不會引起懷疑。

梅仁達的統治已進入了第二年，炎熱的季節也已接近尾聲。尼菲準備在鏈子山的採石場親自刻兩座石碑，以紀念皇室家族。鏈子山位於底比斯以南一百五十公里處，這個地方的岩壁沿著尼羅河的兩岸愈來愈窄，水流也愈來愈湍急；帕尼泊很佩服上尉的靠岸技術。在這個東岸有許多的小神廟，處處顯示了此地的神聖。

士兵們首先登岸，並立刻在採石場的入口兩旁設置衛兵。採石場的規模大得令帕尼泊嘆為觀止。

「大家開始幹活兒。」奈克特命令道：「我們不是來這裡玩的。」尼菲和費奈德選擇了一處最為成熟的石床（對古埃及人而言，石頭出生之後會逐漸長大，直到成熟），奈克特和帕尼泊則依照指示帶領工人進行採石的工作。他們首先鏟平一整片岩壁，然後在預採的岩塊四周鑿二十幾公分的溝槽，如此岩塊便切割成形。接著他們在岩塊的四邊以等距的方式挖好定位槽，再用浸溼的木楔塞入槽內，等到木楔膨脹，岩塊便會為之爆裂，因而脫離岩壁。他們以一行接一行，一層換一層的方式採下岩塊。

「岩塊的品質非常好。」尼菲評論道，同時在石塊上刻下左隊石匠的名字。

帕尼泊幫忙工人把石塊搬上滑條車，在拉到船上之前，智女對工匠們進行祝禱詞。

「當大地仍是原始海洋之時，上帝已創造自己，同時於山腹內創造礦物。願今日出土於世之石能歸還諸神，用於建築其未來居住之所。山岩甫經分娩，吾等必盡其所能照顧其子，願其於廟中成為永生之石而永垂不朽。」

採石工與真理村的工匠們彼此很少交談。帕尼泊凡事都非常小心謹慎，甚至也檢查了滑條車的繩子及剎車，以確定一切正常。

工作進行到最後一天，他們在採石場的入口處點燃一把火。尼菲送給工人一些牛肉乾，大夥兒對這個意外的大餐感到很開心。

僅管到了傍晚時分，空氣依舊很悶熱，彷彿岩壁因白天受到強烈日照，到了晚上便開始散熱。只有帕尼泊一個人不覺悶熱。

「你到底是用什麼打造的？」一名工人問他。「真讓人懷疑你是不是在火爐裡面出生的！」

「我運氣好，不像你和你的同事像溫室裡的小花。」

所有的工人同時站了起來，帕尼泊仍繼續吃他的東西。

「不要亂來，朋友們。你們難道還不了解我是不敗之身？」

一名工人哈哈大笑，其他的人也跟著大笑。

「那好，我們為你的健康乾一杯！」

帕尼泊將一壺啤酒傳過去。

「喂，朋友，我總覺得你們沒有全部到齊，好像少了那位拉滑條車的努比亞人。」

「他是新來的，我不知道他去哪裡了，可是這並不妨礙我們喝酒！」

大夥吃喝得正高興，尼菲這時拿了一大塊麵包往採石場的正中心走去。

帕尼泊抓起一枝火把追上他。

「我必須放一個貢品在石碑前祭拜。」尼菲解釋道。

於是兩人來到豎立的岩壁前，帕尼泊突然變得焦躁不安。

「我感覺有危險。」

「應該是那些毒蛇，你的火把會驅散牠們的。」

「我們還是往回走吧！」

「假使沒有這個供品，那兩座石碑便不會顯靈。」

努比亞弓箭手藏在山壁的頂端，截至目前為止，一切都照計劃順利的進行。首長帶著祭品前來這裡，還有一名工匠手持火把，讓毒蛇不敢靠近。

帕尼泊的出現簡直是無意中幫了他的大忙，因為他的火把目標照得一清二楚。

他們兩人停了一會兒沒有向前。萬一他們往回走，努比亞弓箭手很可能會因為距離拉遠而射不準。

還好兩人又繼續向前走，努比亞人把箭架在弓上，只要再走幾步，他保證可以瞄準首長的頭。

帕尼泊不放心，用手摸了摸護身符。

剎那間一個畫面出現在他腦海中，有一把火焰自岩壁噴出來與他的火把結合為一，想要吞噬尼菲。

就在弓手射出箭的那瞬間，帕尼泊猛然將尼菲一把推開。

那枝箭略過尼菲的頭，射中一塊岩石而折成兩半。

帕尼泊衝向岩壁試圖爬上去，但卻沒有成功。他對於無法追到兇手感到無比的憤怒。

努比亞人連滾帶爬往河岸的方向沒命的跑，一名幕後主使的女子在那裡等著他。

她站在檉柳樹下等待，以免被快艇上的水手看見。

「你做掉他了沒？」

「沒有。」他答道：「我差一點就射中他，我們得趕快離開，他們會來找我。」

「有道理，你走前面。」

賽克塔用一把利刃插進他的後頸，努比亞人兩手一張，舌頭外吐，搖搖晃晃地倒了下去。

賽克塔抽回刀子在檉柳樹幹上擦了擦，並朝屍體吐了一口口水。

她沉著地走到快艇旁，然後登上快艇朝底比斯揚長而去。

56

帕尼泊帶著火把花了大半夜才找到弓箭手的屍體。

「他已經死了。」卡萊兒說道：「殺他的人在他轉身背對他的時候趁機下手。」

「也就是說，這個傢伙不應該信任他的主使者。」

帕尼泊失望地走河岸。

「地上留有一些腳印。」他告訴尼菲：「兇手已乘坐一條船逃走多時了。」

「你又救了我一命。」

「那個埋伏計劃做得很好，尼菲我們應該加倍小心。」

「可是他們為什麼要殺我呢？」

「你對他們愈來愈礙事。」帕尼泊研判道：「那個或那幾個想要除掉你的人認為一旦你消失了，真理村也將不保。」

「那他們就錯了。萬一如此，會有新的首長取代我。」

「話是這麼說，可是他的能力能跟你相比嗎？我已經了解到在行會每個人都無法被取代，尤其是首長。有人不喜歡你的領航方式，所以想要除去你，讓船沉下去。而這個人相當的殘酷並且意志堅決，甚至殺人也在所不惜。」

尼菲和卡萊兒專注地聽著帕尼泊激動的言論。

「我們應該要把屍體帶回底比斯。」他建議道。

「為什麼不把他埋在這裡？」

「因為這個弓箭手是個努比亞人，我們得朝最壞的方向去想。」

上尉感到非常驚訝。

「我們的職責是要保護你們，所以我不能……」

「你回底比斯吧！」尼菲再重覆一遍：「並且請您把這個努比亞人的屍體交給莫希總司令。」

「可是你們自己何時打算回底比斯？」

「我們很快就回去。祝您旅途愉快，上尉。」

奈克特和費奈德監視著工人用繩索把石塊固定在船上，同時間卡萊兒和帕尼泊去租了一條小漁船，尼菲則趕來與他們會合。帕尼泊在急流中穩定地划著槳，直接航向雙火盆。那裡的東岸有一個巨大的岩石，在它的腳下蓋有一間小廟宇。

一群隼在大岩石的上空盤旋，這個地方非常地安靜，帕尼泊感覺似乎已經很久沒有人來過這裡。

「你記不記第一次在哪裡看到石光？」智女問他。

「當然記得啦！是在我們行會的場所，而且大家都故意讓我以為自己是白痴。」

「在這間廟裡，哈托爾女神為光之石創造了一個有利的環境。而且首長就是在這裡學會如何運用它。在你開始於陵寢內牆上作畫之前，你應該要對我們最珍貴的寶物了解更多。」

帕尼泊隨著智女穿過一個小院子來到神廟的門前，並打開它的單門進入。牆上畫的是奧塞利斯和法老將叉鈴獻給哈托爾女神的畫面。這間廳堂的深度有五公尺、寬三公尺，盡頭有一個非常奇特的女神像，不斷地散發出溫柔的光芒。

「哈托爾是男神之金、女神之銀。」智女解釋道：「這座神像是由所有不同的金屬所造成，所以它會顯示一切金屬的光芒。你摸神像的腳，帕尼泊，你的手也會被照亮。到時候在金坊內，你的手也許會幫忙完成工作。」

「跟我來。」帕尼泊命令道。

索貝克直起身子。

「我們雖然已經講和，但你可沒有權力命令我做任何事。」

「首長要見你。」

「他在哪兒？」

「和智女在莫希總司令那裡。」

「到底發生了什麼事，帕尼泊。」

「你拒絕跟我走嗎？」

「如果事情無關緊要，我會讓你後悔的！」

「我什麼時候讓你失望過了？」

尼菲、卡萊兒和莫希臉上的表情非常嚴肅。

「你們找我有什麼事？」索貝克問道，語氣已不似先前那麼有自信。

「跟我來。」莫希命令道。

所有的人來到了總府的醫療所。長椅上躺著一具屍體，他就是攻擊尼菲的弓箭手。

「你認識這個人嗎？」莫希盤問道。

「不認識。」

「他不是你的部下？」

「當然不是！」

「你確定自己說的是實話，索貝克？」

「你話是什麼意思？」

「你是努比亞人，而這兇手……」

「您難不成敢說我是共犯？我可以告訴您，不是每個同為努比亞來的人就可以獲得我的友誼。那些在我底下的衛兵全是我的族人，而且絕對忠誠。我從來沒有見過這個人。」

「希望是如此。」

「我是不是被解職了？」

「不。」

首長這時介入：「這些話有其必要性，我們已經知道了你的答案。你仍然是村子的安全隊長。」

「如果你們對我有任何一點的懷疑，我寧可辭職。」

「事情並不是這樣。」卡萊兒向他肯定。

索貝克向智女行個禮便離去。

「這個努比亞弓箭手的屍體教人疑惑。」莫希說道：「雖然這樣做不太方便，我還是要對索貝克的每一名部下進行深入的調查。我會默默進行的，而且只要一有結果，我會馬上通知你們。」

智女天生的美麗與氣質使莫希神魂顛倒。他看到她和尼菲是天造地設的一對，內心的嫉妒遠甚於羨慕，巴不得把這對琴瑟合鳴的夫妻給毀了。正是因為這兩個人，他才無法取得真理村的秘密。

然而莫希感覺到他們之間的關係比一般的愛情還要來得強烈，要破壞它恐怕不容易，他知道他的對手一定會堅決反抗到底。

「我也會對那些採石工進行調查。」莫希保證道：「到底他們是在不知情的情況下雇用了他，還是他們也參與了某種陰謀？」

「此外也要找出這個弓箭手的真正身份。」帕尼泊加上一句。

「那當然你們可以相信我。」

莫希暗自讚美賽克塔的機伶，並且完全照他的意思去做。就算努比亞人成功地殺了首長，賽克塔仍會做了他，使得索貝克和他的部下不再被信任。從今以後，首長一定不會全然的信賴他們，而這個嫌隙也將會不斷地擴人。

「我受不了這個總司令。」帕尼泊發難道：「他的屁股抬得這麼高，總有一天會拉不出屎來。」

「重要的是他對我們不會真有敵意，不像前任的總督。」尼菲思索道：「妳對他有什麼看法，卡萊兒？」

「我的意見比較接近帕尼泊的看法。」

「根據肯伊的說法。」尼菲強調著，「他的主要動力都是來自野心，而且他一心只想在首府獲得很高的權位。」

「最好趕快滾。」

帕尼泊激動地說道：「這樣我才開心！」

「下一個總督也有可能更糟！這一個為了取悅國王、換取升遷的機會，至少會照顧我們村子。」

「總之我們要盡可能離他遠一點。」卡萊兒勸道。

三人快步走回村子。索貝克已經苦著臉在第一個堡壘前等他們。

「我從來沒有受過種侮辱。」他向尼菲訴苦。「如果你們對我存有任何的懷疑，請坦白告訴我，我立刻就走人。」

「你的這層顧慮是多餘的。」智女安慰他道：「我再一次重申我們對你完全的信任。」

卡萊兒眼中的光輝驅散了索貝克心中的顧慮。

「今天早上忙得一塌胡塗。」他提道：「有二十幾個『城裡的婦女』來到這裡磨小麥，而且還換得很高的酬勞。」

卡萊兒和尼菲彼此驚訝地互看一眼。

「是首相派人來檢查嗎？」

「我不知道有這件事。」索貝克答道。

助理區的工人正在努力地大掃除。村子裡的情形也是一樣，到處都煥然一新。

「你們終於回來了！」肯伊拄著枴杖、大老遠從街上跑過來喊道：「我還在想你們到底什麼時候才決定回來。」

「我們遇到了一些麻煩。」尼菲解釋著。

「快點忘了它們！那些砂岩塊何時才會送到左隊那兒？」

「正在卸貨當中。為什麼大家忙成這樣？」

「梅仁達法老剛剛宣佈要來村子。他要親自查看工程的進度。」

57

「小心！」帕尼泊叫道：「車子滑得太快了！」

奈克特馬上拉緊剎車，滑條車上載滿了六噸重的砂岩塊，速度好不容易才慢下來。

前後一共才六個人在拉這一堆沉重的石塊。雷努貝和帕依不斷地把河泥滑道打濕，其他的人則順著滑道拉動這些石塊。

「水倒太多了，你們這兩個白痴！」

「輪不到你來教我們怎麼做！」帕依頂了回去。

「如果繼續這樣下去，車子一定會翻倒。」

「我們從來沒有發生過意外。」

「那麼最好不要有第一次。」

雷努貝和帕依很不高興，不過還是照著帕尼泊的建議去做了，在左隊隊長擔心的眼光下，大夥兒又重新拉動大石塊。

「等一下！」卡沙喊道：「好像有點不對勁。」

他彎下身子去檢查滑條車。

「我說嘛！這條繩子是哪個白痴固定的？應該要把它繫在車子前端越低的地方越好，這樣才會有一個角度而產生最有效的拉力。我已經重覆不下一百次了，這又不是很難懂的事情！」

卡沙把角度糾正過，六個人又再度拉動石塊。他們嘴裡唱著歌，同時配合音樂的節奏動作才會一致。

同一天的早上，兩隊人馬合力將一座百來噸的巨大石像放到預設的位置。這座梅仁達法老的石像高七公尺，梅仁達呈坐姿、雙手平放在他的短裙上、表情嚴肅中帶有一絲淺淺的微笑。

工匠們是架設巨石的專家，帕尼泊爬上石像的膝蓋，幫忙打著拍子，其他人則用同樣的方法，將粘土滑道不斷地澆溼來移動大石像。

太陽開始西下，帕尼泊又再次爬上巨像，將所有的繩索解開。此刻梅仁達的石像顯得如此的莊嚴與神聖。

帕尼泊忘情而賣命地唱著歌，隔了好一會兒才發現一股沉重的肅穆籠罩了整個工地。

他轉過身一看，歌聲頓時凝結在唇邊。他看到所有的同事全僵在原地，兩眼盯著石像的底座。梅仁達法老正站在那裡，身旁圍繞著許多穿著白色長袍的光頭「清真祭司」。

帕尼泊二話不說，馬上飛身跳到地面上遠遠走開，並暗自希望國王不會生他的氣。

「過來朕身邊。」國王命令道。

帕尼泊面無表情，兩腳不聽使喚地往前走。

「當人間開始有奉獻儀式時。」國王說道：「諸神滿心的歡喜，人們臉上閃耀著光彩。奉獻是一種光榮之舉，必須每日進行，而祭品務必美麗且純淨。唯有它們能令此一具有超自然王權力量之巨像充滿生命。」

帕尼泊自祭司手上接過一束蓮花，然後遞給國王，後者將它供奉在石像的腳邊。他們重覆同樣的動作將一個圓麵包、一籃水果、若干的香和一壺酒也一齊奉上。

「願石像體內的精氣生生循環不息。」梅仁達說道。

祭司與工匠們全部退開，留下國王獨自一人面對他的雕像。帕尼泊是最後離開的人，介於一國之主與石像化身之間的神秘溝通令他感到很神奇。

梅仁達於底比斯的停留期間自卡納克來到盧克索，為阿蒙神獻上幾座石碑；不過他大部份的時間都與尼菲在國王谷地中度過，以巡視其陵墓的工程進度。

他來到底比斯便足以證明不會有戰爭的危險。此行也是他第二度表現出對真理村的重視，所有關於它的批評也因此而消聲匿跡。

國王甚至還參加了村子裡的一場盛會，以便證明他是行會的最高領袖，同時也強調行會任務的重要性。

因此，叛徒只有硬著頭皮耐心地等下去。他怨怒行會的好運，也將責任全歸咎到智女與首長的身上。他仍然裝作和其他人一樣共同分享這些喜悅，好讓別人以為他的心永遠和大家在一起。

在這種惡劣的情勢下仍有兩件事對他是正面的；第一，他的偽裝非常地成功；第二，他的妻子始終遵守彼此的協議。她仍舊如往常般勤奮地做一些日常工作，同時耐心地等著當一個未來的有錢人。

國王離開後，陵寢書記額外地放工匠們一天假。叛徒終於可以離開村子到東岸和他的共犯見面。

他一大清早便走出家門，然後沿著通往百萬年大神廟的路走去。正當他準備右轉走向通往尼羅河的大路時，他看見一名努比亞人坐在一棵檉柳樹的樹蔭下。

他不能走近去辨認這個人是不是索貝克的部下。由於他全身感到不自在，於是決定不冒任何的危險。

他一路走到一個小攤販前，買了一些蠶豆之後便折回村子。

他一進到村子便遇見正在汲水的娃貝特純潔。

「你不是要去城裡嗎？」她問道。

「我到城裡也沒事幹，倒不如回家休息。」

「有了那項新的規定，你這麼做是對的。」

「我不懂妳的意思。」

「過去肯伊在陵寢日誌上只記載外出事由；現在他又要加上外出的詳細地點！他真是吃飽太閒。不過是為了我們的安全，再說書記總是喜歡寫東西，誰也改變不了他們。」

「妳說得沒錯，娃貝特。再見了！」

原來索貝克的部下和陵寢書記彼此合作無間！他開始擔心一個問題：肯伊從何時開始做這種記錄？

* * *

「我的部下一直不斷地查訪有關努比亞弓箭手的線索。」莫希在他燈光溫和的大辦公室內強調著。「因此我請你們來這裡，希望你們第一個知道調查的結果。」

陵寢書記和首長全神貫注地聽他說。

「有關鏈子山的採石場工人這一部份，沒有發現任何的共犯。他們個人和這名努比亞人都沒有關係，因為看他很強壯，所以雇用他做幾天的臨時工。而他在犯下罪行之前，一切的表現都很正常。」

「您有沒有查出他的身份？」

「說起來運氣很好，在採石場附近有一個努比亞人的村子。我的士兵到這個村子訪查，並拿到一些確實的證據。有一個村民承認他的這名同胞是一個前科犯，他在亞斯文打傷了一名漁夫，被關到監獄後又逃了出來。這個傢伙在村子躲了幾個禮拜，之後開始找工作。」

「他有沒有向任何人提起作案的計劃？」

「沒有，但他的犯罪手法都是同一個模式，找一個值得下手的地方，先交幾個朋友，再趁機搶劫其中最有錢的一個，有人甚至懷疑他涉及了好幾宗搶案，其中有幾個受害者可能已經被他殺了。」

「只有這樣？」肯伊問道。

「我想我沒有漏掉任何的細節。」

「我們可以假設這個壞人並非因為尼菲是真理村的首長而攻擊他，而是因為這個獵物值得他下手？」

「這的確是其中的一個假設，然而我們沒有確實的證據來證明它是對的。」

莫希在這點上刻意表現得有所保留，如此才能讓對手相信他並無意去影響他們。莫希很想知道尼菲的反應，但後者始終沉默不語。

「您有沒有對索貝克的部下進行調查？」肯伊繼續問道。

「我盡可能地放集了許多的情報，我可以告訴你們一個好消息，找不到任何理由可以懷疑他們。他們的紀錄都非常的優良，可以說是無可挑剔。」

「您對索貝克也是讚揚有加嗎？」

「我對他沒有任何的批評。在他的個人檔案裡只有好話，而且特別提到他的認真與正直。國王親自告訴我，他對索貝克在真理村所採取安全措施感到很滿意。依我的看法，他根本不可能犯下這種罪行或著是叫唆別人。」

莫希雖然故意用肯定的語氣，但他確信他的對手並不因此而完全排除疑慮，可是莫希客觀的態度卻會令他們感到放心。

「您的結論是什麼？」

「一名強盜被他共犯給殺了，想必也是努比亞人，而且他已成功地逃走，我們不太可能抓得到他，除非有人檢舉。希望這只是一個偶發事件，不過我們還是要當作危險仍然存在。你們在村子裡面要小心謹慎、索貝克在他的管轄範圍內繼續監視、而我來負責西岸。」

「法老的來訪讓我們安了心。」陵寢書記提道。

「的確，有關戰爭的謠言已不存在，一切又恢復了平靜，你們還需不需要我的士兵去運送砂岩塊？」

「事實上，我們很快又得去一趟，因為左隊的工作進度比預定的快。梅仁達法老很快便可獲得來自百萬年神廟的力量了。」

58

所有的右隊工匠全在山口的小石屋內過夜，此處的休息站介於村子與國王谷地之間。

在這個滿月的夜晚，只有首長一人仍然醒著，如同每個睡前的夜晚，他想到每一名工匠、想到他們的煩惱及白天所碰到特殊問題，而他必須一一地幫他們解決，以維持隊上的團結和工作效率。

在他們之中，有一個人善於偽裝熱愛他的工作和同事，不管是心裡想的還是嘴巴上說的，而實際上卻是要從行會的內部進行破壞。這個沉重的壓力已令尼菲越來越喘不過氣。與工匠之間的感情和光之石就是他全部的世界，虛偽與陰險並不屬於他的世界，他不知道如何與之對抗。

每一天，因為與不知名的對手較勁使他非常的耗神，在這種困境下，他不禁懷疑自己是否有能力如期完成工程。

尼菲對西峰凝望良久，此時一陣微風自西峰颳起，尼菲內心的澎湃逐漸平靜下來。他想起了拉默塞書記在他上任儀式中所說的話：「無形的上帝隨風而來，但是人們看不見祂，而上帝在夜裡無所不在。無論是天上或人間，兩者皆出自其手。祂是沉默寡言的保護者，同時將活力賜予其所愛之人。」

沒有一個神、也也沒有一個人知道上帝阿蒙是什麼樣子，祂是唯一能治好瞎眼的人；假使有人真的看見祂，會不會嚇得半死？祂雖然是無形的，卻能讓帆鼓起。祂從未出生，也不會死去。

就在這一刻，尼菲感覺到西峰的神奇力量。西峰彷彿在回應他，使他能與阿蒙溝通，阿蒙是他力量的泉源，他的壓力因而減輕不少。

「你也還沒睡。」帕尼泊低聲說道：「在這個山口上過夜是一種無上的享受，這裡的生命力比任何地方都來得強。」

尼菲靜默不語，帕尼泊一直以為自己了解他，而此刻，他覺得這個人不但是他的朋友、他的上司，而且是一個不平凡的人，肩負了一個不計時空的任務，這個任務佔據了他整個身心，如同一把熊熊烈火燃燒著他。雖然尼菲擁有冷靜與自我控制的特質，但他是不是也像一名勇士、擁有源源不絕的力量？

帕尼泊與尼菲共享此刻的沉默，而他也在夜裡的微風中感受到了阿蒙神的力量。

「你真的生病了。」卡萊兒認同道。

卡洛不停的發抖。

「我在山口的小屋裡得了感冒，而居然會有人喜歡在那裡過夜！當冬天的風一吹過來，連骨頭都會結冰。我得趕快躺下來休息，搞不好下一次沒辦法和大夥兒一起回去工作。」

「希望不會這樣。」

「智女有許多各式各樣的藥可以改善發炎的症狀。啤酒壺底的沉澱物加上洋蔥汁對治療腹痛及感冒很有效，可以讓卡洛很快的復元，不過她特別使用一種自然的抗生素，這種抗生素是用穀倉內的最底層沉澱物發酵提煉而成。」

「你的身體底子不錯，我相信很快就可以恢復。」

「萬一兩天後我的燒還沒退，該怎麼辦？」

「我會再幫你做檢查。」

卡洛走了之後，卡萊兒忙著將一些小藥瓶貼上標籤。這些小藥瓶內裝的是南部一種青蛙的皮膚所滲出來的液體，具有止痛與消炎的療效。她前一晚用它來治療奈克特妻的腎炎。智女常在看診的時候想到傑德。她又再度翻閱有關眼疾的書籍，並準備了一些新的藥方，不過她不抱太大的希望。

在哈托爾神廟內祈禱時，智女凝聚了所有女祭司的神力，將它迴向給傑德，因為人類的科學尚不足以對抗他的失明症。右隊需要傑德，儘管有帕尼泊的努力加上其他畫匠的才能，但若無傑德的才華，梅仁達陵墓內的壁畫將無法臻致完美。

＊　＊　＊

「放一個禮拜的假！妳想都別想！」肯伊強烈地反彈。

「一個禮拜是您至少得給我的假，我還很好心不想太為難您。」

「可是家裡的打掃、煮飯做菜的工作怎麼辦？」

「我離開以前會把您的房子整理得乾乾淨淨，也會先準備好食物，讓您不熱它們也可以吃，您儘量去給別人請客，晚上則少吃一點，我不在的時候沒辦法管您，我不希望回來時看到您生病。」

「妳該不會說走就走吧？」

「下禮拜見囉！」

陵寢書記突然感覺房子內變得空空盪盪。這個小討厭雖然很令人受不了，但他卻很想念她，他不得不承認她還是很有用的，除了她擅自作主去打掃他的辦公室！

為了忘掉對牛妞的懷念，肯伊決定花點時間寫幾頁他的夢之鑰，可是才剛寫幾個字，就被他的助理給打斷。

「有什麼事，伊姆尼？」

「帕尼泊又向我要顏料了！」

「這有什麼問題？」

「我仔細算過一個彩繪匠一天所需要的用量，而帕尼泊已經超出太多！假使每個工匠都像他這樣，那根本就無法管理村子。」

「是不錯，我看算了吧！」

「事情還不僅止於此。」伊姆尼繼續說道：「帕尼泊不但拒絕服從規定，甚至還要脅我！」

「結果你做何反應？」

「我寧可離他遠一點。可是您一定要教訓他一頓！」

「我會處理這件事。」肯伊保證道。

「那我可不可以告訴他不准使用這麼多的顏料？」

「我不是才跟你說我會處理嗎？」

伊姆尼永遠不會了解規定是需要用智慧來執行的，而肯伊不認為自己有能力向他解釋這種觀念。由於傑德教帕尼泊繪畫，因此他需要大量的顏料來補足自己所製造的一部份，還不包括畫筆和刷子的消耗速度。帕尼泊很認真地畫了無數的草圖來訓練自己的技巧，然後才定稿。傑德對他的成果大為讚嘆，僅僅更改一些小地方。在這種情況下，即使帕尼泊要用到大量的材料也不成問題！但向伊姆尼解釋這些是沒有用的。

叛徒在陽台上乘涼，正巧看見陵寢書記的腳步伴隨著枴杖敲擊地面的節奏，很有精神地往前走。

「他要去那裡？」叛徒問他的妻子。

「八成跟昨天一樣是去首長家。自從牛妞放假後，他日子過得可舒服呢。人一旦習慣了被侍候的日子，要回頭也很難。」

「他的女佣什麼時候回來？」

「下個周末。」

「等天一黑，我要出去一趟。」

「你要去哪裡？」

「去除掉一個對我們不利的威脅。如果有人來家裡，妳就說我有點不舒服，所以先睡了。」

叛徒緊張地靠著牆往前走，心裡希望不會遇見任何人，萬一真的碰到了，他會誘稱自己頭痛，所以夜裡出來散散步。

他的運氣很好，在往肯伊家的途中沒有碰見任何人。

假使大門是緊閉的，他就不強行進入。可是他輕輕一推，門就開了，於是他潛入了陵寢書記的家中。

他到底有多少時間？卡萊兒的廚藝很好，肯伊的話也很多，不過他動作還是得快。萬一有人發現他，他不但會被控偷竊、被逐出村子或關進大牢，而且所有的美夢將會化為一空。

他只要找出肯伊的陵寢日誌就夠了，因為他目的很明確。

陵寢書記睡前總是喜歡閱讀一段古文，以便忘卻白天的煩惱。由於他今晚享受了一頓美味的大餐，因此精神也來了。他想再工作一會兒，把這十個月以來日誌上記載的工匠外出地點製成表格，看看是那些工匠最常到西岸。

他原先以為自己老眼昏花，但最後意識到一件事，他的這些記錄已不翼而飛！

59

梅仁達統治埃及已屆四年，期間從未發生任何戰爭，他的陵寢工程也進展得很快。陵墓內已完工的部份有名之為「神道」的前三段走廊，其盡頭連接一口井，這口井將是宇宙汪洋努神散發精氣之處，當國王的木乃伊棺移入時，便可受到它的浸潤；第一間有兩根立柱的墓室是為了阻擋外來者及邪氣的侵入；此間墓室連接另一個走廊，是復生者靈魂升天的過道，而瑪亞特的神殿將永遠維持靈魂的正直；最後一道通往金室的走廊已開始進行，梅仁達的木乃伊將長眠於金室內。

畫匠們已在牆上畫了象形文字，其內容為太陽祝禱詞、門經和隱室之書的節錄，如此法老在穿越天國之門時便可回答守門人的問話，而自由進入天堂裡。

正當其他的同事繼續努力挖掘走道時，傑德與帕尼泊在牆面上進行壁畫的工作，畫面有梅仁達將香膏與香獻給奧塞利斯、將酒獻給卡塔神、太陽神與阿努比斯賦予國王生命、有一對翅膀的瑪亞特女神、以及法老與諸神之間的對話。

工匠們在陵墓內點燃了無數盞油燈，因此有足夠的照明。傑德和帕尼泊兩人在陵墓外先準備顏料，同時彼此在調色的技巧上互別苗頭、一較長短。傑德特別教他利用紅色加上藍色，再塗上一層亮漆，如此便調出一種非常美麗的顏色。

帕尼泊的活力感染了傑德，因此兩人在一起工作時，傑德一點也不感覺累，當他畫著眾神乘坐金船航行在黑夜時，他甚至覺得自己的視力有改善的現象。

「這一次實在太過份了！」烏奈士叫道。「我要叫傑德來評評理！」

傑德走近烏奈士，帕依、卡烏則分站他兩旁。他們三人盯著牆面，牆上畫了一個戴著藍色假髮、身穿金色短裙、站在太陽神舟前的人物畫，人物的上端寫著祂的名字西亞，亦即「創造之靈感」之意，唯有祂才能照亮前程。

「你對這幅畫有什不滿？」傑德問道。

「方格是我畫的，而帕尼泊卻沒有照著它的格式去畫！」

「沒錯。」卡烏附和道。

帕依顯得有點侷促不安，一句話也沒說。

「你看這整個畫面。」傑德說道：「神舟、西亞、以及拉船繩的天神們。」

烏奈士皺起眉頭。

「我看不出有什麼不妥。」

「這就是為什麼你不是彩繪匠的原因。你用一成不變的技術在牆上畫了刻板的方格，而帕尼泊將它稍為作了變化，使它們充滿了生命。僵硬的理論就這樣消失，取而代之的是美麗。」

「照這樣說，帕尼泊可以隨便來！」烏奈士反駁道。

「錯了。我們的進度緩慢都是由於他的關係，因為他必須花上許多時間來研究方格，讓他的手與方格合而為一。而有時正是他的手超越了界線，才會冒出前所未有的美妙境界。」

「不管怎麼樣，」卡烏回嘴道，「他太過自由了。」

「你錯了，他塑造了比例，而一個彩繪匠如果沒有這些比例就會凋零。你以為我會讓他亂來？尤其是在一個皇室的陵墓內？好好地仔細看，然後你再告訴我對這幅畫不滿意的地方。」

三名畫匠實在找不出可以批評的地方。

「我們去準備下一個方格吧！」帕依提議道。

「他今天早上還好嗎？」卡萊兒向牛妞問道。

「好多了。他好不容易才找回胃口，也不斷地嘀咕這個、嘀咕那個。我看妳的藥已經把他完全治好了。」

陵寢書記從房間板著臉走出來。

「我有些工作進度落後了。啊！卡萊兒，願上帝保佑妳。我是不是該吃妳開的營養劑？」

「不需要，因為您已經恢復您的活力了。」

「發生了那次偷竊事件之後，我以為自己活不下去了。小偷在我家的辦公室偷竊！有誰會做出這種事？」

經過了這可怕的事情，有好幾個禮拜的時間，肯伊的精神幾乎接近崩潰的邊緣，還好有他的助理伊姆尼幫忙處理日常的工作，智女則在這一段時間以磁療及藥療法雙管齊下，使他恢復了健康。

「我覺得很有精神，可以回國王谷地工作了。」他用肯定的語氣說道。

「這不是您可以決定的。」牛妞反對道：「而是要看智女的意思。」

卡萊兒露出微笑：「回去對您也好，而且工匠們也會很高興看見您。」

陵寢書記非常地激動。

「你創造了一個偉大的傑作。」他對尼菲說道：「這座陵墓和拉美西斯的一樣美！」

「最困難的還在後面。」尼菲說道：「只要石棺室沒有完成，我的心就放不下。」

肯伊在陵墓走廊內來來回回，五顏六色的壁畫，使他忙得不知先從哪一幅開始欣賞。

「畫匠和彩繪匠的表現的真得很傑出，死亡永遠無法佔據這個地方。」

「這要歸功於所有的工匠為它奉現出他們的靈魂。」

大夥們在陵墓外吃著魚乾、沙拉、洋蔥及麵包。中午他們只能喝一點清淡的啤酒。肯伊又坐進了他當初挖的岩洞，儘管他的脾氣不好，每個人都很高興再看見他。

休息的時間一過，大家又回到陵墓裡工作。

「我一直在想日誌被偷的事情，」陵寢書記向尼菲談起。「我記下每個人外出情形，而且正打算將每個工匠外出次數做一個統計。我們要找的這個人一定察覺到了，所以才把文件銷毀。」

「您記不記得主要的內容？」

「我腦子裡裝不下這麼多的雜事，所以寧可用寫的方式。若沒有這些記錄，我無法提出具體的線索。」

「這個人已愈來愈有戒心，他一定也發現索貝克採取了一些新的安全措施。」

「他的情狀已面臨窘境。如果他不敢離開村子，又怎麼能與外面的共犯聯繫呢？」

「索貝克說的有道理：總有一天他會露出馬腳的。我們必須提高警覺。」

「什麼時候會再用到光之石？」

「等到石棺室蓋好、供頂也完成時。」尼菲答道：「先讓牆面充滿生氣，再讓畫匠和彩繪匠在上面工作。」

「說實話，帕尼泊和傑德的作品，兩者幾乎分辨不出來，可說是徒弟和師傅的功力不相上下。這座陵墓的色彩比拉美西斯的還要來得生動。」

「聽傑德說，帕尼泊利用紅色調出了許多不同的色調，而這不過是一個開始。」

「傑德難道一點都不會吃味嗎？」

「事實正好相反，肯伊。他不斷地教學生進步反而讓他更年輕、也更有活力。傑德是個胸懷大志的人，只是一成不變的事才會讓他心煩。有很長的一段時間，他為了找不到一個可以承傳他的人而失望不已。」

「而這個時候出現了帕尼泊，又是真理村的一個奇蹟！小心不要讓驕傲毀了他的心和他的手。」

「每個人都有這個危險。目前帕尼泊面臨許多的困難，必須不斷地去克服。只要他向自我挑戰，而且是超出他能力的事情，他體內的火便成了創造力。我相信傑德一定有辦法每天提高他的能力極限。」

尼菲一跟進陵墓的大門，腦海裡突然靈光一閃。

「信件！」

「你在說什麼？」肯伊問他。

「叛徒一定是利用信件與外界溝通。」

信差烏普弟對肯伊的要求感到不可思議。

「我立下過誓言要守住信件的秘密。假如我違背了我的誓言，托特的神杖會報應到我頭上，讓我丟了飯碗。很多人常常要賄賂我，可是都徒勞無功。」

「可喜可賀，烏普弟，但我絲毫沒有賄賂你的意思！」

「可是你卻想要知道工匠所寫的信件內容和收件人的名字！我的答案是不行，肯伊，而且永遠都是一個『不』字。」

「我很了解你的立場，但你可以相信我和你一樣的廉潔，我是為了行會的最大利益著想。」

「我一點都不懷疑您的話，可是我的決定不會有所改變，也會遵守我當初鄭重立下的誓言。」

若是涉及一項犯罪的調查，陵寢書記相信會獲准查看信件的內容，但他必須顧慮到行會的名譽而不能將這件醜聞公開，更何況這個時候兩隊的工匠正在埋頭苦幹。

「你至少提供我一個訊息，烏普弟。最近這三個月來，是哪一個工匠請你帶最多的信？」

「您為什麼要知道？」

「為了要記錄在陵寢日誌上，以便和過去幾年做比較。這麼一來，我可以開始準備一份有關我們信函數量的報告，首長遲早會向我要的。」

這個善意的謊言說動了烏普弟。

「既然如此，信件最多的是帕依。我只能告訴這麼多。」

60

「你不再吃一片烤羊腿嗎？」他老婆驚訝地問道。
「不了，今晚不想。」
「也不要一點大腸嗎？」
「不要，我覺得肚子有一點脹。」
「可是你幾乎什麼都沒有吃，結果我卻為了慶祝我們的結婚紀念日而準備了大餐！」
「我已經吃飽了，真的。」
「你是不是病了？」
看到帕依的大肚子、胖嘟嘟的頰、紅潤的臉色，沒有人會相信他營養不良。
「我要出去走一走。」
「不要太晚回來，否則會把孩子吵醒。」
「別擔心。」
他再也忍不住美食當前卻不能吃的痛苦，最好還是透透氣試著忘掉。帕依走在村子的大街上，肚子餓得咕咕叫。
「真巧，」帕尼泊叫道：「我正想去找你呢！」
「找我為什麼？」
「首長和陵寢書記想要和你談談。」
「現在嗎？」

「就是現在。」

「我已經準備要睡覺了，而且……」

「我才剛從家裡出來，不是嗎？」

「不是，喔，是，不過我正要回家。」

「他們叫我來找你，所以你跟我來，好不好？」

「好、好，可以。」

帕尼泊刻意裝出來的和善比他的憤怒來得更可怕。帕依寧可乖乖地跟他走，於是提心吊膽地來到了尼菲和卡萊兒的家裡。他覺得卡萊兒美麗的眼神中探詢的意味多於友善。

「你看起來不太舒服。」她告訴他：「是不是消化不良？」

「沒有，我很好，真的很好。」

肯伊兩手拄著枴杖站在一邊，連一句客氣話都沒有。

「你最近信寫得很多。」

「或許。但這是我個人的事。」

「也是真理村的事。你寫信給誰？」

「您沒有必要知道。」

「正好相反！如果你拒絕回答我們，我就召開法庭。」

帕依傻住了。

「這簡直是豈有此理！」

「假如你不做虧心事，那就回答我們。」尼菲插口道：「你的拒絕不就表示做了什麼對不起行會的事？」

帕依垂下頭。

「你們都知道了，對不對？」

回答他的是一陣令人窒息的沉默。

「一切得從大約一年前開始說起，那時我為母親做八十大壽，她住在東岸，靠近一個漁市。那天我吃了太多的大腸和羊腿，這點我承認，結果她生氣地對我說了一句卡洛姆尼的至理銘言：『貪吃乃可鄙之行為，必得受批判。飲一杯水已足以解渴，食一口蔬菜可以強化心臟。飽餐後仍貪吃之人乃無用之人。』她狠心地說，如果我不絕食的話，她就拒絕再見到我。所以我寫了二十幾封信，告訴她我所做出的努力，但她卻要我至少瘦二十公斤以上！今天晚上，我又試著只吃一點，而我現在快餓死了！」

「帕依是清白的。」尼菲判斷道。

「搞不好他很有演戲的天份。」肯伊懷疑地說道：「他想到自己有可能會被發現，因此早已準備好一套如此可笑的說辭，以致沒有人會懷疑到他的頭上。」

「若果真如此，那表示他太不了解您了。」卡萊兒微笑地說道。

「而我。」帕尼泊插一句，「我肯定帕依說的是實話，不過我同意去查證這件事。我明天早上就去看他母親，一切將會真相大白。」

帕尼泊謝過忙著準備攤子的漁販，便朝他指示的方向走去，可是一過了第三條巷子，帕尼泊拔腿就跑。

在他身後響起了一個急促的腳步聲。

打從他坐上渡船開始就有人跟蹤他，說不定更早。

這麼說來，帕依真的撒了謊。他的說辭不過是一個幌子，由於他擔心有人被派來查證他編的故事，因此叫了一名村外的共犯來除掉這個人。

帕尼泊很高興。跟蹤他的人等會對他有得說了。

他躲在牆角，看見一名努比亞人停下腳步東張西望。

「你找的人是我嗎？朋友。」

努比亞人飛快地出了一拳。帕尼泊立刻用前臂擋住、右腳直踢對手的腹部。努比亞人一下子退了十幾步，但仍勉強站住了。

「你頗會打架，耐力也還不錯。」帕尼泊承認道。「我只好出手重一點，除非你馬上告訴我誰是你的主子。」

努比亞人胸膛一挺、頭向前，二話不說朝帕尼泊衝了過去。

帕尼泊等到最後一剎那，雙手合掌向對手的脖子重擊下去，結果他一頭撞向牆壁。

他的前額流著血，終於又搖搖晃晃地站了起來。

「你還真挺得住！」

努比亞人困難地吸著氣。

「假使你殺了我，你也逃不過我們。沒有人能逃得過索貝克的警衛。」

努比亞人兩眼一花，昏了過去。

一些婦女謹慎地探頭望一眼巷子裡發生什麼事。

「快給我一些水！」帕尼泊叫道。

最後用了一大壺滿滿的水才把努比亞人弄醒。

「你真的是警察嗎？」

可憐的努比亞人一清醒後害怕地閃了一下。

「你還要打嗎？」

「假使你說真話，我就不打，你為什麼跟蹤我？」

「這是我的任務。我必須跟蹤每一個來東岸的工匠，才能知道他們要去哪裡。」

「我也是有任務在身！」

「索貝克隊長什麼也沒告訴我。」

沒有人想到要通知索貝克。帕尼泊扶他站起來，然後走到一間草藥舖，讓老闆為警衛貼上膏藥。

「我得寫一份報告。」警衛說道：「我該向索貝克說什麼？」

「叫他去找陵寢書記，肯伊會跟他解釋情況的。」

「您就是帕依的母親？」

這個瘦小、滿臉皺紋的老太太脾氣看來不怎麼。

「您找我有什麼事？」

「我是您兒子的朋友。」

「他瘦下來了沒有？」

「瘦一點了，可是……」

「叫他不要再寫信給我，而是要採取行動！這個貪吃鬼是我家的一個恥辱，叫他還沒變得人模人樣以前，不要出現在我面前。」

「我向您保證他真的很努力，而且……」

「光是努力還不夠，叫他要成功。」

帕依的母親呼一聲地把帕尼泊關在門外。

*　　　*　　　*

莫希把箭架在弓上、瞄準箭靶射了出去，那枝箭深深地插入很硬的木頭內。

「射得好！」達克泰稱讚道。

莫希把箭拔出來，發現箭頭幾乎沒有受損。

「幹得好，達克泰，你採取的合金非常的堅固。一旦有了這種箭頭，底比斯的弓手將會擁有所向披靡的武器。那麼劍呢？」

「也很有進展。」

「可是你看起來有點不開心。」

「我只不過是做一個技術師的工作。我們偉大的夢想似乎都已離我遠去！」

「你錯了，達克泰。」

「梅仁達的專制使得您必需要保護真理村，而我們也沒有得到他們任何的秘密！這個村子的牆是永遠無法越過了。」

「你認為我放棄了？」

「我認為您在繼續拓展您的美好前程，而我的將會葬送在這個實驗室裡。」

「我們一定會成功，因為我們知己知彼、百戰百勝。」莫希保證道，「我們的敵人比我們想像中的還要可怕。首長和智女為行會帶了來一股團結的力量，要摧毀他們並不容易。那些小小的勝利並不足夠，我也同意這點，而且我們要從挫敗中記取教訓。最重要的是把尼菲和他的主要支持者除去。幸虧我們有一個內線，所以得知陵寢書記生了病。看他的年紀，也應該不會阻礙我們太久。不過尼菲有條討厭的狗老是在保護著他，那就是帕尼泊。當年他拒絕加入軍隊，算他活該！」

61

帕尼泊輕輕地撫摸著碧玉的頭髮。他剛和碧玉熱情如火地作完愛，碧玉也熱烈地回應他。此刻的她展現著動人的胴體，凝望他的眼神也彷彿是第一次見到他。

「只有哈托爾女神才能讓妳有這等作愛技巧，碧玉。假使妳繼續下去，我會不會有能力跟上妳？」

「你何時變得這麼謙虛？」

「讓我證明看看。」

兩人毫無倦意，又重新捲入一場新的戰爭。他們不在乎誰贏誰輸，只希望給對方更多的驚喜，同時在每一次的結合中讓對方更滿足。

「你和娃貝特在一起快樂嗎？」

「是她決定快樂地和我在一起，我沒有理由要殘忍地剝奪她的快樂，況且現在我有了兒子！這個小傢伙，我要把他變成一個真正的勇士，而且沒有人可以打倒他。」

「他也是娃貝特的孩子呀！也許她有別的想法。」

「用在阿沛弟身上是不可能的！他已經開始要打架了。」

帕尼泊壓到碧玉的身上。

「我們可否不要浪費時間在說話上？天馬上就要黑了，而妳也馬上就要趕我走了。」

「假使我不是一個自由之身，你還會愛我嗎？」

帕尼泊手沿著她的曲線輕輕的愛撫她做為回答。突然間，她閃開了。

「有人在敲我的門。」

一陣掃興，帕尼泊仔細聽著；有人不死心地敲著門。碧玉披上圍巾去開門。

「帕尼泊是不是在妳家？」卡烏問道。

「為什麼問這個問題？」

「我怕他馬上就要有大麻煩了。根據烏奈士偷聽到的一個消息，石匠們打算要告他。他們正在和陵寢書記談這件事。」

帕尼泊生氣地出現在面前。

「你在說什麼？」

「我也不知道詳細的情形，不過其他兩個畫匠和我，我們覺得有人在你背後搞鬼，打算要陷害你。」

「我去找肯伊。」

奈克特和卡沙憤怒地盯著帕尼泊，卡洛背著他，而費奈德則用食指比著他。

「是你，你這個小偷，你最好從實招來！」

「你馬上給我把話吞回去，否則……」

「事情似乎很嚴重。」肯伊打岔道。

帕尼泊轉身面對陵寢書記。

「什麼事情？」

「那把用來鑿石的大鎬不見了。」

「是帕尼泊偷的！」費奈德強調：「還有誰會做這種事？他是最後一個把工具拿到保險室的人。」

「沒錯。」帕尼泊承認道。

「那麼你怎麼解釋它已經不在那裡了？」陵寢書記問他。

「我沒什麼好解釋的！我把那把鎬和其他的工具一起放在保險室的門口。是那些石匠們把它收到裡面，而不是我！」

「你含血噴人。」

奈克特抗議道：「我們都一致同意你是最後一個拿到那把鎬的人。」

「偷工具是一個很嚴重的罪行。」肯伊提醒道：「假使你是用來做私人的工程，最好馬上承認。」

「根本沒有這回事！」

「我們要控告帕尼泊。」卡沙說道：「而且我們要求要立即進行調查。」

「這是什麼意思？」

「意思是說我必須和首長及另外兩名證人去搜你家。」陵寢書記說道。

「要搜我家？門兒都沒有！」

卡沙冷笑一聲。

「這不就是一個嫌疑犯的典型反應嗎？」

「如果你是清白的。」奈特克加一句，「為什麼你要拒絕？」

「你是非常清楚我做事對得起我自己！」

「既然這樣，我們就用事實來證明你的清白。」

帕尼泊對石匠們怒目而視。

「我回家等你們來。」

「不行！」卡沙反對道：「你會把鎬藏到別的地方！你留在這裡，讓肯伊指定兩名證人，先派人去搜，調查小組到齊後再到那裡集合。」

陵寢書記、首長、帕依的妻子和圖弟一起踏進帕尼泊的家門，同一時間，整個村子都知道了帕尼泊被控偷竊的嚴重罪名。

叛徒和幕後主使者彼此用密碼通信，他照他們的建議進行了這項計劃；讓帕尼泊因重罪被判刑，導致他被逐出行會。叛徒趁肯伊生病、伊姆尼又不注意的時候偷了那把鎬，然後藏在帕尼泊家。由於他家的廚房有一個地方準備要翻修，因此可以從外面進入。

謠言從他妻子口中裝作不經意地說出去，最後事情越傳越離譜，終於達到了目的。

娃貝特手上抱著孩子驚訝地睜大眼睛。

「你們要做什麼？」

「妳丈夫被控偷竊。」肯伊解釋道：「我們必須徹底搜查。」

「這……這是不可能的事！我反對！」

「妳要理性一點，娃貝特。因為這是我們的規定，無論如何只好照辦。」

帕尼泊抓住妻子的肩膀。

「我們到外邊坐下，讓他們去查。想要害我的人以為他會成功，可是我會找出這個人，再把他全身的骨頭給拆散。」

搜索的工作沒完沒了。帕尼泊教阿沛弟幾種不同的握拳方法，然後訓練他用拳頭捶向自己的巨大手掌心。阿沛發出一陣串清脆的笑聲，玩得不亦樂乎。

肯伊第一個走出屋外，不斷地用亞麻布擦著額頭上的汗珠。

「我們什麼都沒找到，帕尼泊。你的罪名已被洗清了。」

帕尼泊龐大的身軀站了起來，甚至比往日更來得魁武。

「這並不能改變什麼，因為連您和其他人都不相信我的話。」

「如果你要求我們向你道歉，我們就道歉。」

「道歉並不夠。」

「你還要什麼？」

「這個村子已不值得我留戀，肯伊，你可以在右隊的名單上把我的名字劃掉。」

「我不走。」娃貝特純潔說道：「我生在這裡，死也要死在這裡。」

「妳高興留下就留下，至於我，我的決定已無法改變。」

「因為你有罪？」

娃貝特的口氣變得很強硬。

「這話是什麼意思，娃貝特？」

「妳居然跟其他的人一樣誣告我？」

「你有沒有偷那把鎬？」

「你到底有沒有拿？」

「我用我的兒子生命發誓，我是清白的！」

「你應該要感激你的兒子，是他救了你。」

「妳把話說清楚。」

「他沒有經過我的同意，跑到你要把房子改建的地方玩。等我找到他的時候，他正在地上挖東西，結果出現一個木頭把柄。」

「就是那把鎬的手柄。」

「我打算要告訴你，可是你正在和碧玉親熱。所以我只好先告訴首長。」

「尼菲！他做何反應？」

「他把工具帶走了。」

帕尼泊轉身便跑往尼菲家，後者正在製造一個直角形的護身符。

「你將那把鎬藏到哪裡了，尼菲？」

「哪把鎬？」

「那把被人藏在我家、意圖陷害我的鎬！」

「我的記性不好。再說事實也證明了你與這個可悲的事件無關。」

「如果你救了我，表示你相信我是清白的。」

「你並不是一個十全十美的人，帕尼泊，但你絕對不是一個小偷。再說，你也知道我們目前的處境困難，而你被任命保護我。假使你被除掉，我們的對手等於是除掉了一道堅固的護牆。」

「肯伊和那些石匠嚴重地侮辱我，而且他們堅信是我偷的，整個村子都認為我是一個小偷，每個人都用異樣的眼光來看我。我很明白我在這個行會已沒有地位。」

「忘了它吧！不要讓自己成為自尊心的奴隸。」

「你幫忙是沒有用的，尼菲。傷害已經造成，傷口也無法癒合。」

「你的表現像一個戰敗者，帕尼泊。」

兩人唇槍舌戰了好一會兒。

「謝謝您讓我不至於被誣告，首長。可是我已經不想再和這些人生活在一起，他們討厭我、我也瞧不起他們。」

「你會失去一切，帕尼泊，而你生活又會再度像一根歪曲的棍子。」

「至少誰擋了我的路，我就用這根棍子敲破他的頭！我很同情你被困在這個村子裡，身不由己地為這些庸才服務。而我呢？我贏回了我的自由。」

62

「妳願不願意跟我走，碧玉？」

「不，帕尼泊。」

「我可以帶給妳前所未有的幸福！」

「我對它不感興趣。」

「這個村子裡只有不平與嫉妒。如果妳留在這裡發霉，總有一天妳會後悔的。」

「你只是意氣用事，因為你的自尊心受到了傷害。」

「妳不要也來這一套！」

帕尼泊將美麗的碧玉擁入懷裡。

「我帶妳走，碧玉。」

「你忘了我是一個自由的女人，沒有人可以強迫我任何事？」

「難道妳對這個行會還存有什麼指望？」

「在這裡，每一天都是一個新的日子。身為哈托爾女祭司，我已對女神誓言忠貞到底。」

帕尼泊放開她。

「妳在責怪我違背了誓言？」

「你自己好好去想。」

「我會懷念妳的，碧玉。」

*　　*　　*

「我沒有說動帕尼泊留下。」尼菲向妻子說道：「他受到了太大的委屈，因此對同事不再有信心。」

「對你也一樣。」

「他知道我相信他的清白，而且避免他掉進設好的圈套，但是他對這個不白之冤反應太過強烈。」

「你需要他，對不對？」

「他已經是一個優秀的彩繪匠，而且我不能肯定傑德是否能撐到梅仁達的陵墓裝修完成。而帕尼泊有離開真理村的自由，現在只剩下妳來說服他完成已經開始的工作。」

「我的恩師智女說過：『一旦我回西天時，願西峰之女神指引妳、成為妳的目光。』我今晚就去請教祂。」

* * *

巨大的眼鏡蛇從西峰山頂的聖殿爬出來豎立在智女面前，後者向她鞠躬行禮。

在銀色的月光下，聖蛇不斷地左右晃動，但目光從未移開過卡萊兒。卡萊兒的額頭上繫著金色的寬布條，假使聖蛇攻擊她，她是完全沒有機會躲開的。

拋開了恐懼，智女和沉默之神的化身彼此以目光交談。

卡萊兒和祂談起了帕尼泊和梅仁達的陵寢，同時懇求祂指引一條路，告訴她如何讓行會維持和諧。

天上的星星一個接一個消失，彷彿有一塊黑色的布蓋住它們。當夜色籠罩時，一滴水珠滴到卡萊兒的頭髮上。

智女立刻明白女神的回答令人害怕，因為祂和帕尼泊的情緒一樣的猛烈。

娃貝特純潔的眼淚終於流了下來。

「你不要走，帕尼泊。」

「妳願意跟我走嗎？我的決定是不會改變的。」

帕尼泊把旅行用的草薦捲起來。

「你兒子呢？你不會後悔拋下他？」

「妳會把他照顧得很好，而且我相信他將來會和他父親一樣，有能力應付一切。」

「你的繪畫、你完成了這麼多的工作，難道它們都不算什麼嗎？」

「不要再說了，娃貝特。」

「你為什麼不承認因為有人傷了你的自尊心，所以變得比一頭騾還來得固執？就算你和那些石灰匠合不來，那又怎麼樣？首長是你最忠誠的朋友，而且我還得提醒你，在這個村子裡，至少有兩個女人和一個孩子深愛著你！」

帕尼泊把薦子綁在一個旅行袋上，在袋子裡面裝了一塊麵包、一壺水、一雙涼鞋和一條新的纏腰布，然後義無反顧地走出家門。娃貝特哭得一塌糊塗，他既不看她一眼、也沒有擁抱熟睡中的兒子。

* * *

清晨來臨。

這天的黎明不似往常。

就在梅仁達在位統治第四年夏天的第一個月第二十七日，厚厚的烏雲罩東方、遮住了太陽。空氣沉悶得幾乎令人無法呼吸，氣壓也強烈得讓人的骨頭為之痠痛。

一道閃電劃破了天空，直接打向歐貝特的鐵舖，驚醒了沉睡中的歐貝特。他從床上跳起來奪門而出，趕去向助理區少數留在那兒過夜的工人求救，大夥兒開始感到驚慌。

上。

一陣前所未見的滂沱大雨猛然襲擊真理村，雨勢大得令帕尼泊覺得彷彿有千萬根針不斷地刺在身上。

底比斯西岸出現了驚人的風雨，不但雷電加加，雨水也越來越大。

洶湧的激流在村子的大街上四處竄流，離帕尼泊不遠處有一道正在修築的小牆應聲而倒。

好幾名婦女跑到屋外，無法置信地望著正在高漲的水流。

「快爬到屋頂上！」帕尼泊大聲吼著。

孩童們開始尖叫。帕依家門前有個小孩已被水淹到膝蓋以上，由於無法站穩腳步，小孩驚嚇得不斷發出尖叫聲。帕尼泊及時抓住他的腳，立刻把他抱起交給正好逛奔經過的奈克特。

兩人的目光在交錯的剎那間充滿了憎恨。

「把這個孩子帶回家。」帕尼泊命令道：「順便叫大家不要逗留在外面。還有，儘快叫所有人爬到陽台上。」

以雨水高漲的速度來看，一樓的房子很快就會被淹沒，而且造成嚴重的損害。助理區的土牆已完全淹在水中。

突然間，帕尼泊臉色變得很凝重。

由於暴風雨太過強烈，另一個巨大的災難眼看就要成形。因此他馬上衝到首長家裡。

「走！我們快到國王谷地。」他說道：「梅仁達的陵墓有危險。」

他們兩人在暴風雨中出了村子大門，一路跑到山口上。山上的雷聲震耳欲聾，如果不是因為非常熟悉路徑，他們很可能在夾雜著滾石的雨林中迷路。

尼菲和帕尼泊沒有時間害怕，也顧不得鋒利的石塊劃破了腳上的皮膚。他們冒著摔斷脖子的危險，從斜坡一路衝下國王谷地。

警衛早已全身溼透，但仍無怨無悔地守在崗位上。

「快跟我們來！」

三個人急急忙忙跑到梅仁達的陵墓前。另一警衛正用石灰岩塊在入口處堆成一堵小牆，然而一道猛烈的洪水夾雜著亂石與泥巴，立刻沖倒了不堪一擊的小牆。

「這樣行不通。」圖沙喊道：「我們還是趁著沒淹死之前趕快逃吧！」

若洪水灌進梅仁達的陵墓，勢必會造成無法彌補的損失。

「你們走吧！」帕尼泊說道：「我要留下來。」

努比亞警衛只遲疑了幾秒鐘便逃離了現場，而無情的暴風雨仍繼續施展它的威力，絲毫沒有減弱的現象。

「你快走，尼菲，你已經被淹得喘不過氣來了。」

「當一條船可能會沉時，船長會棄他的船而不顧嗎？快動手吧！不要浪費唇舌。」

眼前唯一解決的辦法是築一道厚厚的牆，全力搶救陵墓。

雖然帕尼泊偶爾會朝無情的上天嘶吼抗議，但從未間斷手上的工作。尼菲用盡了全身的力氣，從泥濘中拉出石塊傳給帕尼泊，讓他一塊一塊地疊上去，總算勉強跟上他的速度，而幫上一點忙。

一道強烈的閃電穿破烏黑的雲層，擊中了西峰。

「卡萊兒！」尼菲呼喊道。

「她在上面嗎？」

「她要去看沉默之神。你來找我的時候她還沒從山上下來。」

雷雨突然之間安靜下來，天空露出藍色的一角。

「還好梅仁達的陵墓沒有受損。」帕尼泊檢查道。他全身上下沾滿了泥濘。

「卡萊兒。」

帕尼泊把尼菲從爛巴中拖出來。

「我必須馬上到西峰，知道她有沒有被雷擊中。」尼菲叫道。

「你已經連一步路都走不動了。你留在這兒休息一下，我會處理。」

陽光逐漸透過雲層，他們兩人仰頭喝著最後幾滴雨水，順便洗去臉上的污泥。

「尼菲，你看，那不就是她嗎？」

智女從西峰走下來，手上握著那把足以鑿破任何堅石的大鎬。

63

智女在全體村民前將大鎬高高舉起。

「這就是你們以為帕尼泊偷了的東西！暴風雨差點毀了法老的陵墓和我們的家園，我把它呈現給西峰，以求平息塞特神的怒氣。一道閃電擊中了這把鎬，驚人的神光在上面留下了痕跡。」

圖弟走近查看，發現上面有象徵塞特神的動物頭形，有著長長的嘴和大大的耳朵。

「帕尼泊挽救了法老的陵寢。」尼菲向大家說道：「若不是他奮力搶救，大夥兒所共同努力的成果早已化為烏有，真理村也會被冠上施工疏失的罪名。這把鎬將以塞特之名，亦即主宰風雨之神的天神之子，讓它永遠屬於帕尼泊。」

「這個特殊例外的禮物應該要被破記錄在陵寢日誌上。」伊姆尼插嘴道：「否則帕尼泊會有行政管理上的麻煩。」

奈克特一把抓起伊姆尼褶紋衫的領子。

「你這個雜碎什麼時候才懂得閉嘴？」

「我同意他的做法。」帕尼泊贊同道：「要把詳細的情形寫下來，讓每個人都無法質疑我擁有它的權利。」

帕尼泊仰天大笑，同時將鎬朝湛藍的天空高高舉起。

「假使我說的沒錯，你是不是不走了？」首長問他。

「誰跟你提過要走了？」

＊　＊　＊

「您曾經邀請我，莫希司令，所以我來了！」年輕的王子阿孟美斯自信地說道。

「這是底比斯和我個人莫大的榮幸。」

「我迫不及待想騎那匹您提過的千里馬。」

「牠隨時任您駕御。」

「您是否願意陪我來一趟美麗的沙漠之旅？」

「樂意之至。」

莫希的私人馬伕牽來一匹黑色駿馬。阿孟美斯如一個孩子、因為剛得到渴望已久的新玩具而雀躍不已，立刻躍上馬背。莫希為他選了一匹較為溫和但耐力十足的馬，兩人奔馳前往西邊沙漠中的乾涸河床。

經過一陣瘋狂的奔馳，阿孟美斯終於停下來，而且感到非常的口渴。

「這個地區真讓人心醉神迷！我喜歡這個地方勝於三角洲一千倍，您真得很幸運能夠生活在這裡，總司令。」

兩人下了馬坐在一個小土丘上，他們喝著旅行袋裡的清涼飲水。

「您的來訪表示我們的國王將國家的和平維持得很好。」

「您錯了，總司令事實正好相反。法老才剛送了許多的小麥給赫梯人，他們很擔心有些亞洲民族意圖入侵，埃及必須供給糧食給盟友，才能讓他們形成北方的第一道防線。」

「這種動作是否有異常之處？」

「或多或少，不過我認為利比亞人的動亂令人更擔心。」

「他們不是很弱、不夠團結，所以無法對埃及構成威脅嗎？」

「很多人都這麼以為，但我父親卻不做如是想。塞特裔在當地的情報員一致認為，那是利比亞部落有可能彼此結盟，如此一來便很可怕。」

「法老知不知這件事情？」

阿孟美斯有點不自然。

「他知道一部份。」

「他是否和您父親一樣擔憂？」

「可說是、也可說不是，他對亞洲人比較有戒心，而不是利比亞。」

「我給你看一樣驚人的東西。」

莫希向他展示一個箭頭，阿孟美斯拿在手中把玩良久。

「它真是出奇的硬！」

「甚至遠超出您的想像。這個箭頭是西岸的實驗所研發而成，不久之後底比斯的軍隊會先配有這種武器。之後，還有其他的發明。」

「了不起，真的很了不起。」

「您是第一位看到這個小東西的人。」

「您的意思是法老還沒看過？」

莫希默不作聲。

「您是否認為我應該保留這個秘密？」

「如果您擁有最高權力，也許您會用得上它？」

阿孟美斯突然看見無邊的遠景。

「假使我在一些特殊的情況下要求底比斯軍隊的支援，他們是否會效忠我？」

「我深信您具有領袖的特質，而您若執政埃及，必將發揮所長。」

阿孟美斯的情緒很激動。莫希讓他覺悟到自己真正的野心，而在此之前，他一直不敢對自己如此坦白承認。梅仁達年紀已大，塞特裔又過於專制，並且不受眾臣愛戴，而他阿孟美斯不但年輕有雄心，同時也具有魅力。

「我要帶您徹底認識底比斯。」莫希承諾道：「我們會去參觀總營部，您將可以看到我菁英部隊的軍事操演。」

*　*　*

帕尼泊大口嚼著既香又嫩的烤乳豬，同時不忘配上一壺上好的紅酒。

「謝謝你們這頓美味的晚餐。」他向卡萊兒和尼菲說道：「我的行為真是幼稚得可以，不過，我仍然不確定自己是否已克服了自尊心，也不知道是否還能忍受不公平的待遇。」

「我們做了一個嚴重的決定，跟你有關係。」首長說道。

「是一項處分嗎？」

「希望你不會這麼認為，不過我們得讓法庭傳喚你。」

帕尼泊板起了臉孔。

「我至少有權利為自己辯護、解釋我為何要離開吧？」

「我想不需要。你只要回答好或不好。」

「那些石匠誣告我，他們。」

「跟這個沒有關係。」

「那跟什麼有關係？」

「根據我們村子很常發生的一項習俗，卡萊兒和我希望認你為義子。一旦你正式成為我們的義子，你便會在我們的保護之下；如果有人攻擊你，就等於是攻擊我們。再者，你將成為我們的繼承人，不過你別指望會因此而變得有錢！」

「你可以自由作主。」智女再度強調，她臉上燦爛的笑容連惡魔都會被融化。

帕尼泊將紅酒一仰而盡。

「你們難道懷疑過我的答案？」

* * *

莫希不但憤怒，而且憂心不已。

憤怒，是因為對帕尼泊所設下的圈套完全失敗。據他的線民在密碼函中所述，帕尼泊甚至被首長和智女認為義子。從此以後要直接攻擊他似乎成為不可能，除非帕尼泊犯下嚴重的錯誤，問題是他也愈來愈提高警覺。這個壞消息一點也不令賽克塔感到沮喪，甚至相反；棘手的作戰最令她感到興奮，她很高興能有一個具有挑戰性的對手。

憂心，是因為他馬上得到西岸的碼頭迎接塞特裔的到來。塞特裔是梅仁達之子，就在他的兒子阿孟美斯離開後不久正式走訪底比斯。阿孟美斯非常滿意在底比斯的日子，也深信自己具有執政的能力。在一次的晚宴中，賽克塔在他酒足飯飽之後，向他介紹一名跳舞助興的年輕努比亞女子。她的作愛技巧令他滿足不已，自此對莫希夫婦兩人更是讚不絕口。

塞特裔的不期到來是一項威脅。莫希寧可保持主動、到比拉美西斯去見他，再說他也沒有對塞特裔的來訪做準備。他還曾經一再交待阿孟美斯千萬不可透露自己的野心，對於他們之間的友誼也要有所保密，以便在適當的時機發揮它的功效。

塞特裔正值壯年，是一個很有份量的人，他臉上的表情詳和卻很嚴肅，步伐也顯得很有自信。

莫希恭恭敬敬地向他行一個禮。

「自從上次在比拉美西斯的短暫會面後，很高興再見到您，總司令。由於很多人對我讚美您的菁英部隊，於是我想親自來看看。這也許是出於我多疑的個性，不過一些智者不是說過，客觀的懷疑是有必要的嗎?我們不要浪費時間，您我的時間都很寶貴。帶我去看您的軍營吧!」

「您的意思是不是說我應該下總動員令?」

「完全不需要，總司令!幸好梅仁達法老的威望很高，我們潛在的敵人暫時不會輕舉妄動，目前的情勢也很安定。不過我還是特別關心底比斯的軍隊，誰能預料未來?只有一個事實擺在眼前;年老。我親愛的父親年紀已大，跟每個人一樣都會變老;等到有一天我必須繼承他時，我希望能信任每一位大臣和軍官。您了解我的意思嗎?總司令?」

「底比斯對您很忠誠，也會永遠為您效忠。」

「我的兒子阿孟美斯還喜歡這兒嗎?」

「我想他很喜歡這個地區，不過他更喜歡我送他的一匹駿馬，而且他把牠帶回首府了。」

「阿孟美斯是一個很傑出的騎士，也是一個愛玩的夢想家。假使他安守本分，他可以無憂無慮、愉快地過日子。這不是他最好的選擇嗎?」

64

在陵寢書記的主持下，經過真理村的法庭認可，帕尼泊正式成為智女卡萊兒及行會首長尼菲寡言的義子。從此以後在所有的正式文件上，帕尼泊被認定是卡萊兒和尼菲的義子，未來將繼承義父母的財產和供奉他們死後的卡氣。

可想而知，村子裡為這件事舉行了慶祝活動，工匠們也額外地多放了幾天假。由於他們為了梅仁達的陵墓和百萬年大神廟勤奮地工作，因此很高興能有這個假。

費奈德頭低低的和另外幾名石匠來到帕尼泊面前。

「我們不太會說道歉的話，可是我們犯了那個錯誤，我們希望你原諒。總之，我們希望和你握手言和。其實，最重要的還是形成一個團隊，今天我們可以說，你已永遠地被接納了。」

「你還真會說話。」帕尼泊說著，同時擁抱他一下。

「你記不記得我幾年前對你所做的承諾？」尼菲問帕尼泊。

「你都已經實踐了它們，甚至超過我的願望。」

「這一個還沒實現。說實話，我希望你對於它要有完全的心裡準備。」

帕尼泊立刻想起來。

「你是指到孟斐斯附近的吉薩去進行一趟金字塔之旅？」

「你的記性真好。」

「但是陵墓，以及我的畫還沒完成。」

「木乃伊室正在挖築當中，牆面需要磨光，並且要先畫方格。我們不在的時候，傑德會負責這些工作的，」

帕尼泊緊緊抱住尼菲，使他差點喘不過氣來。

「在我回來之前，妳要負起行會首長和智女的工作。很抱歉讓妳這麼辛苦，不過現在需要讓帕尼泊了解金字塔的意義。無論是陵墓和神廟的工作，我想都不會有什麼問題的。」

「北方真的很安全嗎？」卡萊兒擔心地問道。

「塞特裔最近的來訪，可以證明目前沒有發生戰爭的危險。而萬一局勢真的惡化，孟斐斯也不會有影響。

「你還是要小心。」

「有我們的義子帕尼泊在身旁，我還有什麼危險好怕？只有妳和肯伊知道我們的目的地和行程的長短。肯伊已經用工匠助理隊長的名義租了一條船，我們明天拂曉前就出發。」

「好奇怪，我覺得這趟旅行時而像溫暖舒適的太陽、時而像一場無法預測的暴風雨。答應我不要冒任何的危險，尼菲。」

他溫柔地擁抱卡萊兒。

* * *

帕尼泊貪婪地欣賞著眼前的美景，就像喝一壺來自三角洲的上好紅酒。他好喜歡愈來愈熱的天氣，同時北風也吹散了四月的酷熱。帕尼泊始終站在船首，感覺如同擁有了新大陸，他將每一個畫面都深深地刻在腦海裡。

帕尼泊發現有許多白色房子的小村莊落座在小山丘上，尼羅河的氾濫不會對它們造成威脅。寧靜鄉間有一些棕櫚樹和散佈於四處的大小廟，同時有一些小碼頭可通過這些聖殿。

可是這些美都比不上一個清晨、沐浴在微光中的奇蹟：吉薩高地上的三座金字塔，分屬於胡夫、哈夫拉與門卡烏拉（胡夫即上帝保佑我之意；哈夫拉即「拉神光榮地升起」；門卡烏拉即「拉神穩定創造力」）三位國王，並且有巨大的人面獅身像保護著。

帕尼泊面對如此美麗與宏偉的景象凝視良久、驚嘆地說不出話來。金字塔的石灰岩外層在陽光下閃耀著光芒。

「埃及古王國之建立者重新創造了生命的起源。」尼菲說道：「而原始的生命一體轉變成三座山丘，自海洋中浮起。」

「是不是因為這個原因，所以每位真理村使徒墳墓上都有一個小金字塔？」

「雖然其形式稍微小一點，但是這個象徵讓我們可以與金色年代的前輩連結在一起。金字塔是石化的光線，它來自於死亡並不存在的冥世。」

尼菲帶著帕尼泊到舊時的金字塔藍圖工作室，現在則有石匠在內工作。他們負責維修一些大臣的陵墓，而這些大臣曾經為建造金字塔的國王忠誠地服務過。

禿頭、矮壯的工作室負責人出來接待他們。

「你們是誰？」

「我叫尼菲寡言，這位是我的義子帕尼泊阿當。」

負責人向後退一步。

「你該不會是真理村的首長？」

尼菲把印章拿給他看。

「所有國王的石匠都久仰你的大名，你的到來是我們最大的榮幸！」

「我希望你能告訴帕尼泊有關金字塔的神聖幾何學。我們原本可以在村子裡進行，但我較希望讓他當著金字塔的面來學習。」

他們馬上展開了教學。

帕尼泊領悟了三角形的三、四、五原理。三代表奧塞利斯、四代表伊西斯、五代表何露斯，三神活在石頭的正中心。帕尼泊學會了建築學的動力平衡定律，因而可以忽略對稱，他也能夠就一座金字塔的截棱錐體做出複雜的計算。

帕尼泊興奮地展現給尼菲看他學習的成果。

「不要受限於理論。」尼菲提醒他，「你只能依靠物質的真相和手的經驗；要把每個建築都視為一個唯一的活體，無論是小石碑或大神廟。」

「可是我是一個畫家啊！」

「我們來這裡是為了擴展你的視野，帕尼泊。身為真理村的工匠必需要什麼都會做，因為沒有人能知道為了行會的利益，自己未來會被派去做什麼工作。」

每天，他們兩人都會一同欣賞落日餘暈照映在吉薩金塔的情景，這時光對帕尼泊而言將永難忘懷。

梅仁達法老剛結束晨祀、自阿蒙神廟出來，他的私人侍衛隊長立即上前稟報。

「一名來自敘利亞的使者剛抵達皇宮，並要求立刻求見您，陛下。」

國王來到召見廳見這名使者。

「情況非常的嚴重，陛下。一支強大的聯軍正準備從東北邊境入侵埃及。」

「這支聯軍有那些國家？」

「根據我們在當地情報人員的說法，有希臘人、安那托利亞人、伊特魯利亞人、薩丁尼亞人、以色列人和克里特島人，此外又加上利比亞人和貝都因部落。他們組成數千人的大隊人馬，決定大舉入侵我國，並燒殺劫掠所經之處。」

「為何沒有及早通知朕這些事？」

「此乃由於通信的困難，而且此地的官員當時也不相信。我們的外交官認為拉美西斯大帝當年的威望足以嚇阻其集結聯軍。」

梅仁達立即召開軍事會議，使者儘可能地向大家詳細報告敵軍的位置與軍備力量。

「各位有何建議？」國王問道。

「只有一種策略可以奏效，陛下。」一名年紀最大的將軍思索道：「我們將所有的部隊集結在邊境，讓敵軍無法入侵。」

其同事都非常贊成。

「假使你們這麼做。」梅仁達研判道：「敵軍會鏟平我方盟友的一些村子，並大肆屠殺老百姓，而這些老百姓始終相信我們會保護他們。」

「這些人是戰爭中的不幸受難者，陛下。」

「如果選擇被動，將軍，我們會有失敗的危險！所以我們要採取另一個策略；趁敵軍攻打敘利亞、巴勒斯坦時，我們主動攻擊。」

「這是一個很冒險的舉動，陛下，而且……」

「朕已做了決定，將軍，我們將全部的兵力投入這場戰爭，給他們一個迅雷不及掩耳的迎頭痛擊。」

梅仁達的侍衛官通報有另一名使者要立刻晉見國王。於是這名西北邊境軍事安全官被請入參加軍事會議、向大家報告情況。

「我非常的擔心，陛下！那些利比亞部落剛剛結盟成軍，想必他們正準備要攻擊我們！」

三角洲左右皆受到威脅，埃及的北邊等於被兩邊鉗住，因此很難全身而退。上千年的文化正面臨正崩潰的邊緣。

「依你看，利比亞人在多少的時間內會群起攻擊？」

「大概一個月左右。我們的情報人員猜測他們的主要目標是孟斐斯。」

眾人聽了不寒而慄。

「我們徵召底比斯的軍隊來支援，以保護孟斐斯。」一名上將提議道。

「不行。」國王毅然說道：「萬一努比亞人趁機造反，底比斯本身將無防禦的軍隊。」

「可是，陛下……」

「我們的策略已經擺在眼前；我方還有一個月的時間可以摧毀在敘利亞和巴勒斯坦一帶的敵軍，然後緊急趕回來解救孟斐斯以防利比亞的攻擊。要挽救埃及就得這麼做。」

65

帕尼泊的幾何課程一結束，孟斐斯的石匠便邀請他和尼菲去參觀古城，即埃及的第一個首都。於是帕尼泊參觀了白色圍牆的古堡、卜塔神、哈托爾神和奈特神之神廟、皇宮及工匠區。之後他們來到一間小酒館喝一杯清涼的啤酒。

大夥兒開心地說笑笑。就在帕尼泊準備要說個笑話時，酒館裡來了一名軍官，後面跟著十幾名士兵。

「安靜！」他命令。「請各位仔細聽著。」

眾人憂心忡忡地望著軍官。

「我們懷疑利比亞人可能進攻此地，因此孟斐斯的軍隊已進入戒備狀態。由於目前的情勢很緊張，所以我們需要大量的志願者共同來保衛本城；萬一孟斐斯落入敵人的手裡，人民將會遭到屠殺。我希望各位能見義勇為。」

尼菲正要隨著大夥站起來，帕尼泊的手卻壓在他的肩上制止他。

「你不能，義父。你是真理村的首長，不可以去冒生命的危險。」

「而你是畫匠，並且……」

「如果我在戰爭中犧牲了生命，傑德會把工作繼續完成的。」

孟斐斯的一名石匠代表他的同事發言。

「帕尼泊說得對，這位軍官也表同意。每個人都知道國王對真理村非常重視。你要貢獻的地方是那裡，尼菲。」

「但帕尼泊是我隊上的一員，而且……」

「正因為如此。」帕尼泊打斷他，「我要為咱們行會的光榮而努力。你放心，我會給利比亞人一點顏色瞧瞧。」

* * *

梅仁達幾乎集結了埃及全體大軍，在一場決定性的戰役中快速且猛烈地進攻，而同時間敵軍的內部發生了內鬨。幾個首領尚未奪得財寶，卻已開始為了分配的問題而爭吵不休。

埃及的第一支軍隊從東側攻擊、第二支從南側、第三支自西側，而第四支則隨時待命支援，不過埃及軍隊早已大獲全勝。敵人的軍隊不但缺乏紀律，而且士兵所收到的命令不一、彼此矛盾，導致最後四分五裂，一敗塗地。那些殘兵敗將有的逃到吉塞爾和亞斯加隆的城內，不過這兩處也很快地被埃及攻破。其他有的成功地逃到孟斐斯西南邊，加入利比亞在法尤姆綠洲一帶集結的軍隊。

國王沒有讓軍隊喘口氣，反而乘勝追擊，將敵軍剩餘的據點全數攻佔，再度平定了敘利亞、巴勒斯坦。接著大軍立即調頭往孟斐斯快速前進。

塞特裔在城堡入口處迎接梅仁達。

「孟斐斯能夠抵擋得住任何外力的攻擊，陛下。」

「我們不能保持被動，而是要繼續採取第一次相同策略，同時把我們全數的力量都投入下去。」

「這麼一來孟斐斯不就沒有保護了嗎？」

「昨夜卜塔神來到我夢中給了我一把劍，它掃除了我所有的恐懼與遲疑。叫偵察兵來報告利比亞人的正確位置，我們先下手為強。」

經過漫長空泛的討論後，決定終於出爐：梅利耶酋長將帶領一萬名利比亞士兵去攻打孟斐斯。

東北方的聯軍雖然失敗，但並未動搖他的決心，因此前者與埃及的戰況很激烈，埃及的士兵已精疲力竭，而孟斐斯現在又唱空城計，等到他們回來看見一大群留著鬍子、滿身刺青、髮辮上插著兩根大羽毛、又吼又叫的戰士湧現，一定會嚇得屁滾尿流，很快便會棄械投降。

一旦梅利耶攻佔孟斐斯，他會將聖城赫利奧波利斯搜括一空，讓對手的士氣低落，勝利也會隨之而來，直抵整個三角洲，而努比亞人也會隨之大舉入侵。

利比亞的首領對聯軍的潰敗一點也不驚訝，他們的角色不過是削弱敵人，並且將之調離孟斐斯，如此一來利比亞便可坐享漁翁之利、大舉進攻。

梅利耶誓言要雪恥，這將會是利比亞第一次打敗埃及人、掠奪其財富。他會親手用長矛刺穿梅仁達的胸膛，也不會饒了他的家人，他要把整個王朝都消滅。

埃及的新國王將會是梅利耶。

第三季的第三個月的第三天總是非常的炎熱。梅利耶手腕上戴著一堆手環、身穿五顏六色的長袍、胸前交叉著帶子，腰際上插著一枝匕首及短劍。理髮師將他的鬍子修得尖尖的，並將頭髮梳成三條辮子，然後在後腦合編成一個髻，左右各插上一根駝鳥羽毛。

利比亞軍隊的士氣非常高昂，他們大啖了一頓豐盛的早餐，情緒更是到達頂點，一切只等出征的一聲令下。

梅利耶一走出帳棚便看見一名騎兵衝入營地，直到首領面前才停下。

「那些埃及人他們在那裡！」

「是不是偵察隊？」

「不是，是軍隊，而且是法老為首的一整支軍隊！」

「這怎麼可能！他不可能這麼快就從巴勒斯坦回來。」

「我們已經被包圍了！」

第一波飛過來的箭雖然沒射中多少人，但已引起了利比亞軍營的一陣慌亂，梅利耶很難將四處逃竄的手下集結在一起。埃及的第一排步兵在弓箭手的掩護下越過了對手簡陋的柵欄。

「快往水道跑！」

試圖保護軍營無異於自殺的行為，因此必須躲到船上儘快撤兵。

一陣猛烈的火陷沖向天空，使得梅利耶被困在原地動彈不得。法老不但從四面八方攻擊，而且放火燒了他們的船。埃及的軍隊毫不留情地繼續快速進攻，只見首領四周的利比亞士兵一個接一個倒下。

戰事已進行了六個鐘頭，很快就要結束。經過了先前的抱頭鼠竄，利比亞士兵終於集結在一起奮力抵抗，心想對手既然不會饒了他們，於是豁了出去，梅利耶集結了最後的兵力反攻，希望能夠殺出重圍。

帕尼泊看見利比亞人四處抱頭鼠竄，覺得非常有趣，並且抓到五十來個。他一點也不怕刀箭，反而開心地折斷敵人的武器，再一拳將他們打昏。帕尼泊把俘虜一個一個疊成一堆，一共疊了好幾堆，步兵們個個看得目瞪口呆。

由於利比亞的營地著火，瀰漫的煙霧有助於敗兵的逃跑，帕尼泊一連打昏了十幾個，只怪他們選錯了方向。

他注意到一個大個子，身穿五彩繽紛的長袍和上等皮製的涼鞋，正準備登上馬車逃跑，可惜馬兒因為過於驚慌而抬起前腿嘶鳴不已，最後他終於放棄。

「喂，你！」帕尼泊叫道：「你馬上給我投降，否則我打斷你的骨頭！」

梅利耶向他擲出長矛，但是由於他的手抖得太厲害，以致長矛只掠過帕尼泊的肩膀。後者憤怒地衝向這個差點傷了他的野蠻人。

一名利比亞人試圖要保護首領讓他逃走，然而帕尼泊卻用手肘撞扁了他的鼻子。梅利耶嚇得馬上脫下鞋快跑；帕尼泊踩踏著掉在地上、沾滿血跡的兩根羽毛，他身子一躍便將梅利耶撲倒在地上。

勝仗一打完，許多的書記便開始忙著計算戰利品，準備為法老做份詳細的報告。

書記總長來到國王面前，國王正凝視著戰場。他的士兵才剛挽救了埃及。

「陛下，這是從敵軍手中獲得的戰利品清單，正式的數目有待進一步清查；一共是四十四匹馬、一萬一千五百九十四頭牛、驢和牡羊、九千兩百六十八支劍、十萬八千六百六十支箭、六千八百六十支弓、三千一百七十四個銅壺、五百三十一個金飾和銀飾，以及三十四匹布。九千三百七十六名利比亞人陣亡，八百名俘虜，其餘的人已失縱。」

「請再加上一名俘虜，就是他們的首領！」帕尼泊用宏量的聲音喊道，同時將渾身發抖的梅利耶推向前。

梅利耶噗通一聲跪在梅仁達面前求饒。

「朕見過你。」國王向帕尼泊說道：「你不是真理村的工匠嗎？」

「我是帕尼泊，尼菲寡言及智女卡萊兒的義子。」帕尼泊一鞠躬說道。

「你怎麼會在這裡？」

「尼菲要讓我認識金字塔和孟斐斯，而諸神的慈悲讓我參加了這場戰役，並且為您帶來這個準備逃走的弱者。」

*　*　*

帕尼泊立下的大功將會很快傳遍全國上下，人們會知道真理村毫不猶豫地和法老的士兵併肩作戰。

「朕要交給你一項重要的任務，帕尼泊。一名書記會把一份紙莎草紙交給你，其內容記載朕光榮戰勝利比亞人、光明戰勝黑暗。你到卡納克，將它刻在阿蒙神廟的第七座大門內院的東側內牆上。讓我們所有在場的人感謝阿蒙神引導了我們的心、使我們擁有勇氣。」

一陣默禱升上了五月的蔚藍天空，此刻上下埃及的人民正享受著挽回的和平。

66

亞斯文總督的來信令人憂心忡忡；根據可靠的消息來源努比亞正準備造反。許多的部落認為這是一個侵犯埃及的好時機。他們打算從南部進攻，並與北邊的侵略者聯手，屆時再商討瓜分埃及事宜。

莫希沒有法老的命令，不能自作主張，因為戰爭的結束仍是個未知數，法老可能需要底比斯的軍隊來支援三角洲。於是莫希僅下令軍隊進入備戰狀態，同時派遣一名使者到比拉美西斯請示明確的指示。

阿孟美斯的到來消除了所有的疑慮。

「大獲全勝，總司令！利比亞人和他們的盟友全被消滅了。國王的策略用得很成功；對敵人先下手為強。」

這個消息並未使莫希開心。

「您似乎有所顧慮，總司令您難道不滿意梅仁達的勝利嗎？」

「我為他感到無比的快樂，可是出現了另一個危機；努比亞準備造反。」

「法老已想到這一點，我這次專程前來底比斯是為了轉達他的命令；立刻全力攻擊努比亞，只留下少數的士兵在底比斯。我們將共同指揮作戰。」

假使梅仁達只派阿孟美斯前來，表示他相信莫希的威望和底比斯的軍隊足以平定努比亞，後者雖然勇猛卻毫無紀律。莫希對這次的行動非常感興趣，因為他正好可以在一場真正的戰役中實驗新武器的威力。除了箭之外，達克泰又使用一種新技術發明了短劍。

「我的部隊隨時可以出發，王子。」

「這將會是我的第一場勝利，總司令。」

帕尼泊的英勇事蹟經過助理工的口耳相傳，而變得愈來愈傳奇。當他回到村子時，受到大家的喝彩，兩隊工匠也熱烈地歡迎他的歸來。

「聽說你殺了一百多名利比亞人？」奈克特問他。

「我沒殺任何人，只不過是捉了幾名俘虜，其中包括了他們的首領。」

「你有見到國王嗎？」帕依問道。

「他命令我將他的勝利刻在卡納克的一面牆上。」

工匠們挪出一條路讓尼菲通過。

「他們強迫我坐上一條船回底比斯。」他解釋道：「而事實上我本來要留在孟斐斯。」

「我們的同事幹得好。」帕尼泊回應道：「如同我跟你說的，我什麼都不怕。此外，法老決定要獎勵行會。」

「他是不是會送我們上好的食物和紅酒？」雷努貝問道。

「東西明天就會送來，同時我們也會獲得相當數量的貴重金屬，其中有一部份將用來製造工具。」

「那剩下的呢？」費奈德問道。

「剩下的我們大家分了。」

「這麼說來，我們要發財囉！」狄弟亞說道。

「我到時要買一頭乳牛。」卡洛決定道。

正大夥興高采烈、大聲地宣佈著自己的計劃時，娃貝特純潔也帶著阿沛弟來看帕尼泊。後者親吻著自己的兒子，而娃貝特對丈夫的英勇行為很引以為傲。

「我本來好擔心。」她承認道，「可是我知道你一定會回來的。」

「就連像妳一樣的弱女子都可以打敗那些利比亞人！他們什麼都不會，只會跑，事實上只有他們的刺青比較嚇人而已。我把敵人首領的兩根羽毛帶回來給阿沛弟；它們會提醒他永遠不要逃。」

「你已成了一個英雄。」傑德說道：「這其中絕無諷刺之意。」

「你知道我在打昏利比亞人之前心裡想什麼嗎？想那些陵墓內尚待完成的畫作。」

「你不在的時候，我一點都沒有進展。」

「伊普伊和雷努貝會跟我一起到卡納克把象形文字刻完，我會儘快回到國王谷地。如果你有那些我想到的顏色。」

帕尼泊以為自己看見傑德的眼光很特別，就好像是師傅迫不及待地等著待徒弟的歸來。不過他認為一定是自己會錯了意。

大夥兒通宵達旦地舉行慶祝活動，每個人都意識到儘管帕尼泊行事作風有時太過衝動，但他是行會不可缺少的一份子。就連最不喜歡他的人也必須承認，因為他的勇敢，使得他們獲益不少。

尼菲感到很累，因此回到家中打算上床休息，然而卡萊兒的聲音卻令他立在原地不動。

「不要往前走，拜託！」

卡萊兒點燃一盞燈，並將它舉到尼菲的高度。

藉著燈光，他看到枕頭上有一隻又黑又大、正準備攻擊的毒蠍。如果剛剛尼菲躺到床上，無疑會被它螫到後頸，生存的機會將很渺茫。

「慢慢退後。」她吩咐他。

「我去拿一根棍子來。」

「不要打它，它身上有股邪氣，我可以感覺得到。」

卡萊兒向前一步，毒蠍也跟著前進一步。

「你站住，我要闔上你的嘴！」她唸著伊西女神的古老咒語。「不可使用你的毒液，否則就要砍斷何露斯的手、弄瞎塞特神的眼。你要安靜下來，如同惡意的塞特在工匠之神卜塔面前！收回你的毒液去對付你自己，回到你來自黑暗的地方！」

毒蠍在原地打轉、體積似乎越來越小。突然之間，牠用力的反螫自己，然後死去，連卡萊兒都嚇了一跳。

卡萊兒將屍體用火燒掉。

「有人把它放到我們的房間裡。」她猜測道：「所有的工匠都會一種咒語，用來避免在山上時被毒蠍螫到。可是這個人把咒語反唸，讓它更具攻擊性。」

「又是他，他什麼時候才會鬆手？」

「他已經欲罷不能。從現在起，你要把伊西斯的護身結戴在身上；我會把一張寫有咒語的小紙條塞在裡面，它會保護你。」

*　　*　　*

由於風速很強，因此埃及艦隊快速地朝遠南前進。莫希下令在船上裝了許多糧食，彷彿準備打一場艱苦的戰役。裝在補給船上的龐大弓、箭、矛槍、刀劍，也令阿孟美斯大開眼界。

「我們有許多新的進展。」莫希向阿孟美斯說道：「矛槍頭現在也和箭頭一樣的堅固銳利，而且穿得過盔甲。至於劍的鋒利度更會讓你大吃一驚。」

「這麼多的新武器真是太不可思議了！」

「我們會用它來擊敗努比亞人，不過，您是不是認為它們應該暫時只保留給底比斯軍隊使用？」

「這是一個明智的提議，總司令。」

阿孟美斯越來越感激莫希只和他分享最高的軍事機密。一旦出現梅仁達的繼位問題，塞特裔父子兩人之間將會有一場無情的鬥爭；而阿孟美斯目前可說是佔上風，因為他父親對於具有決定性的新武器尚不知情。莫希較偏向年輕、具有野心的一派，等到阿孟美斯登上王位時，一定不會對他忘恩負義。

「眼前的風景雖然美，卻令人感到有些不安。」阿孟美斯說道：「敵人的弓手有可能會埋伏在樹叢中。」

「我已經派了數名偵察騎兵去探察。他們兵分兩路，一路沿著尼羅河前進、一路取道沙漠。只要他們一發現敵人的蹤跡，會立即折回通報。」

「您的部下似乎都很有信心。」

「只是因為他們訓練有素，懂得隨機應變。這是我多年以來進行軍隊改革的成果。」

阿孟美斯很欣賞莫希。將來他所選擇的朝臣都要有莫希這種剛強的性格。

底比斯的軍隊靠著偵察兵的詳細報告，出其不意地攻擊努比亞軍營。新武器發揮了它們最大的功效，矛槍與箭輕易地刺穿了努比亞人的盾牌，而刀劍要砍斷敵人的匕首也易如反掌。

儘管努比亞士兵個個英勇，最後仍然被殺得所剩無幾，而且頑強抵抗、拒絕投降。

莫希下令弓手退開，努比亞人以為他要放他們一條生路。

然而莫希只是想要測量箭頭的有效射程。試驗的結果非常令人滿意，努比亞人在看似弓箭無法射及的遠距離外一個個倒下。

第二個造反的部落一得知這場屠殺，立即棄械投降，他們的首領也向莫希跪地求饒。莫希讓阿孟美斯來做決定，後者認為有必要表現出他的威嚴，於是判他在金礦終身苦役。

「王子！」莫希恭敬地說道：「您現在可以寫信給國王，向他報告您已弭平了努比亞人的叛亂，埃及已不用顧慮遠南。我的部下和我本人向您恭賀這次的完全勝利，相信比拉美西斯和底比斯一樣，將會為這場勝仗大肆慶祝。」

未來法老的第一個勝利！阿孟美斯聽得飄飄然，而莫希早已掌握了他的本性。

67

帕尼泊隨尼菲沿著一連串的走廊，來到梅仁達的石棺室。兩人在這間巨大的拱室門口停下，其東、西兩側有兩排立柱，南、北兩頭蓋有四個小房房，作為未來放置王室珠寶用。此外東、西兩面牆上共設有十六個凹洞，將來會擺設若干神像，在日夜不息的復生過程中保護法老。

在偌大的石棺室之外，有三間類似小禮堂的地下室，其中最小的一間挖在岩石裡，與石棺室成一直線。

「石匠的工作已完成。」尼菲說道，「現在輪到畫匠和彩繪匠將這些牆面活化，但不要動最後一個小房間。」

「陵墓要保持未完成的狀態嗎？」

「這只是一個表象，正如國王谷地的其他陵墓一樣。透過它，上帝和岩石之母會望向永生之所最後一眼。」

尚待裝飾的面積非常驚人，帕尼泊心底升起了一股強烈的慾望，想要將這些牆面變得非常有生氣。

「你給我們多少時間完成？」

「傑德所選的圖案畫起來很困難，不過卻非常符合此處的規模。我們是在一處永生之所，時間已不重要，重要的是作品的品質。」

阿沛弟雖然只有六歲，由於天生胃口就出奇的大，因此體格已經像個青少年。他已開始將父親所教的東西用於日常生活中，並且會利用拳頭令玩伴們服從他。

然而帕尼泊對他的教育早已有一套想法，這些小小的成就並不能滿足他。

阿沛弟將來學會了寫字讀書後，會和村裡其他的小孩一樣，可以自由離開村子去選擇自己的職業；有些人選擇在卡納克的書記學校繼續求學，有些則成為一些大地主的管理者，也有人選擇定居在城裡當工匠。決定離開村子到外面的女孩們，通常都會有很好的歸宿，因為她們的丈夫很驕傲能娶到一個讀過書的妻子。此外也有些女孩從事商業買賣。

帕尼泊對於阿沛弟的學業成績非常的嚴格，只要有不及格的科目，他必定親自督導。他也教兒子畫陶、製作涼鞋、幫母親做家事，假使其他工匠有需要，他都會主動幫忙。

當小小的阿沛弟扛著一大壺沉重的水進門時，娃貝特覺得有必要說幾句話。

「你不覺得對兒子的要求有點太過頭了嗎，帕尼泊？」

「一個人在年輕的時候，千萬不能節省力氣。這個小子精力過剩，只有讓他變得有用，他才懂得如何生存。手軟腳軟的人到頭來只不過是一個廢物。」

「可是阿沛弟才六歲大而已！」

「他已經六歲了。還好卡烏和帕依答應要教他一些基本的計算。阿沛弟常常心不在焉，到時候手指被打幾下，再加上被棍子揍幾次，他背上的耳朵才會打開。」

阿沛弟從廚房走出來，一拳打向父親的小腿上。

「太輕了，小子！你缺乏練習。來，我們去打拳。」

梅仁達石棺室的牆面和頂部已隨時可以進行彩繪的工作，傑德計劃將他所有的技巧全派上用場，令帕尼泊驚嘆其規模之浩大。

這項工作極具挑戰性，甚至可能超過他能力，為了做好心理準備，他決定一個人在農田的水渠邊度過一個夜晚。

太陽已逐漸下山，農夫們已開始收拾工具，清脆的笛聲與溫柔的落日融合在一起。當她自水中出來時，帕尼泊以為她就是傳說中的狐狸精。她會誤導男人偏離正途而走向死亡之路，但這條死亡之路伴隨著她的歌聲是如此的溫柔，以致他們在她的懷中沉沉睡去。

不過他認出了那一頭火紅的長髮，像瀑布一樣垂在她裸露的身上。碧玉優雅地舞著她的身體，帕尼泊無法再抗拒她的性感而快步走向她，就在他幾乎觸碰到她的一瞬間，她身子一閃便躍入水中。

她游得雖然不如帕尼泊來得快，卻更多了一份靈活；好幾次認帕尼泊以為自己快要抓到她，卻又被她逃開。

之後她任由帕尼泊抓住她、抱著她浮出水面來到岸邊，並熱情如火地交織在一起。落日餘暈照映在他們的臉龐，經過了狂熱的愛慾，兩人依偎躺在河岸邊。

「帕尼泊，你知不知道有一些危險的生物住在水裡，必需用一些咒語才能驅散他們？」

「妳想聽哪一個咒語？」

「我想聽那個不會令一名彩繪匠沉睡在他舒適安逸的小家庭的咒語。很少有人能夠有幸去裝飾法老的復生室，而你是否正將你的精力消耗浪費在日常生活的一些瑣事上？不管是誰都可以去愛他的妻子、當一個好父親，但你不同。傑德選了你，要你活化國王谷地內的永恒象徵。」

「如果我向妳坦承這項挑戰令我感到害怕，妳會相信嗎？我不斷地想到首長帶我去看的石棺室，以及傑德所畫的草圖。我已實現了我繪畫的夢想，但這個陵寢需要我付出得更多。也許我不會活著出來，因此我才會將我所學到的東西教給我的兒子。妳能了解嗎？」

由於她不作答，於是帕尼泊睜開眼睛。

碧玉已不見蹤影。

片刻間，帕尼泊以為自己遇見了水中的精怪；然而他依舊安然無恙，碧玉的行為和話語並未將他毀滅。

* * *

梅仁達法老在比拉美西斯接見莫希，後者向他報告平定努比亞的經過，同時敘述他在底比斯的施政情形。整體上的成果似乎都相當令人滿意。

法老有點心不在焉，而且不置一詞，當莫希的報告一結束，他立刻返回內宮。

莫希非常的失望，並且感到不安，於是踩著沉重的步伐離開皇宮。這時塞特裔叫住了他。

「比拉美西斯人人都在說您的好話，總司令，而您卻似乎有點心煩！」

「不瞞您說，我覺得陛下似乎對我的報告不甚滿意。」

「國王有對您提出任何的批評嗎？」

「完全沒有。」

「那您大可放心！父親非常不喜歡外交辭令。如果他不高興，他的話語會和利刃一樣鋒利。」

塞特裔壓低了聲音。

「這是一個機密，這幾天國王身體有點不舒服。他已盡可能地減少召見的次數，單是接見您這件事，就足以證明他很看重您，有許多的大臣還沒有您這種運氣。」

「但願國王的健康不會有問題。」

「我們有醫術高明的御醫，父親的身體底子也堪稱強壯，不過每一個人還是得聽天由命。聽說您的部隊在努比亞有非常傑出的表現？」

「他們的確勇氣可佳。」

「阿孟美斯的表現可好？」

「他奮勇加入了激烈的戰役，值得您為他驕傲。」

「不知您可否幫我一個大忙，總司令？」

「只要我能力所及，一定在所不惜。」

「由於阿孟美斯的年輕及缺乏經驗，我怕這些對他會有負面的影響。我認為有必要讓他離開首府一陣子，直到未來情勢較為明朗。以您各方面的長處和優點，一定能讓他變得更成熟，並了解到他所應負的責任。我相信阿孟美斯一定會很喜歡底比斯。誰會不喜歡生活在這個美妙的城市、受到阿蒙神的保護呢？」

「所以說，我就這麼被流放了！」阿孟美斯生氣的說道。

「您父親並未告訴我到底比斯對您是一種懲罰。」莫希說道。

「他當我是一個白痴，他想在朝廷正要產生變化的這個節骨眼兒把我支開！我想您也許不知情，國王健康出現問題，而御醫們都不樂觀。塞特裔和他那個野心勃勃的妻子已經開始想像自己戴上皇冠的樣子！」

「或許吧，但為何要失望？假使您父親做了這個決定，表示他視您為一個危險的對手，底比斯離首府雖遠，卻是上埃及最重要的城市，法老需要它的富裕和阿蒙神的保護。唯有南、北兩處團結在一起，國家才有力量。」

「您的意思是說，底比斯可以對我忠心，而與我父親對立？」

「只要是梅仁達統治，我會忠誠地執行他的命令。」

阿孟美斯露出笑容。

「我將高高興興地出發到底比斯。有了您成為盟友，我的前途不再如此黯淡，而且我在比拉美西斯也會有不少支持我的人。」

莫希心想，在繼位爭奪戰中，不知是父親或是兒子獲勝。塞特裔似乎較有可能，但阿孟美斯的野心日益增強。

無論如何，莫希會繼續使用最高的技巧從對峙的局面中圖利自己。

68

傑德已完成梅仁達的畫像。畫中的他，頭戴非常古老、金藍條紋相間的假髮，同時傑德也為法老頭上的金色眼鏡蛇畫上最後一筆。他感到眼睛有點累，於是經過走廊來到石棺室。帕尼泊正在完成光的三種形式，它們代表復生的三個階段：一個裸體而紅通通的孩子、一隻黑色的甲蟲、一個寫有梅仁達名字的紅色光環。在其下方有一個最需要作畫技巧的圖案；一隻長有一對大羽翼的公羊。它不但展現出曙光的創造力，同特也表現了國王復生靈魂的飛翔力。

「你連細部都處理得很仔細，帕尼泊，且線條簡單大方、顏色明亮耀眼。」

帕尼泊受寵若驚。

「有沒有地方需要修改？」

「沒有，完全沒有。現在我可以告訴你一件事。當初首長的計劃讓我甚為惶恐；他要築一個陵墓，比拉美西斯的陵墓更廣、面積也更大、唯一一條軸線、許多從未試過的雕塑、壁畫他創造了一種新風格的永生之所，做為將來的模範。我本身必須改變畫法，同時得教你所有不可違反的原則。你與這座陵墓同時誕生，帕尼泊，你已從中吸取經驗，並且不再需要我。」

「你錯了，傑德：若沒有你的引導，我會迷失方向。」

「我知道當你必須迎向未知時，有時你會需要一點自信，不過你總是毫不猶豫勇往直前，也因此我對你傾囊相授。你已不再是我的徒弟，而是平等的關係。」

「很抱歉打擾您。」伊姆尼客氣地說道：「不過我必須說出一些令人無法容忍的事情。」

「你說吧！」肯伊繼續寫他的文章。

「卡烏從行會的倉庫中拿了許多紙莎草紙去用。」

「不是這樣，伊姆尼；是我拿給他好讓他幫左隊隊長畫一些草圖。」

「它必須清楚地寫在陵寢日誌上。」

肯伊瞄了伊姆尼一眼。

「你打算教我怎麼當一個書記？」

伊姆尼一陣臉紅。

「不是，當然不是。」

「你說完了沒？」

「我還得告訴您，歐塞哈特收到一塊方解石，但交貨單上並未註明用途。」

「這很正常，因為他是準備用來製作國王的石棺。」

「沒有人事先告訴我。」

「這也很正常。你既非陵寢書記、也非雕匠組長，我說得沒錯吧？」

伊姆尼吞了一口口水，仍然繼續他的牢騷。

「帕尼泊的態度令人無法忍受！他拒絕告訴我他所製造的顏料數量，而且他使用的燈芯已超過正常的數量，還有他浪費了無數的畫筆！如果其他都像他一樣違反規定，一切都會亂成一團。」

「我們把問題一個一個拿來討論。」肯伊乾脆說道：「工地有亂成一團嗎？」

「沒有，還沒有。」

「我可否在陵寢日誌上記載帕尼泊從未缺席過一天？」

「是，沒錯，可是……」

「你承不承認工程進行得很順利，所以我可以寫一份報告給法老、告訴他這個好消息？」

「當然，可以。」

「假使你懂得分辨事情的輕重緩急，伊姆尼，你就不會如此自尋煩惱。」

「一定要對帕尼泊做處份！」

「你放心，我會的。」

「我可不可以知道是什麼樣的處份？」

「我會在口頭上責備他，同時要求他完全不要改變他的工作方法。」

卡萊兒看診結束後繼續進行她的研究。直到目前為止，她只能延緩傑德的眼睛退化速度，但卻未能找出避免失明的藥方。

尼菲走進實驗室，她正重新翻閱金字塔時代的醫學文獻，裡面有克服失明的藥方。

「妳工作得太辛苦了，卡萊兒，妳會累壞的。」

她對他的溫柔擁抱回以一笑。

「為了挽救傑德的視力，一切都值得一試。」

「妳從不輕言放棄，而且妳已發現了一個方法，對不對。」

「他的眼睛漸漸失明，是因為有寄生蟲在裡面，引起血液和眼液逐漸變質。為了不讓他的眼睛失明，我使用一種眼藥，裡面的成份有乳香、樹脂、白油、骨髓和沒藥樹汁。它的效果令我不滿意，我想我知道問題出在哪裡；還缺少一種不會傷害眼睛、但可以除去病因的催化劑。」

「是什麼催化劑？」

「是一種古人稱之為『智慧』的礦物。」

「換句話說，就是光之石。」

「這的確是我的結論：我已試過無數的礦物種類，但都沒有改善。」

「所以妳希望我們採下一點光之石，將它滲入妳的配方，看看是否能治癒傑德？」

「我已經知道你反對的理由；光之石必需維持完整地為木乃伊棺賦予生命，而法老的陵寢是我們的第一優先。」

「沒錯，卡萊兒，況且我們不得不想到一個最壞的假設；萬一傑德就是背叛行會的人呢？」

「不，尼菲，不是他。」

「妳為什麼如此肯定？」

「他的行事作風也許會使人懷疑他，我同意，甚至他也瞧不起某些工匠，不過我還是想治好他。」

「這是智女的要求嗎？」

「由首長來決定。」

陵寢書記聽取智女的醫療報告，同時尼菲也在場。

「在光之石用於梅仁達陵墓之前要先動它，我一點都不願意，儘管有嚴密的保護措施。」肯伊發著牢騷。「以目前的情況而言，這是一個很危險的舉動。不能等到工程結束再說嗎？」

「等到那個時候，傑德恐怕已經失明。」卡萊兒說道：「現在還有一點挽回他視力的可能。」

「可能並非確定。」

「我們需要獲得您的同意。」尼菲言明道。

「我們是不是應該考慮到工程的成功與否，而不是人的問題？」

傑德是一名傑出的彩繪匠，需要他來完成陵墓的壁畫，況且他也還沒將他的技巧完全傳授給帕尼泊，儘管他認為帕尼泊已經和他不相上下。如果傑德的眼睛被治好，這將是工程和行會的一大利益。」

「這又是首長的邏輯！」

「難道陵寢書記不同意？」

「不全然。不過你們打算怎麼進行？」

「由於拂曉時刻光之石會充滿光源。」智女應道：「所以我會在清晨到存放光之石的地方，用一把銅鑿取下一小部份。工匠和他們的妻子在那個時候會祭拜祖先，因此不會有人發現我。」

「我們也可以趁機做一個誘餌。」尼菲加上一句，「如果叛徒要的是光之石，他一定會上鉤的。」

所有的右隊工匠聚集在行會的議事廳，尼菲向大家宣佈梅仁達的陵墓已近完工階段。畫匠和彩繪匠進行他們最後的壁畫工作，同時雕匠也將雕像和石棺的部份。圖弟則把珠寶的最後一部份完成，它們將在另一個世界伴隨法老的靈魂。

每個人都知道只有光之石才能賦與完成雕像生命，而將光之石運到國王谷地之前，行會將深鎖大門，並由帕尼泊看守，大家都認為很正常。

由於白天的辛勤工作，大夥到了晚上都早早上床。

叛徒一直等到整個村子都進入夢鄉時才行動。要騙過機靈的帕尼泊並不容易，可是他無法仰制自己渴望接近光之石的衝動。

叛徒非常意外地發現帕尼泊並不在看守的崗位上。他只需要把木栓弄斷便可進入門內取得光之石！

他雙手冒著冷汗、幾乎毫無掩護地前進，然而一種不安的情緒使得他立在原地不動。這會不會是一個陷阱？

是，當然是，有人企圖讓他掉入陷阱！甚至光之石也不應該是被藏在這個地方，帕尼泊一定早就在此地視，等著獵物落網。

叛徒一步一步往後退，手腳輕得像一隻貓。

69

歐塞哈特深吸一口氣望著哈托爾女神的雕像。這座雕像用頁岩雕成，女神的身體將會永遠呈現細緻的金黃色，而且祂的微笑也將會在夜裡照亮陵墓。

「左腳的部份再磨一下。」他向雷努貝吩咐道。

雷努貝用一顆包了外皮的鵝卵石仔細磨著，歐塞哈特則一個一個、繼續檢查其他金色木質雕像。諸神的雕像如奧塞利斯、伊西斯的眼睛是以光玉髓、亮石灰岩及方解石嵌入，祂們將日夜守護著梅仁達復生的靈魂及無數的陪葬品。

伊普伊跌跌撞撞地跑進工作室。

「希望一切都已準備妥當！因為我們明天會有大人物來參觀雕像的移入典禮。」

「我歐塞哈特什麼時候令首長失望過？別在那兒比手劃腳了，趕快過來幫忙。」

「我擔心木乃伊棺的部份。」

「我已經很清楚的告訴石匠怎麼做了！」

「卡洛氣管炎發作，而費奈德腳又受傷。」

「叫他們快去找智女治療，然後趕快回來工作！」

「已經去看過了，歐塞哈特，不過我還是擔心他們的進度會落後。」

「你來幫忙弄雕像，我去看看。」

他來到另一工作室，尼菲已經在那兒全力協助奈克特、卡洛、費奈德和卡沙處理石棺。

歐塞哈特一看見首長才放下心中的大石頭。

「看來只剩下一些小地方要處理。」他查看道。

「到時候要把它在陵墓內吊上吊下，恐怕會有一些問題。」首長懷疑道。

「這是我的看家本領！」卡沙說道：「我會親自檢查每一根繩子，我可以向你保證一定不會有問題。」

「畫匠他們到那去了？」歐塞哈特擔心地問道。

「他們今晚上就會完成工作。」尼菲回答。

每一名工匠都有共同的想法；直到目前，諸神都很幫忙，而祂們會不會一直幫到最後一刻鐘？

智女為傑德點上新藥水，他感覺有些輕微的刺痛，不過很快便消失。雖然如此，他的視力還是沒有明顯的改善。從前一晚開始，他看東西的顏色越來越模糊，視力也越來越減退。

在陵墓內的燈光下，傑德凝視著色彩斑爛的畫作。帕尼泊將所學的東西加上經驗的累積，成功地強調出生動的色彩，並使壁上的人物充滿了生命與律動。

國王皇冠的細部線條突然之間變得很明顯，而且類似隼的眼睛輪廓也清晰可辨。畫中的顏色更為活亮麗，彷彿有人多點了幾盞燈。

傑德覺得一陣頭暈目眩，可是他卻不敢靠牆，也不敢靠著立柱休息。就在這時有一雙手及時扶住了他。

「你不舒服嗎？」

「不、不、正好相反。」

「是不是該去看一下智女？」

「好主意，帕尼泊，真是太好的主意了！等我們回到村子時，我要看的第一個就是她。」

肯伊坐在他的岩洞裡，看著大家來來往往。還好，右隊工匠沒有一個缺席，在他們休息的兩天中，智女把所有不舒服的人都給治好了。

＊　＊　＊

首長為陵寢書記帶來了一些清涼的水解渴。

「幸好在這個行會裡還有人會想到我！我看其他的人是打算讓我渴死。他們還以為監督的工作很輕鬆，讓這個也缺席、那個也不少，以免被人詬病，算了每個人都有自己的問題。想到我們所付出的努力，如果天庭哪天要審判我們，也沒有什麼好畏懼的。」

「我們的誘餌行不通。」尼菲遺憾地說道。

「我一直不斷地想這件事情。」肯伊應道：「這次的失敗反而讓我比較放心。」

「這是不是代表叛徒不但很謹慎，而且非常的狡猾？」

「也許，不過我尤其認為他已經發現自己拿我們沒辦法。」

於是首長又開始往好的方向想。有人忘了瑪亞特的正直呼喚而走錯路，但並不表示不能改邪歸正，或著因為與隊上的兄弟朝夕相處，終於了解到自己的行為只會為他們帶來不幸，因而決定忠於這個曾經帶給他幸福的村子？

「您認不識那些來參加雕像移入典禮的官員？」

「盡是一群自以為是的老古板，他們以為自己無所不能，巴不得寫上一堆報告，讓首相以為真理村和其工匠根本毫無所長。」

「看來很不妙。」

「我問你兩個問題；你是否已盡你所能，尼菲？你認不認為我們完成的工作，已經全然吻合法老和你自己的要求？」

「針對你的兩個問題，我的回答都是肯定的。」

吻妳的兩頰？」

「那你今晚可以安心地睡覺了。」

「我先為我準備要做的事情向妳道歉。」傑德對智女說道：「我是否可以在尼菲不在場的情形下

傑德和卡萊兒情緒激動得流下了眼淚，兩個共同享這個令人感動的一刻。

「你每天必須各點兩滴眼藥水，早晚各一次，而且要持續一輩子。」卡萊兒提醒。

「如果能夠再像以前一樣看得見，這一點工作算不了什麼！在這段時間裡，我想了很多，甚至隨時準備離開這個世界。如果生命不再有色彩，活著也沒有什麼意思。我真的隨時可以死去。」

「你的器官都非常健康。」智女說道：「我看你要當人瑞一定不成問題。」

傑德看起來有點不自在。

「我有點看不起人類，卡萊兒，因為若與天空、黑夜白晝、動物、植物以及其他的美妙事物比起來，人類實在很渺小，我甚至在想，是不是造物主不小心筆一滑，才創造出人類，包括我自己和其他人。不過我認識了一個人，終於讓我認為人類還是有值得欣賞的地方，而我是不可能告訴尼菲寡言的。不過對於妳，我的敬佩可以毫無保留。請為我守住這個秘密。」

「這一年尼羅河的犯濫情形很良好，既不會太多、也不會太少，埃及人民又會有豐收的一年。莫希身為西岸總督，必須監視水堤及貯水池的準備工作，因此忙得不可開交。由於沒有發生任何的大問題，莫希又可以繼續吹噓自己管理能力。」

* * *

賽克塔躺在枕墊上閱讀工匠的密碼信。他們的盟友總是定期來信報告真理村所發生的重要事情。

「行會首長成功了。」她說道：「國王的陵墓已經快要完工。」

「梅仁達和首長已下令要一些司庫官去參加神像和石棺的移入大典。」莫希說道。

「還是沒有光之石的下落！」賽克塔生氣地強調。「我們的線人根本是個蠢材。」

「我不像妳這麼悲觀，不要忘記他必須行事謹慎，再說他的幫助也不容忽視。因為有他，我們才能儘量去了解真理村和行會。」

「那些官員會不會找工匠的麻煩？」

「除非尼寡言有嚴重的失誤，不過我看不太可能。」

「你能不能推波助瀾？」

「目前的情勢過於緊張根據我們在比拉美西斯的消息來源，梅仁達的健康開始惡化，若他的兒子塞特脅繼位，又會引起整個朝廷的不滿，因為有人認為他古板、不夠聰明、也不懂得統治國家。阿孟美斯這一派越來越強勢，他本人也越來越相信自己的運勢。我現在的動作不能太大，同時要維持我是真理村保護者的形象，這一點非常的重要。」

「這個阿孟美斯沒有當國王的架勢。」賽克塔批評道。

「妳說的八成沒錯，不過如此一來對我們不是反而有利嗎？妳想想，一個像拉美西斯、甚至像梅仁達的國王絕對會阻礙我們掌握政權。如果是阿孟美斯，前景不是更看好？

「你還是要留意這個脾氣毛躁又火爆的小伙子，同時也不要忽略了塞特脅，他有不少強而有力的人在聲援他。」

「試想如果爆發一場內戰來削弱雙方的實力，我們不是可以漁翁得利嗎？」

賽克塔用食指緩緩地磨擦著她貪婪的嘴唇。

「我們應該叫真理村的盟友幫我們一個忙，讓首長的地位受到動搖。」

她向丈夫說明她的計劃。

莫希雖然有所遲疑，最後仍然同意了。

70

梅仁達法老在位第七年、第三個月的第十一天，派了正式的代表團來到真理村的大門口，陵寢書記在場迎接他們。

代表團以總司庫為首，他出生於底比斯、鎮日埋首於數字之中，會計是他唯一的樂趣，也幾乎很少出門，這回是他第一次來到沙漠，一心只想儘快結束這個苦差事。

他用不可一世的口吻向肯伊說話。

「一切都準備好了嗎？」

「您要我回答什麼？」

總司庫一時之間詞窮，於是轉身問他的同事。

「是不是有什麼特殊的程序，而我的部門未事先告訴我？」

一名首相的代表向他低聲耳語。

「這肯伊書記脾氣很壞，最好不要惹他。」

總司庫試圖擠出一個笑臉。

「您為何扮這種鬼臉？」肯伊問他，「如果您有任何批評，儘管說出來。我會一一解決。」

「可是我什麼也沒批評啊！我只是來參與安神位的儀式，同時為您帶來首相送的禮物，有上等的油甕和大量的糕點，以慰勞你們辛苦。」

「幸好你們還懂得一點禮數。現在，我們走吧！」

陵寢書記拄著枴杖開步往前走，一些閃避不及的官員被他撞了一下。

「我們、我們不是留在村子裡嗎？」

「你們沒有權力進入，再說法老的陵墓也不是挖在這裡。我們要經過山口到國王谷地，會有警衛保護我們的。」

「我們真的得弄到滿身灰塵，在大太陽底下爬到這個山上嗎？」

「既然是來檢查，就該檢查個夠。如此你們就可以將我們的居住情形寫成報告。」

肯伊的老腿比這些隨行的官員來得管用，雖然他們比肯伊年經和強壯。他很高興看到這些人吃力的爬坡、華麗的衣服被汗水沾溼，而且氣喘吁吁；他們長時間坐在辦公室，早已不知道什麼是大自然，一點點小小的運動可以讓他們變得稍微謙虛一點。

「千萬不要偏離小徑。」肯伊交待道：「這裡多的是毒蠍，可以置人於死地，更別提那些毒蛇了。」

在又累又怕的情況下，山口的工匠休息站只花幾分鐘就草草檢查完畢。總司庫甚至不惜在報告上註明一切完美，只希望能夠儘快結束這個恐怖的戶外郊遊。

「現在。」肯伊警告道：「我們要下山前往國王谷地。各位要走穩一點，否則萬一從山坡上滾下去，會把你們跌得粉身碎骨。」

肯伊行動敏捷得像隻山羊，他先到了國王谷地入口處後，又花上好幾分鐘等這些官員。

「我們待會兒得走原路回去嗎？」總司庫害怕地問道。

「不會，馬車會帶你們走百萬年大神廟旁邊的小路。現在，搜身！」

「這根本沒有必要！」一名官員抗議道。

「規定就是規定。」肯伊強調著，「此外我只能准許兩個人進入谷地，您！還有首相的代表。其他的人都留在外面等。」

眾人的抗議聲同時響起，然而肯伊絲毫不讓步。努比亞警衛開始進行搜身。

尼菲在石門的另一頭迎接兩名官員，他在在酷熱的太陽下被眼前莊嚴宏偉的景象震懾住了。

尼菲一句話也沒說，便帶著他們來到梅仁達陵墓的入口處，右隊工匠捧著祭品在門口排成一列。歐塞哈特站在最前面，手上持有一根珍貴的金色聖杖，準備為神像開光點睛，以便為法老照亮通往西方之路。

總司庫和首相代表又再度喘不過氣，不過這回卻是因為眼前的壯麗隆重而摒住呼吸。

「諸神自真理村來到國王谷地。」首長主持典禮道：「將長存於法老之陵寢內守護著法老。」

兩名官員張口結舌地望著工匠來來回回，將各式各樣、大大小小的金身神像搬到陵墓內。

肯伊過目了送交給首相的報告，內容儘是讚美的語言。那兩名官員特別強調尼菲領導有方，使得工程的品質盡善盡美，同時也祝賀神像移入的工作順利完成。目前只剩最後一個階段，將木乃伊棺移入陵墓。

尼菲覺得很累，所以準備洗完臉上床休息，而卡萊兒正在舖床。

「一直到進行最後一尊神像的時候，我還在擔心會有人搞鬼，我覺得叛徒可能不想再從事破壞了。」

「我擔心事情正好相反。」

「為什麼，卡萊兒？」

「因為你的木枕不見了。」

木枕墊已不在它平常的位置上。

「可能是我沒主意，把它收進洋桐柩櫃裡去了。」

「很不幸，沒有在那裡。」

兩人找遍了所有的地方，仍然沒有結果。

「有人跑進我們的房子，什麼都不偷，只拿了這個小東西，這太不合常理了！」尼菲思索道。

「錯了，如果小偷只拿這個木枕，目的就是為了要對付你。」

「用什麼方法對付？」

「你做的夢和你心裡的想法都深深印在木頭裡，能夠解開它的人就能夠控制你，也能夠左右你未來的決定。」

「有沒有對付的方法？」

「只能再做一個木枕，然後刻上咒語，它會保護你的睡眠，不讓小偷的思想侵入。」

「我明天一早就做一個新的。」

「同時也要刻一些咒語在你的床上。你今晚是不可能睡你的床了。」

「妳的床可不可以挪出一小塊讓我擠一擠？」

* * *

叛徒的妻子和其他幾名工匠的妻子一同來到神廟旁的市場。這裡買得到新鮮的蔬菜和各式各樣的香料。如同往常一般，買賣前都會先經過很長的討價還價。一名村婦撞了叛徒的妻子一下，後者立即將她的空籃子放在地下，籃子裡面裝了叛徒偷來的木枕。叛徒的妻子拿起旁邊的一個空籃子，隨後用它裝滿剛買來的食物。

「東西在這裡。」賽克塔說道：「我打扮成一個農婦到那個市場，真是非常有趣！你看吧，咱們的盟友做事還是很有效率的！」

「妳打算用它來幹什麼？」

「找一個解夢專家把尼菲寡言的思想讀出來，這麼一來，我們就可以像操縱木偶一樣來控制他，也可以知道他把光之石藏在何處。」

莫希聳聳肩。

「妳到哪裡去找這種專家？」

「那個家具商特漢貝認識一個敘利亞巫師，聽說他的功力很高。」

「這種職業在我們國家不是違法的嗎？」

「沒錯，凡是使用這種巫術的人會被判很重的刑，不過冒險的人是他，不是我們，親愛的。」

「木乃伊棺完成了嗎？」陵寢書記問首長。

「還沒有。」尼菲很洩氣地說道。「我仔細地檢查了一下，結果發現一些不能忽視的缺點。」

「是誰該為它們負責？」

「我自己。我應該早一點察覺的。」

「嗯！你又在為別人扛責任了！」

「這是工匠首長的工作。」

「你的運氣很好，尼菲，首相還得留在比拉美西斯一陣子，所以他告訴我木乃伊棺會延後移入陵墓內。」

「新的日子訂了沒？」

「還沒有。」

「這是不是意味著最高當局可能會有嚴重的政變問題？」

「我就擔心這個。」肯伊沉重地說道。

71

巫師住在特漢貝租給他的一個小房子裡，不但租金貴得離譜，而且特漢貝還要從他的收入中抽成。他在大地窖裡存放了許多作法用的可怕道具，從蠟製的小人到刻滿咒語的象牙棒，如此一來，便可針對客戶的要求，在遠距離向某人施法。

巫師的頭出奇的大，與他的身體完全不成比例。厚厚的嘴唇、尖尖的下巴、加上一件紅條紋的黑色長袍，常常令人感到不寒而慄。然而此刻站在他面前的這個女人似乎毫無所動。

「我要你讓這個木枕說出一切。」賽克塔命令道：「我要知道使用它的人心裡在想什麼。」

「他叫什麼名字？」

「你不需要知道。」

「正好相反，我必須知道。」

「你發誓不會透露任何一個字？」

「保持沉默是我成功的關鍵之一。」

巫師如果遇到一些值得懷疑的客戶，偶而會向警察舉發他們的名字，以獲得告密的獎金，特漢貝再從中抽佣，如此一來皆大歡喜，警察也不會找他麻煩。

這個女人外表雖然故作年經，宛如一個拒絕長大的小女孩，實際上卻很可怕，可想而知是個大肥羊。這一次巫師打算親自告密，以換取豐厚的獎金。

「他叫尼菲寡言。」

「住在哪裡？從事什麼工作？」

「你難道猜不出來？」

「這要花我很多的時間。如果您很急，何不直接了當告訴我？」

「該不會是江湖術士吧？」

巫師閉上眼睛。不一會兒，他用毫無抑揚頓挫的音調開始形容賽克塔的房間，連家具的擺設都描述得一清二楚。

「您滿意了嗎？要不然，我還可以說出您前一晚的行蹤。這對我而言是輕而易舉的事情，因為您就在我面前，我只要讀出您的思想就行了。可是如果您希望我將這個東西的思想解讀出來，我就必須多一點了解。」

「尼菲寡言是真理村的首長。」

巫師舔了舔肥厚的嘴唇。

「這是個重要的人物，非常的重要。我們是不是應該先討論我的報酬？」

「一個金條。」

「你憑什麼認為我有錢？」

「你的穿著和假髮只不過是一個幌子，別忘記我只需望著您，便可以看穿您。」

「只要你讓它道出一切，我就答應你的要求。」

終於，他要發財了！等到東西一得手，他馬上就去向警察告密，後者一旦逮到這隻肥羊，勢必不會與他斤斤計較獎金。

巫師將木枕塗上一層黃油，後把頭浸在一個方解石盆內，裡面有罌粟花浮在水面上。他開始喃喃唸出一連串旁人聽不懂的咒語，同時雙手放在木枕的兩端。

「您想知道什麼？」

「尼菲寡言把行會最珍貴的寶物放在什麼地方？」

「請您說清楚一點，是黃金、文件、還是其他東西？」

賽克塔只猶豫了幾秒鐘。

「是光之石。」

巫師感到很好奇，同時心想這麼一個奇妙的東西對他或許會很有用，不過他得先讓木枕吐露秘密才行，於是又開始集中精神。

「這個石頭到底藏在什麼地方？」賽克塔不耐煩地問著。

「我不懂。」

「怎麼回事？」

「有一道障礙一道我無法穿越的障礙，木枕已經被封口。有人使用了一種比我更厲害的法術！」

「繼續試下去！」

巫師的額頭上開始滴下斗大的汗珠。

「我的精氣已白白耗盡，再下去會對我有危險，這個木枕已永遠沒有生氣，它什麼也不對我說。」

「你只不過是一個大騙子，一個知道太多的大騙子。」

賽克塔用盡全身的力量把他的頭壓進水中。由於巫師已耗盡了精力，因此全身軟棉棉，只能做無謂的掙扎。他張開嘴巴想要呼救，卻吸入了過多的水而窒息死亡。

*　*　*

在等待木乃伊棺移入陵寢的過程中，尼菲親自動手修整棺木的一些缺點，同時和傑德、帕尼泊兩人一起檢查陵墓的每一個小地方。

陵墓的金色雪松木門已經安裝鎖上，同時有兩名努比亞警衛日夜看守著。

尼菲和往常一樣一早來到肯伊的住所，牛妞永遠都把房子打掃的乾乾淨淨。

「有沒有什麼消息？」

「還是沒有。」肯伊答道：「照理說如果首府方面真有嚴重的動亂，謠言早就滿天飛了。我已不知道該想什麼才好。」

「是不是該去問莫希總司令，看能不能從他那兒獲得比較可靠的消息？」

「我下午就去看他。」

「既然陵墓的安全已沒有問題，我會帶右隊工匠到梅仁達的百萬年大神廟。他們已經進行過儀式，所以很快也將完工。」

梅仁達百萬年大神廟的規模大小雖然比不上拉美西斯的神廟，不過其大門和柱的宏偉可以與之媲美。首長和左隊隊長海伊非常懂得利用他們僅有的時間，將這座國王親自設計的神廟如期完成。

事實上神廟的大小並不重要，重要的是它象徵性的功能。廟裡有三間神殿，分別是為三神阿蒙、穆特和孔蘇而蓋。阿蒙又稱「隱神」，其妻穆特則稱為「母神」，而他們的兒子孔蘇另稱「天空的穿越者」。此外法老的靈魂會於奧塞利斯神殿內再生。神廟和梅仁達的陵墓神奇地相連著，兩者刻畫的象形文字和壁畫能夠讓法老永垂不朽。

除了阿蒙神和奧塞利斯神，還有太陽神拉為法老完成復生的過程。尼菲可以感覺到奧塞利斯的地底王國和拉神的天國是如此的密不可分，而光之石正是將兩者結合為一的重要物質。

尼菲可以花上一整天的時間在這個神聖的地方沉思冥想，但他必須回到現實生活來幫助工匠把神旁邊的聖湖和倉庫完成。在不久的將來會有祭司、書記及不同職業的人住在這裡，因為這座神和其他的神廟一樣，除了精神上象徵力量，它同時也具有實際日常生活的調度功能。

「有了兩隊的工匠，要不了多久就可以大功告成。」費奈德估計道：「左隊在這段期間一點也沒偷賴，我從頭到尾都沒有發現任何的缺點。」

「那些顏色缺少了一點生氣。」帕尼泊批評道：「陵墓的壁畫要來得生動許多！我可以把整體修改一下，讓它更有活力。」

「牆上的神只會負責這個的。」尼菲婉言道。

「隊上的工匠全都有所不安。」帕尼泊提道。

「為什麼？」

「如果木乃伊棺一直沒移入陵墓，表示法老已經無法下達命令了。」

「這個結論下得太快，帕尼泊。」

「等到陵寢書記見過莫希總司令，我們就可以有進一步的消息。」

「他們需要我去幫忙拉大門的石塊，當我不想畫畫時，沒有什麼運動比這個來得更愉快了。」

尼菲突然想到他一直沒看見左隊隊長海伊。他沿路折回去看見左隊所有的工匠，就是不見海伊的蹤影。儘管問了許多人，仍然沒有得到具體的答案。他一早就帶左隊來到工地，之後便不見人影。

看來只有一個辦法：通知索貝克。

當他走出神廟時，索貝克正迎面朝他走過來。

「我很擔心，索貝克，海伊沒有知會任何人就離開了工地，他會不會遇到危險了？」

「我不認為。」

「你怎麼知道？」

「我一直在等待那個罪犯露出馬腳，而露出馬腳的這個人正是海伊。」

72

尼菲完全愣住了。

「你弄錯了，索貝克，左隊隊長不可能會背叛。」

「我並非空口無憑。」

「你有什麼證據？」

「最這兩個月，海伊一共去了五趟東岸。他每一次都非常小心不讓人發現，而且還成功地甩掉我派去跟縱他的人。今天他甚至離開工作崗位，大概是有什緊急的消息不得不去傳達。」

首長的思緒亂成一團。

海伊是左隊隊長，自然知道光之石藏在何處。難道他是去通知同夥、企圖強行闖關真理村？

「我已做好萬全的準備。」索貝克彷彿看得出他的想法，向他安慰道：「如果海伊不回來村子，是不是他就不用再爭議了。」

「儘管我很敬重您，親愛的肯伊，您的要求還是超出了範圍。」

莫希雙手背後交叉、在他的辦公室來回踱著方步。

「行會難道不能知道首府發生了什麼事嗎？」肯伊堅持道。

「您為何急著要知道？」

「因為梅仁達的百萬年大神廟和陵墓都已完工，我們等著進行神廟的落成典禮和石棺的移入命令。」

「我懂，我懂。」

「國王是否仍在掌管大權？」

「根據我的最新消息，答案是肯定的，可是我對比拉美西斯的情形也不完全知道！首相目前留在那裡等他一回到底比斯便可真相大白。阿孟美斯現今也在底比斯，他是梅仁達的繼位人選之一。」

「目前是否發生了繼位的問題？」

「我不知道，肯伊。我只負責執行來自皇宮的命令，而且命令必需要經過證明。再者，我的責任是要保護真理村，不能有任何的失敗。無論誰攻擊底比斯都得先通過我的軍隊這一關。」

肯伊放心地回到村子裡。

索貝克和首長正在第一個堡壘等著他，看他們的神情就知道有什麼事不對勁。

「我們懷疑的人可能是左隊隊長。」索貝克重覆了一遍他的指控。

「海伊？這怎麼可能！你盤問過他了沒？」

「他還沒回來，我看他是不會回來了。」

「還有兩個多小時太陽才會下山。」

他們三個人坐在矮凳上，兩眼直盯著殘酷而空盪盪的馬路。每個人心裡都在想著海伊的個性、態度，以及他可能會令人聯想到背叛行會的行為。

接著，海伊出現了。

原本快速的步伐，一看到前面的三個人，立即停下了腳步。

「萬一他想逃走。」索貝克揚言道：「我一定把他抓回來。」

海伊似乎猶豫了一下，最後仍然繼續向前走。

「你們聚在這是什麼意思？」

「你去哪裡了？」肯伊反問他。

「這不重要。」

「你沒有解釋就離開了工地，這是一個非常嚴重的失職行為。」

「我早上已經安排好大家的工作，工地也不會因為我的暫時離開而有問題。」

「這並不是一個正常的程序。」肯伊訓道：「你有義務要事先通知我，好讓我將你的缺席登記在陵寢日誌上。」

「這倒是。您照規定要罰就罰吧！」

「你去誰家了？」索貝克問道。

「我再重覆一遍，這並不重要。」

「既然如此，為什麼甩開了我的部下？」

海伊毫無表情，臉上刻劃著很深的皺紋，彷彿經歷了一場浩劫而突然老許了多。

「我不喜歡被人跟蹤。」

「這個解釋不夠，海伊，你在隱瞞什麼？」

「跟真理村無關。」

「如果你拒絕說出來，我就逮補你。」

「你沒有權力這麼做，除非陵寢書記和首長准許。」

「我有他們的准許。」

海伊望著尼菲和肯伊。

「所以說，你們全都一起對付我。」

「我相信你無愧於心。」尼菲用肯定的語氣說道：「我也完全信任你。可是如果你繼續保持沉默，我怎麼去幫助你？」

「你說的是真心話？」

「我以法老之名發誓。」

「那我願意說，可是只對你一個人。」

索貝克正欲反駁，肯伊卻在這時向他使了一個眼神，要他不說話。

海伊和尼菲兩人慢慢地朝村子往前走。

「你可能很難相信，不過我沒進入真理村之前，的確年少輕狂過。我在村子裡結婚前曾經交往過不少女孩，其中有一個我從未忘記她。當她寫信給我、告訴我她得了重病時，我決定去看她而沒有告訴任何人。今天，我陪她度過了她生命的最後一刻。」

海伊的聲音有點顫抖。

「我了解你會有所懷疑，因為這不像是你認識的我；然而我所說的卻是事實。我不希望你我之間有任何的陰影存在，所以我要求你去求證我的話。」

「海伊是清白的。」尼菲向陵寢書記和索貝克表示道。

「我們怎麼能肯定他的清白？」索貝克反問道。

「只要去東岸一趟就知道了。」

「我陪你去。」

「我答應海伊自己一個人去他所說的地方，而且因為是他要求我這麼做，我才會去。其實他的話已足夠讓我相信他是清白的。」

「這搞不好是一個陷阱！」

「海伊沒有說謊，我也沒有什麼好怕的。」

「你身為首長，不能去冒這個險。」肯伊說道。

「如果我放棄了，大家會繼續無情地懷疑海伊，我們也無法彼此信任而一起工作。既然我知道怎麼還他清白，所以我不會放棄。」

「你忘了一個重要的細節。」索貝克提醒他，「行會出現了一名叛徒，是誰要求我不要把這件事說出去？是海伊，一直都是他！」

海伊被軟禁在他自己的房間裡，所有的工匠都不知情，表面上的說法是海伊生病了，而這段期間由尼菲帶領完成梅仁達神廟的最後工作。

尼菲一等到全體工匠休假一天，便馬上離開村子。帕尼泊為了應智女的要求保護他，所以保持著一定的距離跟在他後面。

假使海伊撒了謊，尼菲會掉進他很早以前就準備好的陷阱。如此一來，雖然他已露出真面目，卻仍然可以進行他的報復。

尼菲為了遵守諾言而拒絕透露目的地，雖然索貝克一再地重覆海伊有罪，他仍然相信他同事的真誠。自他們認識以來，兩人從未有過爭執；海伊也從來不曾嫉妒尼菲的升級，而且認真地執行尼菲的計劃，並加入他的看法。的確，海伊是比較嚴肅和專制，但左隊沒有任何一名工匠抱怨過他，因為他總是行得正。

在渡船上，尼菲夾雜在一群山羊之間，牠們的主人正試著用一個好價錢賣給卡納克的動物總管，而且不斷地強調這等貨色才配得上祭獻給阿蒙神。

帕尼泊寧可他和動物在一起，也不願他被夾在人群中。一路上他旁邊兩個女人不斷地為繼承問題爭得面紅耳赤，時間很快也就打發過去。尼菲和群羊一起下了船。

要跟蹤他並不容易，因為新的水果一到岸，便立即引來了許多的人潮，大夥七嘴八舌地討價還價。尼菲困難地撥開人群，而帕尼泊因為怕失去他的蹤影，所以只得用手肘開路。

「喂、喂，你連一聲抱歉都不會說呀！」一名挑水伕抗議道：「你差點就把我撞倒！」

「對！對！對！我有看見！」賣洋蔥的小販加了一句，不久之後，連一些沒看見的好事者也開始繪聲繪影起來。

帕尼泊實在很想把他們打昏過去，但又怕打起群架會引來警察的干涉，只好忍氣吞聲地道歉了事。

然而，尼菲已經不見了。

73

帕尼泊問了十幾個人都沒有任何結果，最後連河岸邊的小販和客人都走光了，他還是不知道該怎麼辦，只好在原地走來走去。他是否該回到村子去通知陵寢書記。來一個大搜索？還是自己沿著小路一條一條地找？問題是他一點頭緒都沒有，根本無從找起。

帕尼泊很生自己的氣，也不會原諒自己居然就這麼任務失敗。如果尼菲發生任何不幸，他是唯一要負責的人，所以他會自行離開行會去過著悲慘的日子。

不他可以做得更好，他要為他的朋友也是義父報仇。這個王八蛋海伊，他會要他吐出共犯的名字，他們沒有一個能逃出他的手掌心。帕尼泊一心只想讓他們馬上為他們的罪行付出代價，就算是警察甚至法官都無法阻擋他。

夕陽的餘暉溫柔地照映在尼羅河上，一群雁子在其上空飛翔。突然間，帕尼泊以為自己看見尼菲的身影正從一條巷子走出來。由於落日直接照射在眼睛上，他不敢相信這一個奇蹟，不過他仍然往那個身影的方向跑過去。

「是你，真的是你嗎？」

「難不成我早上到現在已完全變了樣？」

「我居然把你跟丟了，你能想像嗎？我已不配待在行會裡！」

「別傻了！我認為你把我保護得很好，而且我看不出誰敢反對我這種說法。」

「你為何去這麼久？」

「為了要幫助一個不幸的家庭能夠改善他們的生活條件，我只好找上公家機關。在手續上總是很複雜，不過結果應該會令人滿意。」

「這是不是意味著海伊是清白的？」

「你懷疑過嗎？」

尼菲以自己的身份做保證，白髮人送黑髮人的可憐兩老終於獲得一些退休補助金。他們的女兒至死仍對海伊保持忠貞，而經過了這件事，尼菲和海伊有了一個共同分享的秘密，也更加強了彼此的感情。索貝克向海伊鄭重地道歉，後者不但沒有侮辱索貝克，反而告訴他能夠體諒他的行為，而且一點也不記仇。

他們幾個知情的人聚在一起快樂地用餐，為海伊慶祝，只有肯伊板著臉孔。

「是不是牛肉煮得不夠熟，不合您的胃口？」卡萊兒問道。

「肉非常的好吃，問題是什麼都沒有解決。當然啦，左隊隊長的清白讓我再高興不過，可是真正的兇手卻始終躲在暗處。還有，為何還沒有梅仁達的消息？」

「您要及時行樂，肯伊。我和您一樣知道危險的存在；但今晚我們要慶祝團隊找回了和諧。」

肯伊拿卡萊兒一點辦法也沒有，她的魅力實在無法使人抗拒，因此肯伊只有繼續嘀咕了幾分鐘，便暫時忘卻煩憂，加入快樂的行列。

費奈德上氣不接下氣的跑來找陵寢書記。

「朝廷來的一封信！郵差、郵差剛剛帶來一封朝廷的信！」

肯伊立即拆掉皇室的印泥，緊張而迫不及待地讀了起來。

「是好消息嗎？」石匠擔心的問道。

「太好了！」

陵寢書記高興得連拐杖都忘了拿，便急急忙忙地從辦公室趕到首長家。

「快召集所有的工匠，梅仁達的命令到了。」

尼菲寧可先知道內容再通知工匠。的確，信中的內容寫得很清楚，木乃伊棺移入陵墓的時刻終於來臨！

＊　　＊　　＊

賽克塔以撩人的姿態望著莫希很有節奏地划著槳，兩人在屬於自己的小湖裡划船。

「危機似乎已過去了。」他對賽克塔說道：「梅仁達恢復了健康，繼位的爭論也已平息。塞特裔被任命為軍隊統帥，阿孟美斯則繼續他在底比斯的舒適流放生活，而我仍舊擔任原職，外加首相的讚美。總而言之，天下太平。」

「別這麼悲觀，親愛的，這只不過是個假象而已。國王仍然每天持續地衰老，再也不可能有年輕人的活力。至於我們的計謀很快又會開始。年輕的阿孟美斯已經開始等不及了，而他的父親塞特裔仍得耐心地等到梅仁達去世。」

「妳真懂得如何給我希望，我的小親親。」

「你很有前途，莫希，不是這一兩個意外就可以把你打倒。我們還是繼續一貫的方式：在塞特裔和阿孟美斯之間挑撥離間。但不可失去兩者對我們的信心。這不是你教我的嗎？」

「妳是我最好的學生。」

「最好也是唯一的一個。」

賽克塔脫掉衣服躺了下來，並撫摸自己的胸部。

莫希再也忍不住，於是把槳一丟，立刻投入她的挑逗邀請。

粉紅花崗石做的木乃伊棺有三層：第一層表示「生活之主」，第二層代表石船，裡面載著法老的木乃伊，第三層是他的肉體及等待復生的靈魂。

石棺上刻滿了守護神所代表的象形文。裡面最小的一層，亦即直接與法老木乃伊接觸的一層刻有權杖、武器、布匹和其他儀式用品；而蓋子內層則刻著天神努，其全身的長袍綴滿了星星，將幫助法老在群星當中重新誕生。

石棺的外棺長四點零九公尺，形狀像梅仁達躺在一個橢圓形宇宙中，雙手交叉於胸前，手中持著象徵其權力的曲柄權杖和皮鞭。

帕尼泊有些不放心，於是又檢查了滑車上的拉繩。

「你連我這個專家都不信任？」卡沙譏諷道。

「兩雙眼睛總比一雙看得清楚。」

「我覺得你根本就是越俎代庖。我一切都已安排妥當，所以不需要一個檢查員。」

「還是加上一條繩子比較保險，以防萬一。」

看到卡沙兩眼冒火，帕尼泊寧可走開，以免鬧得大家不高興。而卡沙又再檢查一遍，雖然不斷地低聲咒罵帕尼泊，最後仍然加了一條繩子。

智女站在陵墓的入口處，口中唸著石棺上刻的經文，它們將永恆長伴法老復生的靈魂。

滑車已準備好將沉重的木乃伊棺下滑到陵墓的最深底層，滑車本身形狀如一個象形文字「阿圖姆」，意即「是與不是者」當石棺放到滑車上時，兩者一體又形成了另一個象形文字「奇蹟」，如此更增加了神力，不但能讓往生者的遺體變得有生命，同時這條神舟會載著他在天國航行。

卡沙將粗繩的一端繞在一根石柱上，另一端繫著滑車，當石棺在陵墓的通道中要開始往下移時，石匠們會將石柱這端的繩子一點一點放鬆，滑車便會以緩慢的速度下降到陵墓內的石棺室。

智女開始唸著儀式祝禱詞，希望這趟旅程順利愉快，一旁的首長用手勢下令石匠進行移棺。

卡沙、奈克持、卡洛和費奈德開始慢慢地鬆繩，於是滑車在斜坡道上一點一滴下降。

突然之間，石棺前進的速度加快。

四名石匠的動作完全符合要求，可是滑車仍然以過快的速度繼續前進，他們開始剎不住沉重的石棺。

帕尼泊立即衝進陵墓，而且在滑車邊還差點滑倒。他用盡全身的力量緊緊拉住卡沙加綁在石棺後面的那條粗繩，試圖阻止石棺繼續下滑。

帕尼泊全身肌肉緊繃到幾乎裂開的地步，滑車終於停止下滑。

「墊木，快！」

畫匠和雕匠立刻拿了好幾塊三角形的墊木卡在滑板底下，帕尼泊這時才鬆手。

「你化解了一場大災難。」尼菲對他說。

帕尼泊在往回走的坡道上用手指在地上指了一下。

「有人蓄意破壞。」他在首長耳邊低聲說道。「地上被塗了一層透明油。」

尼菲楞在原地，這麼說來，叛徒並未放棄破壞，甚至變本加厲到想要毀掉真理村所即將完成的工程。

74

「新任首相剛剛走馬上任。」陵寢書記向首長說道。

「您認識他嗎？」

「不認識，他是北方人，八成會將一些重要權力授予西岸總督莫希。反正他似乎對我們不懷有敵意，因為他向我道賀梅仁達的神廟和陵墓大功告成，而且不只是客氣話，為了慶祝我們的成功和他的新任職，他派了一百五十頭驢子送來一大堆的糧食！這又要增添我的負擔來登記這麼多的食物，不過若往好的方面想，我們可以用來籌辦一場盛大的慶祝活動，讓每個村民都不會忘記這一刻。」

「而我卻不會忘記這個叛徒。」

「你成功了，尼菲，而他卻失敗了。梅仁達的百萬年大神廟已經落成，同時也開始運作；他的陵寢是一個完美的傑作。你的首長聲望已建立，所有的工匠都佩服你、也敬愛你，每個人都知道智女會用她的法力來保護村子．所以，不要再去想這號人物了，至少我們先好好享受這段幸福的時光。」

「我在想我們的下一個任務是什麼。」

「我們到時候再說吧！你先好好休息，再來慶祝。」

消息傳遍了底比斯，接著很快地傳到整個國家；真理村又再一次成功地完成了它的任務。國王在位時需要的建築已完成，甚至有少數的埃及人有機會看到它們，這些人也知道他們的角色在於維繫天上與人間的團結及和諧。

帕尼泊會永遠記得梅仁達的金色木乃伊棺、靜靜地躺在復生的石棺室裡。他和其他同事一樣，感覺自己參與了國王的永生；再度回到現實生活，國王谷地顯得如此地親近、又如此地遙遠，翻騰的情緒一下子無法回復過來。

然而他仍得為慶祝活動做準備、將房子的牆面重新整修、同時陪陪兒子玩耍。阿沛弟向帕依和卡烏學習計算，但是對於母親嘗試教他的閱讀和神話故事卻興趣缺缺，不過還不討厭畫畫。他已經有本事和年紀比他大許多的孩子打鬥。

娃貝特繼續生活在她的幸福之中，也不要求更多。可是當她看見帕尼泊將她的床摔成千萬個碎片時，感到一陣害怕，她的美好世界是否將因為一個莫名的原因而被擊成粉碎？

「住手，我求求你！」

「太慢了，娃貝特，我一旦下了決定就無法改變。」

娃貝特太害怕再聽到這幾個字，當初她的溫柔，甚至連他的兒子都無法留住選擇離去的帕尼泊。

「你、你真的要走嗎？」

「走？我完全沒有這個念頭啊！」

「可是，為什麼？」

「妳怎麼有辦法繼續睡在這麼一張床上，娃貝特？它對妳的背非常的不好。把這些爛木頭拿去當柴燒，我要幫我的老婆製造一張配得上她的床。」

她開始又哭又笑。

「妳怎麼了，娃貝特？妳人不舒服嗎？」

「剛好相反，我覺得好得不能再好，而且好感動。」

「妳看狄弟亞送我的這個工具。」

帕尼泊拿出一把手搖鑽展示給她看，它是用來在木頭上鑽洞，而且把手的弧度與操作者的動作配合得天衣無縫。

「狄弟亞告訴我它的曲線其來有自，一個好的木匠會讓樹木一開始就適合的彎曲弧度生長，才能做出這麼一把工具，現在，我要去幹活兒了。」

娃貝特一看見成果便雀躍萬分，她的新床足以讓所有底比斯的有錢人為之眼紅。

她不敢置信地坐在新床墊上，接著她讓衣服的肩帶順著身體滑到地上，並慢慢地躺到床上。

「你願不願意和我一起試試它？」她用細柔的聲音懇求著。

＊　＊　＊

這一天是個美妙的一天，溫和的陽光、輕柔的微風、沒有病人看診，而且尼菲終於接受休息一下。

卡萊兒做完了晨祀便來到陽台上躺著休息，心裡回顧著過去這些年在村子裡的快樂時光，以及她所擁有的刻骨銘心的愛情。卡萊兒從未後悔來到村子裡，儘管日常的工作要求比外面任何一個地方都來得嚴格，然而這裡的每一刻卻是如此令人讚嘆。

巷子裡傳來的聲音喚醒了卡萊兒，男人、女人、孩子們所組成的隊伍，正又笑又鬧地朝她家走來，卡萊兒匆匆忙忙下樓，驚訝地發現尼菲並不在家裡。

她好奇地打開大門，尼菲就站在她的面前，後面跟著一大群村民。

大家停止了笑鬧，尼菲拿出一個首飾盒送給卡萊兒。這個精緻的四腳盒有一個滑蓋，盒身上以一些金色方塊作裝飾。

「請接受村子送妳的這個禮物。」尼菲說道：「我們希望將它獻給每天照顧大家的智女。這個盒子代表了我們的尊敬，以及我們的愛。」

卡萊兒感動得一句話都說不出來。

「智女萬歲！」帕尼泊熱情有勁的聲音響徹雲霄，其他的村民也跟著一起高喊。

「我拒絕。」尼菲說道

「我必須堅持。」肯伊強調。

「你代表我去，而且您知道我非常不喜歡這種正式的場合。」

「西岸總督希望能在所有底比斯的顯貴面前向你道喜，所以我不可能代替你。」

「告訴他我工作很忙。」

「你非去不可，尼菲，如果我們想知道未來的命運如何。我可以肯定這不是一個單純的頒獎典禮，莫希一定會趁這個機會給我們一些機密消息，我們也才能知道未來的一部份工作是什麼。」

「說不定這只是一個社交應酬。」

「如果是這樣，他就不會邀請你，而且透過你，真理村的榮譽才會被建立和鞏固，你難道不該為了大我而犧牲小我嗎？」

「您真是一個可怕的詭辯家，肯伊。」

「我只不過是個熱愛村子、一心想挽救它的老書記，不管你願不願意，你已經成了一個非常重要的人物，若經過了大家正式的承認，對我們會有多一層的保護。」

智女同意肯伊的看法，因此尼菲想躲也躲不掉，典禮在梅仁達百萬大神廟的露天中庭舉行，尼菲不得不穿上正式的禮服，連肯伊的寬口大禮袍也顯得非常隆重。

許多底比斯的達官貴人都到場參加這項典禮。已習慣了大排場的的莫希，首先從容不迫地介紹陵寢書記的職業生涯，並且讚美他管理有方，也希望他能長久繼續下去。

接著莫希唸出尼菲寡言的名字，後者對於自己成為眾人的焦點感到很不自在。

「真理村的首長肩負了重責大任。」莫希宣佈道：「所有人都知道他不喜歡到村外，可是尼菲寡言的名字已越出牆外、聲名遠播，因此，我認為有必要出面代表底比斯獻上這個榮譽，尼菲寡言創造了陛下的陵寢和我們所在的神廟，更顯出他的偉大和成就，他不但具有領袖的特質，同時也是一位天才建築師。法老賦予我權力，為他戴上這條金鍊。本人以各位在座之名給他一個擁抱。」

尼菲臉上的表情依舊淡漠，絲毫不見他的笑容。

莫希在他氣派的別墅內舉行了豪華的慶功晚宴，最後賓客終於一一離去。莫希邀請陵寢書記和首長來到他的辦公室。

「終於可以清靜一下了！我和你們一樣不喜歡這種社交活動，但不幸的，是有時候非參加不可。」

「為何首相今天缺席？」肯伊問道。

「他有事必須留在比拉美西斯，不過他曾交待我一些關於你們的事，它們並沒有被寫下來，我只能以口頭上轉達給你們。首相對我的信任令我感到很榮幸，也很驕傲能夠參與，因為它涉及到你們新工作的秘密。」

「我們洗耳恭聽，莫希。」

「梅仁達要求你們如同過去一般、準備村子居民的陵墓，並且負責維修村子既有的陵墓，同時儘快到皇后及貴族谷地建造一些陵寢，名單在這裡。」

莫希將一張紙莎草紙卷軸交給陵寢書記，上面蓋有皇后和首相的印泥，還有日期。

肯伊把它放進袖口裡面。

「沒有別的？」

「我的任務已完成，也相信你們順利完成你們的任務。」

肯伊和尼菲告退。

莫希非常受不了首長的沉默，他過於內斂、真誠正直的眼光令莫希感到很不舒服。要找出他的弱點恐怕不是一件很容易的事。

75

梅仁達已進入第十年的統治。真理村的生活很平靜，只有一件令人感傷的事，小黑躺在卡萊兒的懷裡安靜地死去，尼菲也和他的妻子同樣感到難過。他將小黑的遺體製成木乃伊，並且用洋槐木為牠做了一個木棺。他們兩人愛情的忠實見證者，離開了主人先到天國，等待來日在另一個世界為他們引路。他們的運氣很好，因為一隻長得像小黑的翻版和另外兩隻同時出生，卡萊兒立即收養了牠。

左隊被分派到皇后谷地工作，右隊則到貴族谷地，帕尼泊完成了一張色彩艷的供桌，引來大夥的稱讚。牛排、葡萄串、鵝肉、蔬菜、洋蔥束、圓麵包等組合成一幅美麗而諧調的圖案，形成視覺上的享受。

「你的筆觸比我來得活潑。」傑德承認道。他不斷地訓練他的學生，希望他能完全掌握繪畫的技巧，因此傑德很高興帕尼泊進步神速。

「這是一個批評嗎？」

「以某些情況而言的確是，但就這張供桌而言是一種讚美；獻給死者靈魂的食物，因為有了這幅愉快和鮮活的畫而更有效果。你仍缺乏嚴肅的筆調，不過生活的考驗自然會教給你，除非你的自尊先把你自己給毀了。」

傑德又回去工作，絲毫不理會帕尼泊生氣的眼光。

「進展如何？」莫希問達克泰。

達克泰不斷地拈著他的紅鬍子，兩隻小眼睛閃爍著得意的光芒。

「我成功了。」他得意洋洋地宣佈道：「您的確應該對我有信心。我們現在擁有大量的箭頭，它們的穿透力強過現有的兩倍。」

「你可以做得更好。」

「我是不斷地在進步啊！如果我告訴您我成功了，並不是在自我吹牛。我也減輕了矛的重量，同時加強它們擊中目標時的效果，它們可以更遠、更準確地射中目標。而最大的傑作是那些雙鋒短劍！我不但掌握了國外鐵匠的製造技巧，甚至加以改良。士兵使用這種劍會比對手來得輕鬆，就算只有刺傷對手，也會令他們受傷而無法戰鬥。您根本無法想像這些武器的威力有多大。」

「我會親自檢驗，然後訓練我最好的士兵，將他們組成一個精兵團。」

「您會不會讓阿孟美斯王子知道？」

「他知道的已經夠多了。我建議他多出現在底比斯的上流社會，現在大家已開始接納他。不過目前行事要更加謹慎。」

「聽說首府方面的消息已越來越少。」

「根據我的消息來源，敘利亞、巴勒斯坦方面非常的平靜，如果有必要，塞特脅會立刻派遣大軍讓敵人不敢造次。最好的消息是國王馬上就要過七十五歲的生日了。」

「他父親拉美西斯活得比這個更久！」

「話是沒錯，不過梅仁達已愈來愈少出現在正式的場合上，有些甚至是非常重要的場合。換句話說，他的身體已經愈來愈差了。」

達克泰有意要澆他的冷水。

「自從您鞏固了真理村的名譽後，它似乎已碰不得。」

「這是故意要讓行會這麼認為，不過這是暴風雨前的寧靜，阿孟全斯起來反抗塞特脅，父子之間將會有一番廝殺。」

達克泰做出厭惡的表情。

「我對這種爭執不感興趣，我只希望實驗所會繼續維持下去。」

「你只不過是自己騙自己，其實你的野心仍然不變，和我的一樣！也許你不認為，但我所表現的耐心以及先輩固自己的地位是對的。每個法老都不能沒有沒底比斯；一旦梅仁達死了，他會將拉美西斯的剩餘光環同時帶走。這時我們就要採取行動，真理村的所有秘密將不會逃過我的手掌心。」

* * *

卡沙的妻子不想再有小孩，因此卡萊兒為她準備避孕藥，當她正在研磨洋槐刺時，突然感到一陣頭暈。剛開始以為一下子就會過去，然而強烈疲倦感逼得她不得不在看診的病床躺下來。

尼菲久等不見妻子回家，於是好奇地來到診所看看。他愛憮妻子的頭髮、溫柔地將她喚醒。

「我累垮了。」她坦承道。

「妳要不要我叫外面的醫生來？」

「不，不需要。最近這幾個星期以來我消耗了太多的磁氣，而智女沒有教我如何治療自己。我必需要去西峰一趟。」

「好好睡一覺不會比較有幫助嗎？」

「你幫我站起來，好不好？」

尼菲很清楚她的擇善固執，再怎麼說服也沒有用，而當初第一眼看見她時就被她這點所吸引。

「如果上山很困難，妳答不答應讓我帶妳回家？」

「有了你，我一定會成功的。」

兩人在滿天星空下彼此依偎著一步步向上爬。卡萊兒的視線從未離開過西峰的金字塔形頂峰。尼菲和卡萊兒不把上山的辛苦放在心上，只知道聖山正在召喚。

兩人到達頂峰後凝望著北斗星，四周永恆的星星形成了一個天庭。

「答應我一件事。」尼菲要求她道。「千萬不能比我先離開這個世界。沒有妳，我連最小的工作都無法完成。」

「就讓命運來決定吧，我只知道沒有任何事物可以將我們拆散，尤其是死亡，你我之間的愛和我們共同的生活會克服它的。」

當太陽升起時，卡萊兒汲取了一些努神的露水，並將它們沾溼雙唇。於是她又有了新的力量來照顧村民。

* * *

肯伊與助理隊長討論過後，認為事態嚴重到有必要通知兩隊工匠隊長和智女。

「豬肉的價格漲得很離譜，這是經濟混亂的不良現象。」他解釋道：「其他糧食很快也會跟著上漲，而且首相給我們的糧食配額也將會減少。」

「是否該馬上向首相請示？」海伊建議道。

「首相人在比拉美西斯，我會去信通知他，我建議你們將所有要賣到外面的東西和神像、棺木等價格提高。」

「我們這樣不會引起通貨膨脹嗎？」

「是有這個危險，但我們不能等到事情發再來反應。我可以不諱言地告訴你們我的隱憂：希望目前這種情況是暫時性的，否則這將是嚴重的經濟危機預兆，連村子也躲不掉。」

「我們的糧倉是不是滿的？」卡萊兒擔心地問道。

「我這個人很小心。」肯伊說道，我總是寧可多貯存一點，以備不時之需，由於我們有政府的保證，照理說我不該去想這些，可是今天我一點也不後悔這麼做。」

「西岸總督難道不會想辦法？」尼菲問道。

「莫希不可能坐視不管，不過總是要知道為什麼豬肉販會這麼做。」

「因為害怕？」智女加上一句。

「他們怕什麼？」

「這幾天有一道可怕的風四處吹到谷原，很令人心神不寧。」

「跟我們有關嗎？」海伊憂心地問道。

「沒有人能躲得過。」卡萊兒回應道。

沙暴吹襲了一整夜，居民們紛紛關緊門窗。太陽始終無法穿透厚而黃的空氣，而晨祀也比往常延遲了許多，走在路上能見度不超過五步，汲水的工作因而變得困難重重。

智女已預料到會有多人眼睛發炎，因此準備了大量的眼藥水。

「我會告訴肯伊在這場風暴期間減少工作量。」尼菲向妻子說道：「工匠暫時只進行村子的陵墓工作。」

黑兒在首長的膝蓋上蜷縮成團，彷彿是告訴主人不要站起來。這隻小狗非常地乖巧，從來不會去咬家具，而且食量很大，卡萊兒總是將肉類、乳酪、蔬菜和麵包混在一起餵牠。核桃色的眼睛很靈活，看起來和小黑一樣地聰明。

「妳很擔心，對不對？」

「這場風暴強烈得不正常，有種毀滅性的瘋狂意味。」

門口響起了用枴杖敲門的聲音。

「快點開門。」肯伊喊道，頭上用斗蓬緊緊包住。

「發生了什麼事？」

「烏普弟勇氣可佳，他冒著大風沙為我們帶來一個惡耗，梅仁達法老剛剛駕崩。」

76

首長向所有村民宣讀皇宮捎來的訃文。

「法老之靈已升天會合太陽光環，與其神之主融合為一體。自此，梅仁達將活在光之世界，於等待新王登基之時，願陽光重新照耀全國。」

大家的臉色都非常凝重，沒有人敢提出縈繞在心中的問題。

沒有人，除了帕尼泊。

「我們的命運如何？」

「真理村只隸屬於法老。」肯伊提醒道。

「誰是梅仁達的繼任者？」

「大概是其子塞特裔。」

塞特裔是一個可怕的名字，他是否能控制塞特神暴烈且製造問題的力量？

「如果是他統治。」卡洛預言道：「局勢會變得很可怕，我們必須做最壞的打算。」

「你為何如此悲觀？」卡烏反問他。

「因為塞特裔是拉美西斯父親的名字，沒有人可以再用這個名字！在他之前的每個國王都不敢取為塞特裔，在他之後也不應該。」

「聽說阿孟美斯王子也覬覦王位，不是嗎？」克特問了一句。

「你們不要再煩惱了。」帕依安慰大家，「不管怎麼一定會有一個法老治理國家，也將會下令我們在國王谷地建造他的百萬年大神廟和陵寢。」

「除非有內戰發生。」帕尼泊假設道：「這時就會亂成一團。」內戰讓叛徒終於又重拾希望！都是因為梅仁達，他才無法儘早獲得他在村外所累積的財富；大家原以為梅仁達是個懦弱的國王，卻沒想到他不但挽救了埃及，而且自始至終全力支持真理村。塞特裔二世是否會走同樣的路線，還是無法如此承受一個沉重的任務，以致連自己的兒子阿孟美斯都與他對立？

萬一發生激烈的衝突，真理村勢必會日漸式微而失去聲望，它的安全也會愈來愈不保，叛徒便可採取積極的行動。他將繼續不斷地在村子裡探索光之石的藏身之處，也會小心不被人發現，如果局勢變得混亂，對他會比較方便進行。

「在新命令未抵達之前。」首長說明道：「索貝克和他的部下會保護我們，所以你們沒有什麼好怕的。陵寢書記和我本人會去找莫希總司令，以獲得進一步消息，在我們回來之前，大家不要離開村子。」

「萬一你們回不來了呢？」帕尼泊問道。

「你居然有這種可怕的想法？」

「如果反對派造成激烈衝突，到時連真理村的周圍都會很不安全。」

「假使我們沒有回來。」首長指示道：「村子將由智女來掌管。」

* * *

風暴逐漸緩和下來，能見度也增加許多，底比斯的西岸看起來很平靜。慢慢地，農夫開始回到田裡工作，畜棚裡的動物也被牽到戶外，所有家庭主婦都在努力將屋子裡的積沙掃到屋外。

中央行政辦公室的中庭有許多的士兵正在清掃整理。一名軍官叫住兩人。

「你們要去哪裡？」

「去見莫希。」肯伊應道。

「憑什麼？」

「憑我是陵寢書記。」

「請原諒我的失禮，總司令不在這裡。」

「他去哪裡？」

「對不起，我不能告訴您。」

「您有沒有收到有關真理村的指示？」

「完全沒有。」

「總司令何時會回來？」

「我不知道。」

肯伊和尼菲只好滿腹凝惑地回到村子。

＊　＊　＊

阿孟美斯氣憤到極點。

「如果我說得沒錯，莫希總司令，您根本是把我關在底比斯軍總部的房子裡！」

「當然不是，王子，您的安全是我唯一的考量。」

「可是我仍然無法自由出入！」

「在這個不穩定的時期裡，您最好還是讓底比斯的軍隊來保護您。」

「底比斯軍隊！我就是要用它來進攻首府！」

「請您冷靜想想，如果是南北發生內戰，死傷的人數至少會有好幾千人，埃及的勢力也會因此而嚴重削弱，很容易就會成為敵人的獵物。」

「一旦我父親登基成為法老，我便什麼都不是了！」

「我們完全沒有比拉美西斯的消息，也許塞特裔會緊急召回您。」

「一定是為了要除掉我！」

「因為這攸關著最高政權的問題，莫希總司令！有人因此美夢成真，有人從此夢想粉碎。而我絕對不會放棄我的夢想。不管您願不願意，我和塞特裔之間的對立已成定局。不是我父親放棄統治，就是我拒絕承認他的權力而在底比斯這裡即位，所有的人將得選擇自己支持的一派。」

「我會聽從您的命令，王子，可是我請求您暫時先留在這個軍營裡，直到塞特裔做正式的決定。」

「我答應您，總司令，不過您要讓軍隊進入備戰狀態。」

莫希向他告退，同時心裡暗暗高興情勢會有這種轉變。他原本擔心阿孟美斯太快向他父親低頭，事情卻正好相反，梅仁達的去世反而讓阿孟美斯的野心加倍，莫希還得讓他冷靜下來，現在需要很大的技巧和智慧來挑撥兩人，造成對立，同時令雙方以為他是他們最好的盟友。

當天晚上，莫希派人送一封最高機密的信到比拉美西斯，內容是通知塞特裔其子的態度和想法可能會造成威脅，同時表示自己對國家忠誠，一心只希望國富民安。

無論爭鬥的結果如何，莫希手中擁有的武器會讓他成為最大的贏家。到時他第一個要掠奪的地方就是真理村。

*　　*　　*

「什麼，沒有魚乾？」奈克特驚訝地問道：「妳真的確定？」

「如果你不相信我，何不乾脆自己去看？」他的妻子答道。

奈克特快步來到村子大門口，許多的家庭主婦已經聚集在那裡。

「漁販沒有送貨來嗎？」奈克特詢問著。

「既沒有漁販、也沒有肉販。」費奈德的妻子答道。

奈克特立即到陵寢書記家裡，首長、帕尼泊和其他的工匠全在這兒，而且埋怨的聲浪愈來愈高。

「夠了！」肯伊吼道：「就算你們埋怨也於事無補。」

「我們要知道事實。」帕尼泊要求道。

「我們的糧食補給已暫時中斷。」陵寢書記的口氣很沉重：「不過我們所貯存的糧食還夠吃好幾個禮拜。」

「您一定要強烈的抗議！」卡沙生氣的喊道：「應該通知首相和國王！」

「哪個國王？」圖弟諷刺地說道。「我們已經被人遺忘了，這就是事實！那些軍隊很快就會來佔令村子，把我們趕出去。」

「沒有人有權力進入村子。」帕尼泊說道。

「你以為我們抵抗得了？」

「為什麼要這麼悲觀？」狄弟亞也加入話題，「沒錯，現在政局是很混亂，可是新法老沒有理由會對我們有敵意。」

「不要再空談了。」首長下了結論：「村子裡還有很多的工作進度落後。」

尼菲開始分配神廟、陵墓和房屋修繕的工作。工匠們將他們的房子重新整理得很漂亮，心裡開始感到比較踏實，也令他們暫時忘卻煩憂。有時在輕鬆的工作時段裡，甚至可以聽到大夥兒唱一些傳統的歌曲，彷彿危機已離他們遠去。

首長凝視著光之石所在之處，世世代代的工匠將它忠實地承傳下來，才得以完成他們的任務，然而這個奇蹟是否即將要結束？

卡萊兒來到他身邊，和他一起欣賞這個無價之寶。

「我需要和智女談談。」他承認道。

「你想要放棄你的職務，不是嗎？」

「並非出於懦弱，或是害怕面臨風暴，而是因為我的工作已完成。左隊隊長所擁有的長處足以取代我的職位。」

「他的確有許多長處，除了一樣，他不是一個領導人物，所以不會是一個好首長，前面的路還很難走，光是成為一名優秀的工匠仍不足以保衛村子、挽救一切值得挽救的事物。諸神和行會不你有選擇的機會，尼菲，你要忘了自己、繼續完成你所被賦予的任務。」

卡萊兒抬頭望著西峰。

「你沒有聽見它愈來愈強烈的呼喚嗎？它的聲音充滿了整個天空，它的仁慈毫無保留。仔細聽它的話，尼菲，同時照著它所說的去做。」

尼菲把妻子緊緊的擁在懷裡。有了她的愛，他也許能夠戰勝黑暗、保存光之石。

（待續：光之石四部曲Ⅲ勇者帕尼泊）